文獻學之傳承與探新

趙飛鵬 著

本書獲科技部人文社會科學研究中心
專書出版補助

臺灣學生書局印行

序

本書作者趙飛鵬，目前任教於國立臺灣大學中文系，主要研究領域，為版本學、目錄學、中國古代書史、中國古代藏書文化、中國佛教文獻等。從就讀國立師範大學國文研究所起，便對中國古典文獻學有著濃厚的興趣，以《楊守敬之藏書及其學術》一文，獲得碩士學位。隨後，考進國立臺灣大學中文研究所，曾選修本人講授之《版本學研究》及《目錄學研究》，對此一領域之探討更加深入，興趣更加濃厚。在王叔岷教授與本人指導之下，於民國八十四年六月，以《黃丕烈〈百宋一廛賦注〉箋證及相關問題研究》一文，獲得博士學位。從此，飛鵬繼續在文獻學方面努力耕耘，除了下了許多工夫之外，功力亦不斷提昇，先後發表了不少學術性的論文，其中包括對歷代藏書家及藏書史、古籍整理、目錄學、版本學、校讎學及佛教文獻等的研究，曾發表於兩岸重要的學術性期刊，並多次參加學術研討會。從民國八十七年起，連續申請到國科會專題研究計畫，頗有成果。在古典文獻學上，已有優異的表現，值得鼓勵與讚許。

本書係作者近年來發表之學術論文專書，研究主題環繞「文獻學之跨界研究」而進行。並將十五篇論文，按「文獻典藏與傳播研究」、「文獻學與文獻研究」、「文獻學與經典詮釋研究」、「文獻學與佛教研究」四個子題加以統整編排，突顯出本書所包含的「傳統文獻學研究」與「文獻學創新研究」兩大部分。本書各篇研究方法意識明確，且各具有代表性。作者提出新的視角與新的理論。誠如作者前言所述，確有開啓「科際整合」及「跨界研究」的作用。整體而言，本書深具學術價值，足供相關學者參考。

最後，期望飛鵬在此領域，不辭辛勞，繼續努力。相信不久的將來，將會有更豐碩的成果。

潘美月

謹識於國立臺灣大學中國文學系

民國一百零三年二月十日

文獻學之傳承與探新

目　次

第三章 文獻學與經典詮釋研究

第四章 文獻學與佛教研究

Contents

敘 論

一、前 言

即使在當代的文化語境裡，「文獻學」無疑仍然是一門既古老而又重要的學科。[1]說它古老，如果以孔子（B.C.551～B.C.479）指出古書中文字的錯誤，爲後人開示校勘的重要原則來看，[2]文獻學的發展至少已經超過 2500 年了。說它重要，可以再以孔子爲例，《論語・八佾》云：

子曰：「夏禮，吾能言之，杞不足徵也；殷禮，吾能言之，

1 本書所稱的「古文獻學」、「圖書文獻學」與「文獻學」三詞的意涵相同，為行文簡便並避免爭議，謹先附註於此。

2 《春秋・公羊傳・昭公十二年》：「十有二年春（B.C.530），齊高偃帥師納北燕伯于陽。伯于陽者何？公子陽生也。子曰：我乃知之矣。」何休《解詁》：「子，謂孔子。乃，乃是歲也。時孔子年二十三，具知其事，後作《春秋》，案史記，知公誤為伯，子誤為于，陽在，生刊滅缺。」先師 王叔岷先生《校讎學・探原》云：「據此所啟示者有三例：一、聯想之誤。『公誤為伯』，因公聯想及伯而致誤也。二、形誤。于與子形極相近，故『子誤為于』。三、誤脫。『陽在，生刊滅闕。』即誤脫也。」（臺北：中央研究院歷史語言研究所專刊之三十七，1995 年訂補本），頁 9-10。

宋不足徵也，文獻不足故也。足，則吾能徵之矣！」[3]

說明大聖如孔子，也必須依賴文獻證據來證明古代的禮制，不能徒託空言，文獻學的重要不言可喻。歷代著名的文史學者，在學術研究上有重要貢獻，無不具備紮實的文獻學基礎。劉兆祐先生曾指出：

從事學術研究最主要的目的，就是希望能獲致創見；而創見之獲得，是要以豐富的文獻為基礎。

並以司馬遷作《史記》爲例，其撰寫過程中曾徵引文獻數十種，因而奠定《史記》的崇高地位。[4]這種情況，直到近現代，依然如此。例如杜維運教授（1928～2012）《史學方法論》一書，其中第九章〈史料析論〉、第十章〈史料考證〉，所討論的對象雖然是史料，而其所運用的觀念與方法仍然屬於文獻學範疇。[5]

任何一門學術，都有其發展傳統，也可以說是代表了這門學術的基礎訓練。從事學術研究，基礎訓練是必不可缺的。文獻學也是一樣，其傳統研究的範疇，離不開版本、目錄、校勘、辨僞、輯佚等。如王欣夫（1901～1966）《文獻學講義》一書，將文獻學的研究範圍集中於目錄、版本、校讎（校勘）三者，認爲這三者是「認

---

3 《四書章句集注》（臺北：漢京文化事業有限公司 1983 年景印清・吳志忠覆宋刻本），頁 155。

4 劉兆祐《文獻學》（臺北：三民書局 2007 年），頁 7。

5 杜維運《史學方法論》（臺北：三民書局 2005 年增訂新版），頁 141-192。

識、運用、處理、接受文獻的方法」。[6]又如張舜徽（1911～1992）《中國文獻學》，將版本、目錄、校勘三者列爲「整理古代文獻的基礎知識」。[7]比較晚近的著作，如洪湛侯《文獻學》，將文獻學分爲「形體編」、「方法編」、「歷史編」、「理論編」四個部分，而前述的目錄、版本、校勘加上辨僞、輯佚、編纂等歸屬於「方法編」。[8]杜澤遜《文獻學概要》，其第五章爲「文獻的版本」，第六章爲「文獻的校勘」，第七章爲「文獻目錄」，第八章爲「文獻的輯佚與辨僞」，仍然包含了這幾個重要部分。[9]至於如王宏理《古文獻學新論》，看法比較特殊，其第六章爲「校勘學」，第七章爲「文獻目錄學」，第八章爲「輯佚、抄纂、綴合」，上述的版本、辨僞則合併到第五章成爲「鑒定學」，之所以如此的理由是：

> 過去學者寫這部分的內容，多用「版本鑒定」或「辨僞」之類語詞，現在想來用詞應更全面些。這與過去有什麼區別呢？一、鑒別對象不只是版本；二、鑒別也不只「辨僞」一方面。[10]

換言之，作者是將版本學、辨僞學的功能僅限於「鑒定」，其說是

6　王欣夫《文獻學講義》（臺北：文史哲出版社 1987 年），頁 6。

7　張舜徽《中國文獻學》（臺北：木鐸出版社 1983 年），頁 53-157。

8　此書原名《中國文獻學新編》，1994 年杭州大學出版社出版，後由臺北藝文印書館於 1996 年出版繁體字本。引文見藝文版頁 1-3。

9　杜澤遜《文獻學概要》（北京：中華書局 2001 年），頁 130-271。

10　王宏理《古文獻學新論》（廣州：中山大學出版社 2008 年），頁 91。

否妥當，值得商榷。此處僅是指出其古文獻學研究的範疇，仍然不能缺少版本、目錄、校勘、辨僞、輯佚等方面。

然而，在研究傳統延續的同時，時代環境變遷的外部因素與學術發展「新變求生」的內部要求，卻促使當代的文獻學研究者不得不思考這樣一個問題：「文獻學這樣一門古老而又重要的學科，在現代的學術語境當中，應該如何煥發出新的生命光彩？」也就是說：除了版本、目錄、校勘、辨僞、輯佚之外，文獻學還可以研究什麼？面對時代的新局面，文獻學界的回應，大致有兩個方向：一個是在傳世文獻中，努力尋找新材料；另一個就是結合文獻學與其他學科的理念，開拓新題材。前者可以舉目前在文獻學界、文學界正蔚爲風氣的「域外漢籍研究」爲代表，後者則是筆者近十多年來從事文獻學研究時所關懷的主題。

「域外漢籍」是指「存在於中國之外或域外人士用漢文（主要是古漢文）撰寫的各類典籍。」[11]由於中國文化很早就傳播於世界各地，古代漢籍也隨著文化傳播而存藏於各個國家。對於域外漢籍的蒐集典藏始於 19 世紀，而眞正聚焦研究則是近 20 多年的事。南京大學文學院於 2002 年 2 月設立「域外漢籍研究所」，可說是此一風氣的代表，迄今該研究所已出版之相關研究成果有：《域外漢籍研究集刊》、《域外漢籍資料叢書》、《域外漢籍研究叢書》等，而海峽兩岸有關域外漢籍的學術研討會亦不時舉辦，對於域外漢籍的研究風潮可說是還處於方興未艾的階段。

---

11 參見張伯偉〈域外漢籍研究集刊・發刊辭〉（北京：中華書局 2005 年），頁 1-2。

至於「結合文獻學與其他學科的理念，開拓新題材」，是指借鏡於社會科學領域的「科際整合」概念，也就是「跨界研究」（Interdisciplinary study）。「跨界研究」其實並不是一個很新的觀念，以往稱之爲「科際整合」，被廣泛應用於社會科學的研究，如法律學、心理學、社會學、教育學等。[12]近年來則逐漸進入人文學科的研究視域，開發出一系列新的研究領域，如文學社會學、文學心理學、文本與圖像、物質文化研究等等。近年來筆者關心的議題即是文獻學的「跨界研究」，在文獻學研究領域中尙屬探索性的研究方向。

本書名爲《文獻學之傳承與探新》，包含了兩層意思：一是表明本書裡的文章包含「傳統文獻學研究」與「文獻學的跨學科研究」兩大部分；當然前者必然是後者的根基，也是筆者從未離開的研究場域。二是表達筆者探索新方向，嘗試「從文獻學研究通向跨領域整合研究」的努力。這本書所呈現的，即是筆者開發新的研究課題的一系列試驗成果；對文獻學研究的同道朋友而言，也不妨看做是值得大家共同關心的一個方向。書中各篇論文多少都提出了新視角或新結論，以下分別加以說明。

二、文獻典藏與傳播研究

筆者近年來在傳統文獻學研究的課題，一方面延續「藏書文化」

---

12 參見傅偉勳〈論科際整合的探索理念及其具體實現〉，收入《從創造的詮釋學到大乘佛學》（臺北：東大圖書公司 1990 年），頁 47-59。

的研究，另一方面主要關注於「類書」這種古文獻體裁，尤其是類書的功能與影響。同時由於筆者在撰寫碩士論文期間，就已經注意到域外漢籍的重要性，多年來也相當關心域外漢籍的研究狀況，因此也涉及了「和刻本」的問題，並旁及書籍傳播、流通等主題。現將筆者在文獻典藏與傳播研究方面的成果簡述如下：

（一）〈趙宗建及其舊山樓藏書〉

清末私人藏書之巨擘，羣推瞿、楊、丁、陸四家，以規模言，此四家固足以當大家之名，然就個別文獻之珍貴而論，四家之外，未嘗無人。常熟趙宗建之「舊山樓」，葉鞠裳《藏書紀事詩》卷七歸之於「小藏家」之列，蓋緣未睹其全貌。抗戰期間，明鈔本《古今雜劇》流出，震動學界，舊山樓之名，方顯於世。本文爰考察現存資料，略述趙氏藏書之原委，以凸顯其重要性。研究結論指出：趙宗建既非學者，也沒有留下專門著作或千古文章，但是經由其珍重呵護、妥善收藏的《孤本元明雜劇》得以流傳到今天，提供廣大學術研究者運用，就如同歷代以來所有知名的、不知名的藏書家一樣，爲保存古代文獻貢獻了自己一生的歲月，然後一棒一棒傳遞下去。身爲後學，承其遺澤，我們實在應該對這群默默付出的人，致以崇高謝意！而趙氏「舊山樓」，正是這個接力隊伍中值得注意的一個。

（二）〈從《天中記》論中國古代類書之知識性質〉

類書的編輯，起於曹魏，本來是爲了文學用途，便於查考陳言故實，以爲撰文賦詩之用。然而因爲類書中保存大量已經失傳或是罕見的古代圖書文獻資料，因而成為後人輯佚與校勘的寶庫。宋代開始，已經有學者運用類書中的資料進行古籍的校勘訓釋，到了明代，此風未替。陳耀文因批判楊愼（升庵）而著名，其所編類書《天中記》則以博洽聞。到底類書與治學之間有何種關係？歷代公私大量編纂類書之動機何在？類書的知識性質為何？均有待深入研究。本文即試圖以陳耀文及其《天中記》、《正楊》為線索，加以比對，提出個人的看法。本文觀察的結論是：古代文人學者的知識豐富，不完全是依靠博聞強記，而是有備無患——「類書」應該就是他們的秘密武器。經過抄撮資料，編成類書的紮實過程，任何人都有條件成為詩人或學者。正所謂「以我搜輯之勤，祛人繙檢之劇」，而恰好明代的陳耀文同時留下了《天中記》與《正楊》兩部書，使我們有機會透過比對資料，眞正發現類書與治學的關係。同時對於類書的知識性質，我們也應該修正原來的看法，不能把類書只是當成資料集或工具書，必要時翻查一下；而是將類書（尤其是重要的、好的幾部）做為可以從頭到尾認眞閱讀的書籍，以擴大知識的基礎。

（三）〈傳播與回流——「和刻本」漢籍的淵源與價值〉

文化研究學者有所謂「回流」之理論，也就是說：任何兩個文化體系之間的交往互動，都不是單向的，而是雙向的。如同波浪的前進，必然有「傳播」與「回流」的現象。中、日兩國之間的書籍流通，也可以藉此加以說明。中、日兩國一水之隔，自古以來交流就甚為頻繁。隋唐以後，日本因實行「大化革新」，遣唐僧與留學生源源不絕前來中國讀書、求經，中國古籍也從此大量傳入日本。

然而書籍輸入的速度，顯然無法全然滿足日本社會對於學習中國文字、文化的大量需求，於是日本人開始自行翻印中國書籍。這就是「和刻本」產生的背景。所謂「和刻本」，又稱爲「日本刻本」，是指古代日本以中國歷代之寫本或刻本爲底本，加以翻刻或重刊之書籍。「和刻本」漢籍的價值與功用有四：一、保存了在中土早已失傳的中國古籍。二、在日本刊印的和刻本構成了中國古籍的又一個版刻系統。三、大量異本的出現足資校勘所需。四、是中日兩國古代文化交流與融合的證物。本文並延伸論述，以楊守敬編印《古逸叢書》的成就爲例，說明和刻本漢籍對中、日兩國書籍文化交流的貢獻。

（四）二十世紀中國藏書史之研究與著作述評

「藏書史」研究是由傳統的目錄學與版本學中分支出來的新興學科，從二十世紀初以降，已經累積了可觀的研究成果。本文嘗試將這些研究成果分類，加以評述，藉以反映百年來藏書史研究的發展軌跡，並提出藏書史未來可能的發展方向，供學界參考。本文研究發現：海峽兩岸學術界對中國藏書史的研究，可說是各有千秋。大致來說，臺灣方面著重「個別藏書家生平考察、學術思想分析」；大陸方面則因相關資料較多，著重於「藏書史的整體客觀描述、藏書與文化的互動關係」。如果從全體研究成果的「數量」上來看，大陸學者似有超過臺灣學者的情形，其中原因，應當和兩岸的學術風尚與大環境走向有關。至於藏書史研究未來可能的發展方向，約有以下兩項：（一）藏書史與文獻學其他部門的結合；（二）由藏書史進一步建構「藏書文化」的研究體系。

三、文獻學與文學研究

從西方的角度來看，「文學」（literature）一辭，本來就包含了「文獻」的意義在內，文學研究也就是文獻研究。[13]中國古代也有類似的看法，《論語・先進》載有「孔門四科」：「德行：顏淵、閔子騫、冉伯牛、仲弓；言語：宰我、子貢；政事：冉有、季路；文學：子游、子夏。」[14]其中「文學」一詞的意義，邢昺〈疏〉說是：「文章博學，則有子游、子夏二人。」意即泛指一切的學問。可知文學研究的基礎與文獻學是一樣的，都是以「文本」（text）為出發點。本書中從文獻學角度研究文學問題的篇章有如下 4 篇：

（一）〈歐陽脩與宋代文獻學〉

時代風尚，對於文人學士之思潮與創作自必有所影響。另一方面，個別士大夫的生活中也反映了群體行為的特徵，致力於古代文獻的典藏、編纂、整理。這種時代與個人交互影響而形成的文獻學風，可以對觀察、理解宋代文學的發展，提供一個新的角度。本文即嘗試以北宋大文豪歐陽脩（1007～1072）做為例證，說明這個觀察的角度。宋人特重文獻是普遍風氣，而宋人重視古籍的蒐集、整理、註釋與刊行，也直接影響了宋代文學的發展。宋詩特色的形成，可說與宋代的文獻學風有密切關係。歐陽脩是集政治家、古文家、

13 陳文忠主編《文學理論》（合肥：安徽大學出版社 2002 年），頁 23-24。

14 《論語・先進》（臺北：新文豐出版公司 1978 年景印清・嘉慶二十年阮元刻《十三經注疏》本），頁 96。「四科」之說即見於邢〈疏〉。

詩人、詞人於一身的人物，同時他也是藏書家、文獻學家，是宋代復古運動的領袖。歐陽脩一方面繼承了宋初以來重視文獻的風尚，身體力行的整理韓愈詩文集，也因此奠定宋詩發展的新方向。

（二）〈詩人與類書——以黃庭堅之詩學為例〉

在中國文獻學的研究範疇裡，類書是極其重要的材料，舉凡古籍的訓釋、校勘、輯佚，無不問津於此。不過推究編纂類書的原始目的，卻是爲了文學用途，也就是便於查考陳言故實，以爲撰文賦詩之用。唐代詩人有自編類書的作法，宋代詩人無不以唐人爲典範，自然也會繼承了這個傳統。又江西詩派與文獻學習、閱讀的關係最密切，反映在詩歌的創作也最明顯。本文即是回到類書的原始目的爲立場，探討宋代詩人黃庭堅（1045～1105），在詩歌創作過程中與類書的關聯。本文舉出直接、間接多項證據，說明黃庭堅之詩學理論與詩歌創作，都與類書的編纂運用有很大關係，對於了解江西詩派提供一個新的角度。

（三）〈陸游之藏書及其文學〉

在中國文學史上，陸游（1125～1210）是以他豐富多產的詩歌創作以及貫徹其間的愛國精神著稱的，但是在另一方面，陸游也是南宋的一大藏書家，其藏書、愛書的情懷，明顯影響其詩歌創作的特色。前人評論宋詩特色，往往以南宋嚴羽《滄浪詩話》所提出的論斷：「以文字爲詩，以議論爲詩，以才學爲詩」，作爲討論基礎。然而對於宋詩爲何具有這些特色，卻未能充分說明。近代學術界對於宋詩的各種問題，已經有豐碩的研究成果，而宋詩特色的討論，也有超越前人的深入論證以及比較研究。在宋代文化方面，學界研究也已經論定：宋代文化是以「知性反省」爲其特徵。宋人普遍重視文獻的蒐集與整理，正是知性文化的表徵。因此，宋詩與宋代文獻之間的關係，頗値得繼續探討。本文從藏書文化的角度，對陸游的詩歌創作進行闡述，也是目前爲止，學術界從未有人注意到的。

（四）〈葉昌熾與清代宋詩風尚——論《藏書紀事詩》的文學意義〉

清末葉昌熾（1849～1917）在清光緒二十三年（1879）出版《藏書紀事詩》六卷本，可視爲中國學人全面且有系統的研究藏書史的開始。《藏書紀事詩》雖然記述的是藏書家的故實，但是其採用的體裁是詩——「七言絕句」，所以它也兼有文學的性質，這一點過去學界很少觸及，因此筆者認爲頗値得深入探討。首先，《藏書紀事詩》的體裁，可推源於《詩經》以來的「敘事詩」傳統。「詠史詩」則是《藏書紀事詩》的第二個淵源。如果再以詩歌創作的風格特質分析，「藏書紀事詩」無寧是直接繼承宋詩的。葉昌熾自通籍以後，入京供職，交遊更廣，不但治學的眼界日寬，與當時宋詩派的健將如陳三立、沈曾植等也有接觸的機會。《藏書紀事詩》之以詩的形式評論藏書家，還有一個啓發，就是源出於「論詩絕句」之類。在晚清這樣的詩史氛圍裡，「藏書紀事詩」的形成無寧是極其自然的。本文並根據宋詩的特色，進一步分析《藏書紀事詩》在文學成就上與宋詩的承繼關係。

四、文獻學與經典詮釋研究

文獻學除了文獻的形式問題之外，文獻內容的解讀，應該也包括在文獻學的範疇之中，這個部分可以特別稱爲「經典詮釋」（Interpretation of classics）。「經典詮釋」的理念來自於西方學術界 20 世紀中葉以後頗爲風行的「詮釋學」（Hermeneutics）思想。詮釋學源自於中古時期宗教改革時，學者對教會獨斷解釋《聖經》方法的批判，主張應該由《聖經》的文字本身來理解《聖經》原義。經過 19、20 世紀衆多學人的努力，詮釋學已經超出神學範疇，形成完整的理論體系，並對哲學、文學、社會學、藝術學甚至法律學等學科產生深遠的影響。[15]詮釋學的目的，開始於一種對「文本」（text）的理解態度，詮釋學是一種「掌握和理解文本所試圖說的東西」的學科。因爲文本的每一次閱讀都發生在特定的個體、傳統或一個活生生的思潮中，從而所謂的理解和詮釋似乎總是與「詮釋者」的環境與個人條件息息相關而造成理解與詮釋的歧異。因此「詮釋學是一門關於理解、翻譯和解釋的學科，或者更正確地說，它是一門關於理解、翻譯和解釋的技藝。」所謂「技藝」是指詮釋時採用的方法與態度。針對前述的歧異，也有人說：「詮釋學是一門消除誤會的學問。」

---

15 關於詮釋學的內容及發展概況，參考下列書籍：帕瑪 Richard E. Palmer 著，嚴平譯《詮釋學》（臺北：桂冠圖書公司 1997 年）；嚴平編選，鄧安慶等譯《伽達默爾集》（上海：遠東出版社 1997 年）；洪漢鼎主編《理解與解釋——詮釋學經典文選》（北京：東方出版社 2001 年）；潘德榮《詮釋學導論》（臺北：五南圖書出版公司 1999 年）。

無論對於詮釋學的定義如何調整，必須承認：詮釋學的對象離不開「文本」，而「文本」本身的問題也是千頭萬緒的。例如「文本的正確性」是詮釋的基礎，因此「校勘」是必經的手續。在西方，校勘學的歷史也是源遠流長，不亞於中國。胡適先生（1891～1962）曾指出：

> 西洋印書術起於十五世紀，比中國晚了六七百年，所以西洋古書的古寫本保存的多，有古本可供校勘，是一長。歐洲名著往往譯成各國文字，古譯本也可供校勘，是二長。歐洲很早就有大學與圖書館，古本的保存比較容易，校書的人借用古本也較比容易，所以校勘之學比較普及，只算是治學的人一種不可少的工具，而不成為一二傑出的人的專門事業。這是三長。[16]

西方詮釋學的發展，可說是建立在這一校勘的傳統基礎之上。可見從西方的觀點來說，文獻學也是與經典的解讀、詮釋分不開的。本書中以文獻學結合詮釋學理論研究相關問題的篇章如下：

（一）〈全祖望「以目錄詮釋《易》學」考論——目錄與經典詮釋〉

目錄學是中國古典文獻學中相當重要的一個組成學科。目錄學

---

16 胡適〈校勘學方法論〉，收入王國良、王秋桂主編《中國圖書文獻學論集》（臺北：明文書局 1986 年），頁 418。

在傳統學術史中一向被賦予「辨彰學術，考鏡源流」的功用，也就意謂著「目錄」的本身就代表某種觀念或想法。全祖望（1705～1755），字紹衣，號謝山，鄞縣人。為清代前期重要學者，其經學、史學與文學皆見稱於一時。本文旨在透過現存全氏有關易學的著作，分析其易學思想。最值得注意的是：全氏之易學思想主要是以「目錄學」的著作形式表現出來的。如其《讀易別錄》三篇，首先辨明古代目錄學著作中易學一派，由於分派蕪亂，異說雜出，許多五行、蓍龜、神仙之說亦混淆入易學經傳章句之範圍，需要加以簡別。又批評朱彝尊《經義考》因不明此理，也不免「不審舊史之例」而有亂經之虞。其次則重申圖緯之學，認為「圖緯之學，皆以老莊為體，老莊之學，皆以圖緯為用。」歸結以邵康節為集大成者。下篇則專錄蓍龜一派之著作，做為簡別的結果。全祖望之學問本以史學見長，為浙東學派之翹楚，其論易亦以治史之方法為基礎，可說是其易學特色。筆者認為全祖望研究易學的方式，在傳統「象數易」、「數術易」、「義理易」三派之外，為易學研究開闢了一條新的可能途徑，或許可以稱之為「文獻易」。

（二）〈《讀書雜志》運用類書校釋先秦諸子古籍述評——校勘與經典詮釋〉

類書之編輯，蓋始於曹魏，本來是為了文學用途，便於查考陳言故實，以為撰文賦詩之用。然而因為類書中保存大量已經失傳或是罕見的古代圖書文獻資料，於是成為後人輯佚與校勘的寶庫。王念孫、王引之父子的《讀書雜志》是清人重要的考據成果，被喻為「郅為精博，凡舉一誼，皆確鑿不刊」（本於孫詒讓〈札迻‧序〉）。

本論文即嘗試以其中校釋諸子的部分爲例，探討王氏父子對於類書的運用情況，並進一步指出其得失，及分析運用類書校釋古籍時必須注意的限制。本文研究發現：古代類書是重要的文獻資源，對於校釋古籍貢獻甚大。但是因流傳久遠，其中的問題也很多，不能完全盲從。王氏父子在校釋古籍時，雖然喜歡引用類書的資料，做爲佐證，但是他們的態度是謹慎的，客觀的。除類書之外，一定儘量徵引更多的證據，單文孤證的情況是很少的。加以王念孫校勘經驗豐富，推理精密，雖然當時或因缺乏直接證據，不得已而引用類書爲證，往往後來發現新資料，卻證明王氏的意見是對的。

（三）〈清儒「因聲求義」校釋古籍方法述論——訓詁與經典詮釋〉

清代考據學，以小學（語言文字學）之成就最爲傑出，而考求古音古義尤所擅長。清人因聲韻知識進步，推而用於訓詁，多循「因聲以求義」之方法，故凡遇古籍字義解釋未通者，輒以同音通假說之。此法之運用雖多所創獲，然亦偶有不當者，蓋聲近義通，雖爲古字詞訓釋法之一端，然究非全部，執此而例一切文義，難免扞格難通之處。本文以《荀子．勸學》之「強自取柱」一句，王引之（1766～1834）釋「柱」爲「祝」爲討論案例，試論清人「因聲求義」說在古籍訓解方面之效力與局限，並嘗試說明傳統訓詁學未來與詮釋學融合之理由與可能性。本文研究發現：漢字的「聲義關係」是相對而非絕對的，清人許多「因聲求義」的言論將聲義關係講成好像是絕對的，而且試圖用來解釋所有古籍中的字義問題，自然難免失當之處。訓詁學與詮釋學雖然是兩種不同的學問，卻有相同的目標：「如何正確解釋（經典）語言文字的意義。」訓詁學未來發展的方向，應該是嘗試與詮釋學接軌，吸收詮釋學對意義探尋的各種觀念、分析與批判，轉而豐富訓詁學的理論部分，開出訓詁學新的花朵。

（四）〈屈萬里先生「以民俗解經」之經典詮釋理論初探〉

屈萬里先生（1907～1979）爲當代重要學者，治學範疇廣闊，舉凡經學、史學、古文字學、圖書文獻學皆有專書行世，影響深遠。而其關於民俗文獻研究及運用民俗資料以解經之詮釋方法，亦有卓見，則似未經學界言及。本文試圖以《屈萬里先生文存》所見之資料，梳理屈先生研究及運用民俗學以解經之成果，敬申景仰前賢，發潛闡幽之意。本文研究發現：（一）、屈先生之所以注意到民俗資料對解經的重要性，一方面可能和其喜歡研究《易經》有關，另一方面也可能受到民初學風的影響。（二）、從屈先生解讀經典引用的民俗來看，很多是與「避忌」有關的習俗。如同音字的避忌、動物鳴叫的避忌等。這可使我們進一步思考民俗與原始巫術的關係，甚至於經典與巫術的關係。經由本文的研究可知，運用民俗資料以解經（或各種古書）的方法，自近代以來，就不絕如縷，雖然不是解經方法中的主流，卻也存在一種值得擴大取材範圍、儘量加以運用的價值。

五、文獻學與佛教研究

佛教自西元一世紀傳入中國以後，對中國人的思想、文化、文學、藝術各方面都產生廣泛的影響，逐漸成文中國文化的三大支柱之一。自南北朝以後，第一流的思想家、文學家幾沒有不受到佛教影響的（即使反對佛教也是一種影響）。從文獻學的角度研究佛教史問題，尙屬嶄新的嘗試。本書收入三篇筆者近年來的研究成果，藉以展現初步研究的創獲：

（一）〈試論五代佛教與藏書文化之交涉——兼論江正與李後主之傳說〉

江正其人不見於《五代史》及《宋史》等正史，只有幾種宋人筆記載其事，稱其年少時，僞裝成出家人，投身南唐宮廷，以佛法之說鬆懈李煜，導致南唐亡國。歸宋後，因其藏書頗豐而知名一時。清末葉昌熾撰《藏書紀事詩》，採宋人之說，將其列入藏書家之林。筆者因見其事涉及藏書史與佛教史，且與李後主有關，引發研究之興味。於是歷考有關文獻，細繹其事，試圖探索其眞相並詮釋其意義，做爲研治佛教史與藏書史學者之參考。本文研究認爲：有關江正與李後主的傳說，應是確有其事，江正乃是師法前人之故智，取富貴於新朝。然而因其人其事正史失載，後人有感於其事跡之詭密，遂將各傳說彙集而成，載於筆記之中。

（二）〈禪宗典籍的整理與宋詩宗風——以《碧巖錄》為中心之考察〉

禪宗從南北朝傳入中國，發展到宋代以後，成爲中國佛教的代表宗派。唐末至北宋的禪宗，有一個明顯的趨勢，就是從「不立文字」演變成「不離文字」，也就是「文字禪」的出現。文字禪建立與發展的基礎在於公案、語錄等禪宗文獻。本文嘗試從文獻整理的角度，觀察宋代禪籍的流行，對於文字禪以及宋詩發展的影響。而宋代禪籍之中，又以《碧巖錄》爲最重要，因此本文即以《碧巖錄》的整理與傳播爲討論之範例。據筆者的研究，可得到如下結論：一、禪宗的文獻傳統，至宋代形成新的經典。二、文字禪影響宋詩的「知性思維」特色，與宋代文獻整理的風氣密不可分。

（三）元代雙色印本《金剛經》相關問題考述

中國禪宗自六祖惠能以來，就大力提倡《金剛經》的誦讀修持，也因此使得《金剛經》成爲民間信仰中最受歡迎的經典之一。臺北國家圖書館所藏元刻雙色印本《金剛經》，是現存年代最早的、也是舉世唯一的一部雙色印本佛經。目前學術界對於此海內孤本雙色印本《金剛經》之研究，多集中於其在文獻學、版本學及印刷史上的重要意義。本文則以此經爲線索，結合元代禪宗在江南一代的傳播史實，說明此書的出世絕非偶然，而是元代禪宗盛行之下的必然產物。並且找出本經註解者無聞思聰禪師的生平，填補以往研究的空白。進一步並試圖說明此雙色印本《金剛經》的可能來源。本文的研究徑路乃是結合了佛教史與印刷史的觀點，也是文獻學跨學科研究的成果。

六、結　語

筆者自從 1982 年夏季，考入臺灣師範大學國文研究所就讀，開始專注學習目錄學、版本學等學科，從事古文獻學相關研究，迄今恰已三十年了。一路走來，主要的研究範疇是以歷代藏書家生平及學術活動爲中心，所延伸出來的有關古文獻方面的各項問題。涉及的學科多樣，諸如版本學、目錄學、校勘學、圖書史、藏書文化、文獻整理等，發表研究成果的數量雖不甚多，然而「力求創新、開發新課題」，要求每一篇論文都要有一些新意，則是筆者一直努力不懈的方向。1995 年自臺灣大學中文研究所博士班畢業，隔年應聘到臺南的成功大學中文系任教。期間在系上擔任的課程，除了版本學、目錄學之外，還因爲原來任課的資深教授退休，一時找不到繼任人選，而受命承乏，教了多年的訓詁學。以往的學科分類當中，訓詁學是屬於「小學」（即語言文字學）的，和古文獻學似乎關係不大。然而在這幾年一面從事訓詁學的教學，一面繼續古文獻學研究的過程裡，卻促使我在原有的教學與研究之外，開始思考訓詁學與古文獻學的關係。

2006 年 8 月，筆者自成功大學回到母校臺灣大學中文系服務，不久就接受同仁邀約，參加了一個由教育部顧問室委託執行的研究計畫：「當代經典詮釋多元整合學程」，並負責執行其中一個子計畫：「中國佛教典籍與文化」。這個計畫由 2007 年 9 月開始，到 2009 年 7 月結束。兩年的執行期間，筆者除了在大學部開設了兩門新課程：「中國典籍與文化」與「中國佛教典籍概論」之外，同時邀請專家學者來校演講，總共辦了六場，另外也分別發表了三篇相關研究論文，成果尚可謂之豐碩。更重要的，對筆者個人而言，也打開了另一扇學術研究的門戶，也就是「由文獻學研究走向經典詮釋研究」。這個發展正符合了筆者多年來開發新課題的努力，而且對於前述古文獻學與其他學科之間的融攝關係，更有了較爲清楚的概念。

本書的寫作，經歷了好幾個年頭，其中少部分篇章曾經分別在學術刊物或學術研討會中發表過，此次集結成書時做了一定程度的增刪改訂。承蒙淡江大學中文系陳仕華教授的推薦，由臺灣學生書局出版，綆短汲深，書中錯誤之處一定不少，還請學術先進、博雅君子不吝指正。

第一章

文獻典藏與傳播研究

趙宗建及其舊山樓藏書

一、前　言

我國私人藏書的發展，到了清代，可以說是達到了前所未有的高峰。根據學者統計，清代兩百多年間，確有文獻記載藏書事實的，有 2082 人，超過之前歷代藏書家的總和。清代藏書超過萬卷以上的知名藏書家也有 543 人，[1]其中江、浙地區就佔了一半以上。[2]吳晗（1909～1969）曾說：

> 大抵一地人文之消長盛衰，盈虛機緒，必以其地經濟情形之隆詘為升沉樞紐。以蘇省之藏書家而論，則常熟、金陵、維揚、吳縣四地，始終為歷代重心，其間或互為隆替，大抵常熟富庶，金陵、吳縣繁饒，且為政治重心，維揚則為鹽賈所集，為乾隆之際東南經濟重心也。[3]

1　范鳳書《中國私家藏書史》（鄭州：大象出版社 2001 年），頁 269、321。
2　據《中國私家藏書史》頁 271-320 之附表統計。
3　吳晗《江蘇藏書家史略・序言》（臺北：文史哲出版社 1982 年），頁 117。

指出了江、浙成爲藏書家集中地區的經濟因素。

袁同禮（1895～1965）說：

> 清代私家藏書之盛，超逸前代，其故果何在乎？簡言之，則對於晚明理學一反動也。明代學術界虛偽之習，靡然全國。所刻之書，或沿襲舊訛，或竄改原文，昔人謂明人刻書而書亡，蓋有由矣。嘉靖以前，風尚近古，時有佳本，萬曆以後，風氣漸變，流弊極於晚季。流弊既多，故有反動，反動之動機，一言蔽之，曰恢復古書之舊而已。有清學者，以實事求是為學鵠，力矯頹風。或廣蒐善本，親手校勘；或繙刻孤本，以廣流傳。故校讎簿錄之學，絕勝前代，而叢書之盛，卓越千古，儼然與類書相抗焉。反動之初期，雖斤斤於求真，而循是以往，流澤益衍，直接影響於藏書者甚鉅。[4]

則指出了影響清代私人藏書的學術因素。

洪有豐（1892～1963）歸納各種因素，對於清代私人藏書的大勢，做了綜合論斷：

> 抑清代藏書尤有特著數點，更為重要，亦編者所以先之故也。試申述之：

4　袁同禮〈清代私家藏書概略〉，收入《中國古代藏書與近代圖書館史料》，（北京：中華書局 1982 年），頁 420。

甲、藏書之風，清為極盛。清代藏書家較前代益盛者，有下列數因：

一、明末藏書家之影響：明季藏書已漸成風尚，如匪載、懸磬、七檜、脈望、世學、天一、澹生、紅雨、小宛、千頃、汲古、絳雲等諸家，有至清猶存者。而清代江、浙兩省藏書之風，尤冠他處，亦一時之風會所趨也。

二、滿人傾慕漢人文化，及顯宦之提倡：清以滿族入關，慕漢族文化，極力提倡。好學之士，聞風而起。當時顯宦如昆山徐氏兄弟、大興朱氏兄弟、紀曉嵐、畢秋帆、阮文達諸人（皆藏書家），相與領袖群倫，獎提後進。學術昌明，藏書自盛矣！

三、政治昇平：康雍乾嘉諸朝，海內晏然，政治入軌道，人民安居樂業，得有餘力，傾向讀書。

四、學術之影響：清代崇尚樸學，儉腹空疎，見鄙儒林。西學輸入，學術思想益形激動。讀書與藏書，供求相應也。

乙、藏書與學術之關係。清代學術最有功於中國文化者，則訓詁考訂之樸學是也。而學者治學，尤需博覽載籍，學富五車，而後可以揚榷是非，參稽異同。有樸學之提倡，而藏書之需要亟；有藏書供其需要，而樸學乃益發揚光大。

丙、刻書之風盛行。清代藏書家尤喜刻書，舉其犖犖大者：有通志堂、玉函山房、藝海珠塵、雅雨堂、抱經堂、知不足齋、平津館、經訓堂、守山閣、士禮居、宜稼堂、微波榭、文選樓、聚學軒、積學齋、適園、雲自在龕、誦芬室、嘉業堂、觀古堂等諸叢書。學者欲多讀古書，不可不取資焉。搜殘存佚，為功尤巨也。

丁、目錄校勘家輩出。目錄校勘之學，惟清為超越前代，私人藏書家，如盧抱經、何義門、鮑以文、黃蕘圃、紀曉嵐、翁覃溪、顧千里、王念孫、章實齋、錢雪枝（案：即錢熙祚，1801～1844）、張嘯山（案：即張文虎，1808～1885）、莫郘亭、繆藝風諸人，皆能勤於校讎，丹黃不倦，辨析義類，考訂版本，卓然名家，成專門之學。[5]

至於清代私家藏書的發展情況，清初主要受到高壓統治與戰爭的破壞，流風稍歇。康、乾以後，政治社會漸趨安定，藏書家輩出，盛極一時。到了中葉咸、同之際，則由於太平天國之亂，牽動十八省，私人藏書情勢又有大幅轉變：一方面新興的大藏書家如海納百川，迅速形成，數量、質量都超越以往，其中又以瞿（鐵琴銅劍樓）、楊（海源閣）、丁（八千卷樓）、陸（皕宋樓）四家並稱巨擘。但是藏書家集中於江、浙的形勢，大致並沒有改變（楊氏海源閣在山東，是少數例外）。另一方面，四大家之外，江、浙一帶還有許多藏書家原本就行事隱密，不爲世人所熟知，甚至被後人誤認爲是「小藏家」，[6]然而其重要性並不下於四大家，對於藏書史研究而言，

---

5 洪有豐〈清代藏書家考〉，收入《南京大學百年學術精品——圖書館學卷》，（南京：南京大學出版社 2002 年），頁 85-87。

6 葉昌熾《藏書紀事詩》卷七（臺北：世界書局 1980 年），頁 380。原詩請參見本文第三節，頁 31。

這些小型藏書家的生平與業績，仍然值得深入探討，彌補藏書史研究的空白。本文所討論的常熟趙氏「舊山樓」，即可說是其中的佼佼者。

二、家世與生平

「舊山樓」主人趙宗建（1828～1900），字次侯，江蘇虞山人。其生平事蹟，略見於光緒甲辰《常昭合志稿》：

> 宗建字次侯，例授太常博士。少負豪俊氣，兼崇風雅，四方名士來游者，樂與款洽。粵軍擾邑，屢督勇擊卻之。邑城復，籌善後事，多盡心力。敘功加四品銜，戴花翎。晚年頗躭禪悅，時以名人書畫自娛。喜為詩，有《非昔軒稿》。卒年七十餘。

《常昭合志稿》蓋檃括翁同龢〈清故太常博士趙君墓誌銘〉而成，翁文云：

> 君諱宗建，字次侯，亦曰次公。先世宋室玉牒，由江陰遷常熟北郭，是為寶慈里趙氏。曾祖同匯，祖元愷，按察使司經歷。父奎昌，詹事府主簿，三世皆以俠義聞。君少孤，力學不倦，文采斐然。以太常博士就試京兆，獨居野寺，不與人通。未幾而粵賊之難作……吾邑東南西三面受敵。君別將一

營，扼東路支塘，八月二日城陷，……遂走上海，乞師於巡撫李公，得總兵劉銘傳與偕。同治元年十月，大破賊於江陰陽舍，於是沿江上下百餘里無賊蹤。侍郎宋公以君功入告，有旨嘉獎，賜孔雀翎，發兩江總督曾公差委，君謝不赴。……喜賓客，善飲酒，蓄金石圖史甚富。所為詩文清邁有氣格，晚好談禪。論及當世事，猶張目嗟呼，聲動四壁也。

翁氏所云「先世宋室玉牒，由江陰遷常熟北郭」者，據《鎮江大港趙氏宗譜》：「太宗支派」下有「六世江陰派朝請大夫士鵬公建炎四年（1130）遷」的記載，可知趙宗建的祖上確是宋太宗的後裔。[7]

再者翁同龢文集《瓶廬叢稿》中，多處與趙氏有關者，可據以考知趙宗建晚年又自號「花田農」，歿後翁氏私諡其爲「有道先生」。宗建精於鑒別書畫，另著有《灌園漫筆》等。[8]又中國國家圖書館（前北京圖書館）藏有趙宗建所撰《舊山樓日記》一卷與《非昔居士日記》、《庚子非昔日記》一卷（補錄《書目》一卷）等。

關於趙氏「舊山樓」藏書的情況，王欣夫《藏書紀事詩補正》引費念慈〈跋明鈔本太平御覽〉云：

舊山樓，趙次公宗建山居也。在虞山破山寺前，藏圖書金石甚富。茗椀鑪香，翛然自適。屋後種梅五百株，花時香雪成

7 參見《柳詒徵史學論文續集》（上海：上海古籍出版社 1991 年），頁 509。
8 並見《近代中國史料叢刊》第九集所收《瓶廬叢稿》（臺北：文海出版社 1966 年）。

海。得宋本《竇氏聯珠集》，築小閣，牓曰「聯珠」。長鬚野服，終歲不入城市，自號「非昔居士」。所藏尚有南宋館閣寫本《太宗實錄》，亦士禮居物也。[9]

張退齋（瑛）《舊山樓記》云：

趙君次侯，舊居北山之麓，因其舊而新之，名其樓曰「舊山樓」。趙氏自前明文毅公直諫，以氣節世其家。次侯食舊德，誦清芬，詩酒自放，徜徉山水，巋然一樓，與名賢遺跡並傳。[10]

所謂「前明文毅公」是指明末忠臣趙用賢（1535～1596）。《明史》卷二二九云：

趙用賢，字汝師，常熟人。父承謙，廣東參議。用賢舉隆慶五年（1571）進士，選庶吉士。萬曆初，授檢討。張居正父喪奪情，用賢抗疏，……疏入，與（吳）中行同杖除名。居正死之明年（1583），用賢復故官，進右贊善，尋充經筵講官。再遷右庶子，改南京祭酒。居三年，擢南京禮部右侍郎。……用賢長身聳肩，議論風發，有經濟大略。蘇、松、嘉、湖諸府，財賦敵天下半，然民生坐困。用賢官庶子時，

9　《藏書紀事詩》卷七（上海：上海古籍出版社 1999 年補正本），頁 701。
10　《藏書紀事詩》卷七，頁 700。

> 與進士袁黃商搉數十晝夜，條十四事上之。……家居四年卒。天啟初，贈太子少保、禮部尚書，諡文毅。

錢謙益〈趙文毅公神道碑〉：

> 公諱用賢，號定宇，其先世為宋宗室簡國公諱仲譚。簡國生朝請大夫諱士鵬，守江陰軍，因家焉。十傳而為松雲公，諱實，出贅於常熟錢氏，遂又家常熟。松雲生永達公玭，永達生益齋公諱承謙，舉嘉靖戊戌進士。累官至廣東布政司參謀，取蕭恭人，無出，公乃張恭人出也。[11]

孫楷第根據各種資料，考察出趙宗建與趙用賢之宗族關係，略如下表：[12]

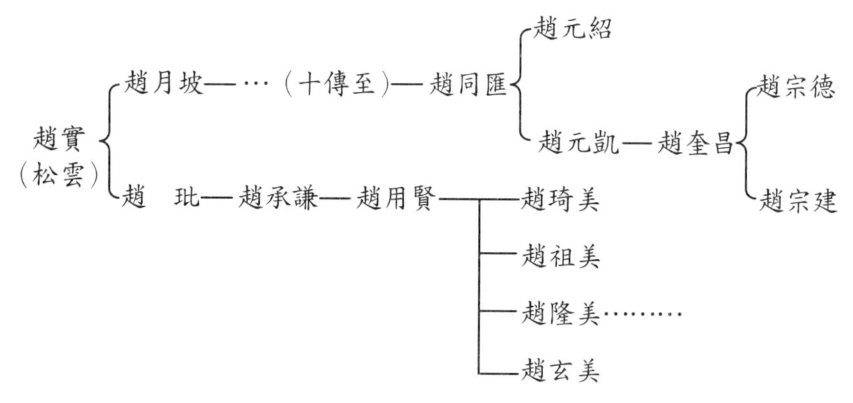

11　錢謙益《初學集》卷六二（臺北：臺灣商務印書館 1967 年影印《四部叢刊》本），頁 693。

12　孫楷第《也是園古今雜劇考》（上海：上雜出版社 1947 年），頁 45。

趙用賢亦爲明末大藏書家，錢謙益「絳雲樓」即多得其書。其藏書涯略幸有藏書目錄流傳以爲證。嚴靈峰教授主編之《書目類編》第29冊，收入《趙定宇書目》一種，係1957年上海古典文學社影印明清之際舊寫本，記載了趙用賢藏書之概況，其中不乏罕見之珍籍。例如《稗統》一書，僅於見於孫慶增《藏書紀要》引用其名，知其爲叢書，卻未見其他著錄，此《趙定宇書目》即載有其詳目，凡二百四十四冊。用賢又喜刻書，所刻《五經》白文，可亂宋本；萬曆十年（1582）合刻《管子》、《韓子》，均據舊本名槧，號爲善本。

用賢長子趙琦美（1563～1624）自號清常道人，亦有乃父之風，頗好藏書。據《趙氏家乘》：

> 琦美原名開美，字仲朗，號玄度。嘉靖癸亥生，授奉政大夫，天啟甲子卒。[13]

錢謙益〈故刑部郎中趙君墓表〉：

> 君天性穎發，博聞強記，欲網羅古今載籍，甲乙銓次，以待後之學者。損衣削食，假借繕寫三館之祕本，兔園之殘冊。刓編齧翰，斷碑殘襞，梯航訪求。朱黃讎校，移日分夜，窮老盡氣。好之之篤摯，與讀之之專勤，近古所未有也。[14]

---

13 《叢書集成續編》第4冊（臺北：新文豐出版公司1991年），頁3。
14 《藏書紀事詩》卷三，頁255。

《常昭合志稿》：

> 琦美字元度，[15]以父蔭歷官刑部郎中。官太僕寺丞時，嘗解馬出關，周覽博訪，上書條奏方略。著有《洪武聖政記》三十二卷、《偽吳雜記》三卷、《容臺小草》、《脈望館書目》。

趙琦美之藏書狀況，今存《脈望館書目》一種，有《玉簡齋叢書》本，收入《叢書集成續編》。[16]由上述可知，趙宗建不僅爲趙用賢同族之疏親後裔，而其喜好藏書之風尚亦前後輝映。

關於趙宗建的生卒年，以往的記錄不很清楚。孫楷第《也是園古今雜劇考》云：

> 宗建卒不知何年。葉昌熾《藏書紀事詩》六卷本編定目錄，在光緒二十三年丁酉（1897），其書例不收生人，今六卷本《藏書詩》無宗建之名，知宗建其時猶存。昌熾重編《藏書詩》釐為七卷，其事在宣統元年己酉（1909），其補撰李申蘭、趙次侯詩，則在次年庚戌，此時去丁酉編定《藏書詩》已十三年。宗建卒雖不知何時，然光緒甲辰《常昭合志稿》已為宗建立傳，則宗建卒當在光緒二十三年丁酉以後，三十年甲辰之前。[17]

---

15 清人避諱，往往改「玄」為「元」，當據《趙氏家乘》作「玄度」。

16 另有《涵芬樓秘笈》本，為平江貝墉手寫本，二本內容大致相同。見《也是園古今雜劇考》，頁 8。

17 《也是園古今雜劇考》，頁 41。

只以相關事蹟推論，缺乏直接證據。其後李玄伯（宗侗，1895-1974）者，對於孫楷第之說，有所補充。李氏據趙宗建同鄉及好友翁同龢之日記，考查出其卒年爲「光緒二十六年五月廿六日」，以其年七十三歲逆推，生年爲道光八年（1828），生日也據翁記知爲七月初五日。[18]

近五十年來，有關中國近代史研究資料，出版者甚多，於是對趙氏之生卒年，可以發現直接的證據。沈雲龍教授主編《近代中國史料叢刊》第九集，收入翁同龢著《瓶廬叢稿》，其卷六即有〈清故太常寺博士趙君墓誌銘〉一文，已見前引，其文末明確指出「君卒於光緒二十六年丙寅，年七十三。」[19]又據卷三〈題趙曼華畫扇卷〉，可知宗建之父奎昌字曼華，兄宗德字价人，二人俱善畫，亦可補充趙氏家世之資料。

趙宗建有子二人：長子仲樂；次子仲舉，字坡生（或作譜笙、補笙），一字能遠，邑庠生，善花卉翎毛。孫二人：士權、士策；曾孫名不騫，亦善書畫。[20]

---

18 參見曹蔭穉先生遺著〈關於孤本元明雜劇〉（收在《蔭穉文存》，1983年曹氏家印本），頁3-13。案：曹蔭穉（1902~1963），湖北省武昌人，早年畢業於武昌師範大學，曾擔任中央通訊社編輯主任、中央日報總主筆，為臺灣新聞界之前輩。《蔭穉文存》匯集先生生平所撰專文、社論及雜文等若干篇，民國72年由其家屬出版，以為紀念。本書中另有一篇〈張一麐推重丁祖蔭〉（頁124-125），談及《也是園古今雜劇》的最後一任私人收藏者丁祖蔭，也頗值得參考。

19 翁氏此文亦附見於古典文學社1957年出版之《舊山樓書目‧附錄》（《書目類編》第34冊，臺北：成文出版社1978年）。

20 並參《也是園古今雜劇考》，頁360。

三、藏書之淵源

趙氏「舊山樓」藏書，在清末尚不十分出名，葉昌熾曾於光緒初年（1875）特地登樓參觀，《緣督廬日記鈔》卷一〈光緒元年乙亥十一月初六日〉云：

> 泊舟大東門，登岸，出鎮江門，繞虞山而行。至趙氏山莊，其主人次侯適進城，未晤。竹木林屋，結構精絕。藏書遠遜瞿氏，而間有精者。[21]

後來在《藏書紀事詩》卷七，葉氏作詩云：

> 經過趙李小藏家，十頃花田負郭斜，劫火洞然留影子，舊山樓上數恒沙。

自註中並如此評價：

> 昌熾二十五六時，遊虞山，出北郭，登趙氏舊山樓，觀所藏書。稍舊之冊，不以示人。樓中插架無佳本，悃然而返。[22]

後來光緒九年癸未（1883），葉氏又第二次拜訪舊山樓，日記中只

21 《緣督廬日記鈔》卷一（臺北：臺灣學生書局 1964 年），頁 20。

22 《藏書紀事詩》卷七，頁 699。

記載了「種梅二畝許，暗香疏影，頗爲幽靜。」沒有觀書的記錄。其實葉氏並未看到舊山樓藏書的全貌，主要應該由於趙氏家族的秘不示人，這也是舊時藏書家的人情之常。

趙氏舊山樓藏書始自清初，宗建之曾祖父同匯，即有藏書之好。孫原湘《天眞閣集》卷四九〈趙涵泉傳〉：

> 翁名同匯，字涵泉，其先自宋朝請君居江陰，十四傳至松雲，松雲由江陰徙常熟。松雲子二：城居者其次，再傳而生文毅公，子孫科第不絕。長曰月坡，早世，其妻挈孤移城外報慈里，是為報慈趙氏。……報慈里在虞山之北麓，繞翁居多古木蓊翳，庭中老桂殆百年物。翁又雜植花木，闢梅圃廣可數畝，顏其居曰：總宜山房。益市圖籍充牣其中。[23]

據此趙宗建即報慈里趙氏之後，[24]邵淵耀〈舊山樓記〉：

> 前少宰贈大宗伯文毅公，史稱名臣，厥後簪纓弗替。而別枝聚居鎮江門外寶慈里者，亦累百年。地以古庵得名，在村郭之間。負山面水，稻壟菜畦，景物閒外，羣粹託處於斯者，有以自適。大率孝弟力田，不求聞達。舅氏涵泉贈公，豪爽

23 《天真閣集》卷四九，收入《續修四庫全書》第 1488 冊（上海：上海古籍出版社 2002 年），頁 387。

24 「報慈里」或作「寶慈里」，孫楷第以為當作「報慈里」為是。案：張瑛《舊山樓記》有：「草聖洗硯之池，孝子報慈之里，立德立功立言，皆足以雄視百世。」之語，亦可為證。

> 而有隱操，所居舫齋曰「總宜山房」。花木秀野，雅稱觴詠。子孟淵、退庵兩兄，俱從幼識面。……去年（1856），曼華仲子常博次侯，既潰治三峯龍藏，刊行先世著作，又於山房東北繕葺，位置亭榭，益臻整絜，命曰寶慈新居。有雙梓堂、古春書屋、拜詩龕、過酒臺諸勝。而茲樓居其北，地最高朗，嵐彩溢目，遹延遠攬，足領全園之要。[25]

對於舊山樓的建造有詳細描述。再據翁同龢日記與文集，趙氏之居宅尚有「梅顛閣」、「半畝園」等建築。

曹菊生〈舊山樓書目跋〉：

> 趙氏藏書，始於宗建曾祖同匯及祖元愷，我曾見過元愷的批校本書。及至宗建，於太平天國起義失敗後，文物頗多流散之際，更陸續收購，兼及書畫、古器物。同時在蘇州亦得汪閬源家舊藏，故其插架益為繁富。……舊山樓遺址，在今常熟市北門外報慈橋，離城僅一里許。其宅面山西向，宅南小園一區，廣不過二畝。樓亦西向，在園東，東牆外空地數畝，為昔年之梅圃。樓五楹，抗戰數年後毀其三。[26]

對於了解舊山樓之現況甚有幫助。

---

25 《舊山樓書目》（臺北：成文出版社 1978 年），頁 85。

26 《舊山樓書目》，頁 73。

舊山樓趙氏與常熟另一大藏書家「鐵琴銅劍樓」（恬裕齋）瞿氏，雖屬同邑，似乎沒有相當情誼。僅知趙氏所藏宋本《竇氏聯珠集》原爲瞿氏所藏，據此則兩家或有競逐之關係。

民國二十七年（1938），抗戰軍興，淞、滬一帶故家藏書紛紛散出。最初著錄於錢曾《也是園書目》的《古今雜劇》二百三十餘種，自丁祖蔭家流出，震驚學術界，而此書即曾由趙氏收藏，「舊山樓」之名才逐漸爲世人所知。

此一《古今雜劇》二百三十餘種，有刊本，也有抄本，最早得見此書的鄭振鐸曾說明此書的狀況：

> 每冊有汪閬源藏印，首冊有黃蕘圃手鈔目錄，多至三十九頁。幾乎每冊都有清常道人的校筆及跋語，何小山也曾細細的校過。錢遵王卻只留下了數行鈔補的手蹟，董玄宰也有跋四則。除刻本外，鈔本多半註明來源，或由內本錄校，或由于小穀本傳鈔。刻本只有兩種：一為《古名家雜劇選本》，一為《息機子雜劇選本》。[27]

《古今雜劇》雖源出於明末趙琦美「脈望館」，然現存之兩種《脈望館書目》卻均未見著錄。孫楷第推論其原因說：

> 按琦美宦遊，常以書自隨。其宦遊京師十餘年，以琦美嗜書

---

27 鄭振鐸〈跋脈望館鈔校古今雜劇〉（《劫中得書記・附錄》，臺北：木鐸出版社 1982 年），頁 136。

> 之殷，十餘年中於所攜舊書之外，更益以新得書，則其書在京師者當屬不少。今假定玉簡齋本《脈望館目》呂字號續增諸書為琦美自京師帶回者，不過一百零四種，未免過少。疑琦美萬曆四十六年（1618）因差歸里，其書多有寄京師者，未曾帶回。目所錄僅至四十六年十一月止，其目本不全，故琦美校錄諸書多不在目中，雜劇亦其中之一。[28]

趙琦美之後，此書似曾經董其昌（1555～1636）之手，以其書中有董氏題記五處，[29]最早一則在崇禎元年（1628），距清常之歿不過四年。然而此書究竟是否曾被董氏收藏過，因缺乏直接證據，諸家皆疑不能定，至少董氏曾閱讀過此書，則是可以肯定的。

此書後歸錢謙益（1582～1664）「絳雲樓」。錢曾跋《洛陽伽藍記》云：「清常歿，其書盡歸牧翁。」曹溶〈絳雲樓書目題詞〉則云：「謙益盡得劉子威（鳳）、錢功父（允治）、楊五川（儀）、趙汝師（用賢）四家書。」可知牧齋所得於趙氏之書甚多，不只此書。

順治七年（1650）絳雲樓燬於火，所謂「江左書史圖籍一小劫也」，牧齋乃將燼餘之書悉贈其族孫錢曾（字遵王，1629～1701），此書亦在其內。前引跋《洛陽伽藍記》云：

---

28 《也是園古今雜劇考》，頁 11。

29 此處據孫楷第之說，因其所謂五處皆明示所載劇名，鄭振鐸只云四則，且未標明出處，當是誤計。見《也是園古今雜劇考》，頁 19。

絳雲一燼之後，凡清常手校秘本鈔書，皆未為六丁取去，牧翁悉作蔡邕之贈，何其幸哉！

又遵王〈寒食行詩〉自注：

絳雲一燼之後，所存書籍大半皆趙玄度脈望館校舊藏本，公悉舉以相贈。[30]

錢曾於其《述古堂藏書目》中，詳細記載了全書之劇目，可據以考知其原來面目。

錢遵王之後，此書曾由何煌（字心友，號小山，何焯之弟）收藏過，留有許多校勘的手蹟。其後又流入顧氏「試飲堂」，黃丕烈〈跋古今雜劇〉：

余不喜詞曲，而所蓄詞極富，曲本略有一二種，未可云富。今年（嘉慶九年，1804）始從「試飲堂」購得元刊明刊舊鈔名校等種。毛氏云：「李中麓（開先，1502～1568）家詞山曲海，無所不備。」擬裒所藏詞曲等種，彙而儲諸一室，以為「學山海之居」，庶幾可為講詞曲者卷勺之助。

案：「試飲堂」主人名顧珊，號聽玉，其所藏宋本《吳郡志》亦爲蕘圃所得。蘇州顧氏爲清代中葉著名之藏書家族，居於蘇州東城華

30 《也是園古今雜劇考》，頁22。

陽橋者，又稱「華陽橋顧氏」或「東城顧氏」。黃蕘圃在《蕘圃藏書題識》中又曾提到「任蔣橋顧氏」，主人號竹君；「騎龍巷顧氏」，主人名顧至，都是蘇州顧氏的分支。

此書由顧氏轉入黃丕烈「士禮居」，今存《蕘圃藏書題識》卻未見著錄。現存書前有蕘圃手抄之目錄，計二六八種，較之錢遵王所藏，已佚七十四種。

黃蕘圃之書多歸同邑汪士鐘「藝芸精舍」，此書亦隨之而往。案：汪士鐘，字閬源，家富於財，又喜藏書，不惜重金以購，吳中藏書家如黃丕烈、周錫瓚、袁廷檮、顧之逵等所藏秘本，多爲所得。編有《藝芸精舍宋元本書目》，又摹刻宋本《孝經義疏》、《郡齋讀書志》等。

咸豐、同治年間，太平軍攻略蘇、常，汪氏藏書因而星散，半歸常熟瞿氏，半歸山東楊氏海源閣。而此一歷經諸家珍藏之古今雜劇，則爲舊山樓趙氏所得。舊山樓藏書可溯源於明末清初，已如前述，而此一戲曲寶庫何時入藏，則難以確知。大約就在咸豐十年（1860）太平軍陷常熟、蘇州的前後幾年。孫楷第引用民初資料，認爲此書光緒初年始爲趙氏所得，亦疑而未定，[31]筆者以爲尚可商榷，蓋太平天國滅於同治三年（1864），距光緒初已有十餘年，蘇、常一帶未再被兵，似無戰亂時藏書得以保存，承平時書反散出之理。

至於舊山樓藏書之散出，早年已有宋刊《纂圖互注禮記》、汲古閣鈔本《稼軒詞》（歸「涵芬樓」）；南宋館閣寫本《太宗皇帝

31 《也是園古今雜劇考》，頁47。

實錄》殘本（歸張氏涉園）等。[32]

《古今雜劇》最後一任的私人收藏者是丁祖蔭（1871～1930），字芝孫，號初我，常熟人。清末縣學生員，曾就讀南菁書院。入民國後歷任常熟縣民政廳長、吳縣縣長。長於經營理財，又精於校讎目錄之學，因此頗聚善本，建「湘素樓」以藏書。平時留心鄉邦文獻，著有《常昭合志稿・藝文志》與《金石志》，又刊印《虞山叢刻》、《虞陽說苑》等。丁氏曾在《國立北平圖書館館刊》第三卷第四期（1929 年）發表〈黃蕘圃藏書題跋續記〉一文，輯錄黃丕烈之藏書題識十一則，其中〈古今雜劇跋〉之按語云：

> 初我曾見我虞趙氏舊山樓藏有此書，假歸，極三晝夜之力，展閱一遍，錄存跋語兩則。卷首尚有所謂元刊明刊雜劇曲目，又也是園藏書古今雜劇目、古名家雜劇目錄、刻元人雜劇選目錄、待訪古今雜劇存目，及汪氏錄清現存目錄十四紙。時促不及詳錄，匆匆歸趙，曾題四絕句以誌眼福。雲煙一過，今不知流落何所矣！擲筆為之嘆息不置。[33]

其實丁氏已於民國四年（1915）購得此書，所謂「匆匆歸趙，不知流落何所」云云，只是故佈疑陣而已。民國十九年，丁氏逝世後，其分藏常熟、吳縣兩地的藏書也逐漸散出，此一《古今雜劇》再度

32 張元濟《涉園序跋集錄》（臺北：臺灣商務印書館 1979 年），頁 275。

33 《國立北平圖書館館刊》第一冊（北京：書目文獻出版社 1992 年影印本），頁 487。

流入書肆，成爲公私藏家競逐的對象。

潘景鄭〈跋丁芝孫古今雜劇校語〉：

> 此冊蓋芝孫先生手錄《古今雜劇》校語，原書為也是園故物，輾轉流入士禮居、藝芸精舍、舊山樓。芝孫得之趙氏後人，禁祕垂三十年，絕不示人。歿未數載，驟罹兵禍，遺篋星散。大華書店唐君，先得雜劇之下半部，索值二百元，未有問津者。適先兄博山以事返里，詫為秘籍，如值攜歸滬上，相與賞析者累旬。未幾，集寶齋主孫君伯淵，與來青閣主楊君壽祺，亦訪得是書之上半部，先兄屢謀劍合，二君居奇不肯讓，如是者年餘。吾友鄭西諦先生為商歸公之計，往返集議，久而克諧。先兄度不能劍合，亦以歸公為最宜，其後得價九千元，此書遂成完璧，皆西諦之力也。[34]

據此則是書在丁祖蔭之後曾短暫爲潘承厚（號博山，1904～1943）所有，且其敘述此書歸公之經過較鄭氏所述爲詳。或許因擁有時間不長，且僅得其半，鄭振鐸、孫楷第二人之書皆未提及。

此一珍貴戲曲史資料，傳世三百餘年之間，始終未出蘇州及常熟兩地。終於在民國二十七年五月，由教育部出資，鄭振鐸居中奔走，購歸國有。原書今存北京中國國家圖書館，該館 1986 年出版之《善本書目》集部頁 2985 著錄，凡 242 種，64 冊。1940 年上海

---

34 《著硯樓書跋》（上海古典文學社 1957 年，收入《書目類編》第 77 冊），頁 339。

商務印書館（涵芬樓）曾選擇其中未見重覆者及罕見者 144 種，更名爲《孤本元明雜劇》，重新排印行世，並委由王季烈撰寫各劇之提要。[35]案：王季烈，字君九，蘇州人。其父王頌蔚（字芾卿，1848～1895），亦爲清末藏書家，與葉昌熾爲摯友，故季烈嘗爲葉氏刊印《緣督廬日記鈔》。善崑曲，所藏曲譜甚多，與劉鳳叔編定《集成曲譜》，自撰《螾廬曲譚》。[36]

現將《孤本元明雜劇》之收授源流列如下表：

趙用賢—趙琦美—錢謙益—錢曾—何煌—試飲堂顧氏—黃丕烈—汪士鐘—趙宗建—丁祖蔭

（趙琦美 ： 董其昌？；試飲堂顧氏 ： 季振宜？；丁祖蔭 | 潘承厚）

四、《舊山樓藏書目》析論

趙氏舊山樓藏書，在當時無籍籍之名，但由於前述《孤本元明雜劇》的發現，舊山樓的重要性便凸顯出來。其藏書內容，則因爲有《舊山樓藏書目》與《舊山樓藏書記》的傳世，可以略知一二。

1957 年，上海古典文學社借得「江蘇省立博物館籌備處」及曹菊生所收藏之《舊山樓書目》，合併印行。書後並附有《舊山樓藏書記》以及三篇有關舊山樓的資料，可說是相當完備。民國六十

35 《脈望館校抄古今雜劇》後由鄭振鐸影印全文，收入《古本戲曲叢刊》第四集（上海：商務印書館 1958 年）。又《孤本元明雜劇》1974 年臺灣坊間「粹文堂」曾加以翻印。

36 王謇《續補藏書紀事詩》（瀋陽：遼寧人民出版社 1988 年），頁 147。

七年，嚴靈峰教授主編之《書目類編》，將此本收入於第 34 冊。以下所論，即根據此一版本。

《舊山樓書目》不分卷，以「甲、乙、丙…」爲次，至「庚」爲止，所載多普通本。其後則有「楠木小廚」之目，凡四廚，以「文、行、忠、信」爲次，所載爲宋元本及舊鈔本。四廚之後，尚有「光緒廿六年十月中補錄」者，因趙宗建歿於是年五月，這一部分應是其子嗣所錄（案：「補錄」中載有《舊山樓書目》，注云：大兒抄，可證）。[37]

就版本而言，自以「楠木小廚」所藏爲珍貴，故附注云：「四廚藏梅顛閣內外間」，梅顛閣當爲趙宗建日常居處之地。然而前述之《古今雜劇》載於「己集」（「補錄」重出），可知趙宗建並未特別重視此書，雜之明清刊本之間。這除了時代因素之外（如「信廚」中也記有部分明鈔本可證），主要還是因爲傳統觀念，不以戲曲小說爲重。

各集記載藏書，並未依四部分類之次序，也不是按照時代先後排列，可知此目只是趙氏藏書的簡單記錄。所以趙宗建另撰有《舊山樓藏書記》，目的應是將「舊山樓」珍藏之善本作詳細記錄，可惜只記了十六種，沒有全部完成。

---

37 案：近在網上查閱到「上海國際商品拍賣有限公司 2009 年秋季藝術品拍賣會」曾拍賣出一部「清光緒辛丑（1901 年）趙仲舉藍格抄本《舊山樓楹書簡錄》，一函一冊」。從時間上看，應是趙宗建過世後其次子之抄本，較本文引用之排印本要珍貴得多，可惜網上只見兩葉照片，無法據以核對全書。網址：http://pmgs.kongfz.com/detail/10_100637/。

《舊山樓書目》所記藏書內容，首先值得注意的是一些罕見本，如《宋司馬溫公寫資治通鑑草稿》、[38]《宋朱文公寫大學章句草稿》、《宋刊宣和遺事》（以上三種在「文廚」內）；《徐霞客遊記底稿詩底稿》、《牧齋甲申年日記、乙酉年日記》、《柳如是家信稿》（以上三種在「補錄」中）。還有一些眞僞待查，如《五代本詩經殘本》、《五代本禮記殘本》（在「補錄」中），這二種可能仍是宋刊本。普通本部分則以清刊本爲多，且多明清人之文集。

將《舊山樓藏書記》與《舊山樓書目》比對，互有出入。二目俱載者只有七種，其餘九種不見於《舊山樓書目》。又二目俱見者，其卷、冊數亦有不同。如《元刊本文選三十二冊》，《藏書目》作十六本；《元刊本古樂府六冊》，《藏書目》作八本；《宋刊本杜詩殘卷三卷三冊》，《藏書目》未著明卷數等。或許是因爲趙宗建長子在謄寫《藏書目》時，已有部分珍本流出，以致《舊山樓書目》並不完整。

還有值得一提的是，《舊山樓書目》「庚集」載有《杜工部草堂詩箋》一書，注云：「東洋翻宋本」，這應該就是現代所謂的「和刻本」。關於「和刻本」漢籍，清代早期藏書家注意者不多，自光緒六年（1880）楊守敬東渡日本訪書之後，才開始受到藏書家普遍的重視。趙氏此本何時得到不可知，推測至多應在光緒中葉以後。

---

38 案：中國國家圖書館藏有《資治通鑑殘稿》一卷，著錄：任希夷、趙汝述、葛洪、趙崇龢、柳貫、黃溍、宇文公諒、朱德潤、鄭元祐等跋，或即此本。見《北京圖書館古籍善本書目》史部（北京：書目文獻出版社 1990 年），頁 263。

《舊山樓藏書記》以宋刊本《竇氏聯珠集》爲藏書之壓卷，此書源出於黃丕烈「士禮居」，其〈百宋一廛賦〉著錄，爲淳熙五年（1178）刊本。另外《讀書敏求記》卷四、《鐵琴銅劍樓藏書目錄》卷二十三亦均著錄，此書今亦存藏北京中國國家圖書館。

五、結　語

清代學者洪亮吉（1746～1809）曾對所謂「藏書家」，做了分類，並加以評論：

> 藏書家有數等：得一書必推求本原，是正缺失，是謂考訂家，如錢少詹大昕、戴吉士震諸人是也；次則辨其板片，注其錯訛，是謂校讎家，如盧學士文弨、翁閣學方綱諸人是也；次則搜采異本，上則補石室金匱之遺亡，下可備通人博士之瀏覽，是謂收藏家，如鄞縣范氏之天一閣、錢塘吳氏之瓶花齋、崑山徐氏之傳是樓諸家是也；次則第求精本，獨嗜宋刻，作者之旨意縱未盡窺，而刻書之年月最所深悉，是謂賞鑒家，如吳門黃主事丕烈、鄔鎮鮑處士廷博諸人是也；又次則於舊家中落者，賤售其所藏，富室嗜書者，要求其善價，眼別真贋，心知古今，閩本蜀本，一不得欺，宋槧元槧，見而即識，是謂販掠家，如吳門之錢景開、陶五柳；湖州之施漢英諸書

估是也。[39]

雖然洪氏的說法，犯了定義不清、分類失當與舉例有誤的毛病，[40]但是如果藉此說法闡明藏書家有種種不同之藏書動機，則確有一定的道理。錢遵王曾說：「牧翁絳雲樓，讀書者之藏書也；清常脈望館，藏書者之藏書也。」[41]以彼例此，可以說趙氏舊山樓也是屬於「藏書者之藏書」。趙宗建既非學者，也沒有留下專門著作或千古文章，但是經由其珍重呵護、妥善收藏的《孤本元明雜劇》得以流傳到今天，提供廣大戲曲學術研究者運用，就如同歷代以來所有知名的、不知名的藏書家一樣，爲保存古代文獻貢獻了自己一生的歲月，然後一棒一棒傳遞下去。生爲後人，承其遺澤，我們實在應該對這群默默付出的人，致以崇高敬意與謝意！而趙氏「舊山樓」，正是這個接力隊伍中頗爲值得注意的一個。

---

39 〈北江詩話〉卷三（臺北：廣文書局 1971 年《古今詩話叢編》影印《粵雅堂叢書》本），頁 83。

40 參見拙作〈洪亮吉藏書家有五等說考辨〉，收入《張以仁先生七秩壽慶論文集》（臺北：臺灣學生書局 1999 年），頁 753-763；修正稿收入拙作《圖書文獻學考論》（臺北：里仁書局 2005 年），頁 151-164。

41 《也是園古今雜劇考》，頁 15。

附圖：

吳大澂〈題舊山樓圖〉

趙宗建書跡

從《天中記》論中國古代類書之知識性質

一、前 言

近十多年來，筆者在從事文獻學的研究過程中，經常思考的一個問題就是：「文獻學這樣一門古老的學科，在現代的學術語境當中，應該如何煥發出新的生命光彩？」筆者的想法是：除了在文獻學本身的範疇裡持續找尋新材料、開發新課題之外，當今學術界逐漸形成主流的「跨界研究」（interdisciplinary study）應該是一個很值得努力的發展方向。到目前為止，筆者曾經嘗試過的方向有：文獻學與文學研究、文獻學與佛教研究、文獻學與經典詮釋研究等。

以「文獻學與經典詮釋研究」為例，筆者研究發現：中國傳統的文獻學，其紮實的文獻基礎，足以幫助學者在從事經典詮釋工作時，更準確的把握文本的義理——如訓詁學。甚至文獻學本身，就代表一種經典詮釋的方法與立場——如目錄學。而傳統文獻學中非常重視的「類書」，從知識分類與知識構成的角度來看，更是亟待開發與解讀的一塊園地！據筆者所知，臺灣的吳蕙芳教授，曾對明、清的日用類書與民間知識的形成，有過深入研究。普林斯頓大學東亞系的艾爾曼教授（B.Elman），也有針對明代類書的相關論述。[1]本文則從類書的基本性質切入，討論明代的《天中記》，即是一個新的嘗試。

猶記得十多年前筆者還是博士研究生的時候，有一次在先師王叔岷先生（1914～2008）[2]校勘學的課堂上，聆聽先生講述運用歷代類書以校勘古書時言到：「《天中記》一書雖然晚出，然而其中含有許多古書之資料，甚有校勘運用之價值。」因為在此之前對

---

1 吳蕙芳《明清以來民間生活知識的建構與傳遞》（臺北：臺灣學生書局 2007 年）；Benjamin Elman〈收集與分類：明代彙編與類書〉（《學術月刊》，2009 年 5 月，頁 126-138）。

2 王叔岷先生（1914～2008），譜名邦濬，以字行，號慕廬，四川省簡陽縣洛帶鎮人。民國 28 年（1939）畢業於四川大學中文系，隨即考入北京大學文科研究所，至 1941 年，當時北大已因抗戰播遷至四川李莊，先生即在四川入學。師從傅斯年、湯用彤先生。先生自幼即喜讀《莊子》，入學北大後，在傅斯年先生的鼓勵之下，以《莊子》為研究主題，並從校勘、訓詁入手，1943 年，先成《讀莊論叢》，獲碩士學位。隨即獲聘中央研究院歷史語言研究所助理研究員。1944 年，撰成《莊子校釋》五卷、附錄一卷。1948 年秋，隨史語所播遷來臺，並兼臺灣大學中文系教授。1959 年，任哈佛大學訪問學人。1963 年，任新加坡大學中文系客座教授。1967 年，任馬來西亞大學漢學系客座教授。1972 年，任新加坡南洋大學中文系講座教授。1977 年，南洋大學與新加坡大學合併成為新加坡國立大學，聘先生擔任中文系主任。1981 年自新大退休，回到中央研究院，並繼續擔任臺灣大學中文系教授。1984 年自中研院史語所退休，仍兼任研究員，並隔年在臺大中文研究所開課。1987 年，任新加坡國立東亞哲學研究所榮譽講座。1995 年，臺大中文系聘先生為名譽教授。2000 年，榮獲行政院文化獎。

《天中記》可說是完全陌生，當時聽聞先生此言，引發我的興趣，回去後即翻閱了一些研究論著目錄的資料，想進一步了解《天中記》這部書，卻發現當時似乎還沒有人對這部書進行過研究。於是就有了一個想法，希望有機會時，對這部書做一些探索，以印證王師之言。現在呈現出來的這篇小文章，可說是多年心願的一個初步實踐。由於學力的限制，許多問題也只是粗淺的觸及到而已，更多的是提出一些個人的想法，當然不夠成熟，有待繼續深入研究，也盼望學術先進們多多給予批評指正。

其次，以王先生校勘學名家的眼光來看，像《天中記》這樣的書，自然是一部校勘資料的寶庫，這也是過去考據學家（至少從清代乾、嘉以來）一直對於「類書」另眼相看，掇拾不已的一貫態度。不過，當我仔細的將《天中記》翻閱過一次之後，卻發現這部書與其他「正統」的類書似乎不大一樣，所謂「不大一樣」並不是編輯的形式，而是其中所摘錄的資料，大致而言，多採自較爲少見的書籍，也就是「冷僻」的書。後來看到《四庫全書總目》對《天中記》的評價（見後引），多少也印證了我的感覺。後來再讀到《天中記》編纂者陳耀文的另一部著作《正楊》時，發現書中的考證，引證的資料有些似曾相識，原來大多在《天中記》裡可以找到。這就讓我「合理的懷疑」這兩部書具有某種關係。這樣的懷疑，也促使我進一步思考：所謂「類書」，當初編纂時的目的究竟是什麼？歷代不同的人去編輯類書，目的都是相同的嗎？再以現代人的角度來看，類書除了是一種可以查檢資料的工具書之外，還可不可以有其他的意義？基於這一連串的想法，幾年來我嘗試從不同切入點對於「類書」做重新的檢視，也寫了一些文章，本文可以說是回到引發所有探索歷程的源頭，對於《天中記》這部書的情況與意義，做一個比較深入的探討。

二、類書之淵源與體制

「類書」是什麼？一般的定義是：「凡採輯群書，或以類分，或以字分，便尋檢之用者，謂之類書。」[3]這是從編輯形式上來看，可知**凡是歸為類書的，基本上一定要有某種「分類的系統」**，再分別將古書中相關資料蒐羅集中在一起。由於類書的分類，大多是根據當時社會的政治、經濟、文化、制度、民眾生活的需要而來，這些門類與採錄內容，也就充分反映了當代的社會面貌。[4]所以也可以說：**一部類書的分類方式，就代表一種「知識系統」**，這對我們認識類書的本質有重要作用。

「類書」的名稱，宋代以前並無一定，各種書目的歸類也不統一，直到《新唐書・藝文志》，在「子部」中立一類稱為「類書類」，才確立下來。而其起源，則可以推溯到魏文帝時代敕撰之《皇覽》。《三國志・魏志・文帝紀》：

帝好文學，以著述為務，自所勒成垂百篇。又使諸儒撰集經

3　國立編譯館主編，《圖書館學與資訊科學大辭典》下冊（臺北：漢美圖書公司 1995 年），頁 2422。其他辭書如《辭源》、《辭海》等亦大抵相同。

4　張圍東《宋代類書之研究》，收入《古典文獻研究輯刊》初編（臺北：花木蘭文化工作坊 2005 年），頁 2-3。

傳，隨類相從，凡千餘篇，號曰《皇覽》。[5]

《三國志·魏志·楊俊傳》裴松之注：

《皇覽》……合四十部，部有數十篇，合八百餘萬字。[6]

可見《皇覽》是一部規模相當龐大的類書。至宋·王應麟《玉海》卷五十四云：「類事之書，始於《皇覽》。」從此類書起源問題已成爲定論。

類書是我古代重要的圖書形式之一，其編纂目的，從魏文帝敕編《皇覽》一事來看，原本是爲了文學創作，便於查考陳言故實，以爲作文賦詩時之採用。而後世學人對類書之運用，則不限於此。《四庫全書總目提要》〈子部·類書類序〉云：

類事之書，兼收四部，而非經非史、非子非集，四部之內，乃無類可歸。《皇覽》始於魏文，晉·荀勗《中經》分隸何門，今無所考。《隋志》載入子部，當有所受之。歷代相承，莫之或易。明·胡應麟作《筆叢》，始議改入集部。然無所取義，徒事紛更，不如仍其舊貫矣。此體一興，操觚者易於檢尋，注書者利於剽竊，輾轉裨販，實學頗荒。然古籍散亡，

---

5 《三國志》卷二（臺北：藝文印書館 1956 年景印盧弼〈集解〉本），頁 120。

6 《三國志》卷二十三，頁 586。

> 十不存一，遺文舊事，往往託以得存。《藝文類聚》、《初學記》、《太平御覽》諸編，殘璣斷璧，至捃拾不窮，要不可謂之無補也。[7]

對於類書的起源、功用，有所說明。張滌華也以「便省覽、利尋檢、供採摭、存遺佚、資考證」爲類書之「五利」。[8]

由此可知，**「類書」是一種綜合現存知識的書籍，無論何種形式，「廣博」是其主要特色，而其編纂的主要目的在於：「讓使用者在最短時間內，獲得最多知識」**。這種目的最突出的表現，就在於「賦詩撰文」時的需要，尤其是以堆砌大量詞藻、典故爲尚的辭賦、駢文、律詩等文體，與類書的關係最密切。因此類書出現於世之後，很快的成爲許多文人臨文取材時的依靠。蕭梁時代的鍾嶸（468～518），在其《詩品·中·序》裡，就曾痛加批評：

> 觀古今勝語，多非補假，皆由直尋。顏延、謝莊尤為繁密，於時化之。故大明、泰始中，文章殆同書抄！近任昉、王元長等，詞不貴奇，競須新事，爾來作者，寖以成俗。遂乃句無虛語，語無虛字，拘攣補衲，蠹文已甚！但自然英旨，罕值其人；詞既失高，則宜加事義。雖謝天才，且表學問，亦一理乎！[9]

---

7 《四庫全書總目提要》卷135（臺北：藝文印書館1979年），頁2641。

8 張滌華《類書流別》（北京：商務印書館1985年），頁35-39。

9 見《詩品·中·序》（上海古籍出版社1996年曹旭《集注》本），頁180-181。

《南史‧劉峻傳》也記載：梁武帝每集文士，撰集經史舊聞，謂之「隸事」，范雲、沈約之徒，皆引短推長。時安成王秀命劉峻撰《類苑》一百二十卷，武帝即命諸學士撰《華林遍略》以高之。由是類書大興，文貴數典，不復能自鑄偉詞矣！[10]也正說明南朝文風的轉變，確實是與類書的出現有互動關係。

黃侃（1886～1935）先生《文心雕龍札記》進一步說明這種情況：

> 爰自齊、梁而後，聲律對偶之文大興，用事採言，尤關能事。其甚者，捃拾細事，爭疏僻典；以一事不知為恥，以字有來歷為高，……淺學者臨文而躑躅，博聞者裕之於平素。天資不足，益以彊記，彊記不足，益以鈔撮。……以我搜輯之勤，祛人繙檢之劇，此類書所以日眾也。[11]

上引鍾、黃二氏之說，對於類書主要的特色與用途，分析頗爲清楚。同時也從一個側面說明了類書與文學風尚的關係。

魏、晉以後，歷代皆有類書之編纂，而且有愈後愈多的趨勢。大抵而言，宋代以前的類書，採擇資料來源較古，保存許多佚書，且分類詳細合理。明、清類書則種類繁多，卷帙龐大，資料多延用唐、宋之古類書，分類較爲瑣碎。但是這也不是意味著明、清類書的價值就不如唐、宋，需要個別看待。

---

10 《詩品集注》，頁 184。

11 《文心雕龍札記》（上海：上海古籍出版社 2000 年），頁 18。

至於類書之體制，可謂五花八門，各出機杼。大致來說，就內容性質而言，可分爲「綜合性類書」（如《藝文類聚》、《太平御覽》等）與「專門性類書」（如《小學紺珠》、《格致鏡原》等）兩大類。就編錄形式而言，有「徵事（典故）」的，如《皇覽》、《華林遍略》等早期類書；有「徵事兼採集詩文」的，如《藝文類聚》、《事文類聚》等。就編排檢索方法而言，有分門別類的，爲數最多；有以韻分的（齊尾字），如《永樂大典》、《佩文韻府》等；有以數字爲綱的，如《小學紺珠》、《讀書紀數略》等。[12]

三、明代學風與類書

以明代而言，明人編輯類書之風，尤盛於前代，現存《四庫全書》著錄之類書，總數有 282 種，其中明代類書就佔了 139 種，約等於唐、宋、元、清四代的總和，可見明人喜好編纂類書之風氣。[13]

明人所編類書，最大也是最著名的就是官修的《永樂大典》，此書完成於明成祖永樂六年（1408），原有二萬三千九百卷，採錄古書約七、八千種。其編制體例是以《洪武正韻》爲據，分韻隸事。清人編輯《四庫全書》時，曾由《永樂大典》中輯出佚書五百多種，可見此書對學術文化的貢獻。至於明代私人所編類書，更是種類繁多，用途廣泛。有重新整理、注釋唐宋類書的，如鄒道元《滙書詳

---

12 《宋代類書之研究》，頁 19-20。

13 戚志芬《中國的類書、政書與叢書》（臺北：臺灣商務印書館 1995 年），頁 65。

注》、俞安期《唐類函》；有專收古人譬喻的，如徐元太《喻林》；有專收駢文辭藻的，如王志慶《古儷府》；有專輯古書中之附圖的，如章潢《圖書編》；有專輯一地之事文的，如郭子章《黔類》等等。博採古事古文以供檢閱運用的更是大宗，令人注目。類書的功用，到了明代似乎又有新的進展。

再由明代整體學風而觀，明人喜編類書之風氣，亦有其學術背景可供觀察。前人論及明代學術，總是以所謂「束書不觀，游談無根」之類的話加以批評。事實上這種評論用在所謂「王學末流」身上，或許還可以勉強成立，但絕不能以此認爲明人皆空疎不學。當代學者研究明、清學術的傳承與演化，發現清代盛行的考據學，在明代中葉，已經開始萌芽。如余英時先生從「儒家智識主義」的角度，指出明、清學術思想的傳承，自有其「內在理路」（inner logic）。[14]林慶彰先生則指出：

> 明代中葉之學術環境，既由心學家與復古運動相激蕩而形成一種淺薄浮泛之風，此時，若有不滿者倡之於前，即可蔚為另一種風氣。考據學風亦即由此種淺薄浮泛中掙脫而出。

又說：

> 明代考據之特質為好奇炫博，諸考據家皆兼通經學、小學、

---

14 余英時〈清代思想史的一個新解釋〉，收入《歷史與思想》（臺北：聯經出版事業公司 1977 年），頁 124-134。

> 天文、地理、典制、動植物、醫學等，清初黃宗羲、顧炎武、毛奇齡、顧祖禹、萬斯大、胡渭、閻若璩、姚際恆等之所考，好博則甚近似。可知明中葉至清初之考據，皆崇尚博雅，至乾、嘉以後始漸趨專門。[15]

由此可見明人亦多有勤於考證著述，以自別於心學者。尤其自明中葉以後，商品經濟發達，藏書之風興盛，學者追求廣聞博識成爲主流，形成清代考據學的先聲。其中可以楊愼爲代表人物。

楊愼（1488～1559）字用修，號升庵，四川新都人。內閣首輔楊廷和（1459～1529）之子，正德六年（1511）辛未科狀元，官翰林院修撰。嘉靖三年（1517），因「大禮議」案[16]忤世宗，謫戍雲南。嘉靖三十八年歿於戍地，天啓間追謚文憲。

楊愼所爲考證之學，即可以「好奇炫博」四字該之，當時學者已稱讚其博學，如焦竑云：

> 升庵先生起成都，潛心窺古作者，自墳、典、丘、索以來諸書，下及稗官小說，無幽不燭，無異不頌，無巨不舉，無纖

15 林慶彰《明代考據學研究》（臺北：臺灣學生書局 1986 年），頁 22、590。

16 「大禮議」是明朝嘉靖初年，因明世宗生父稱號問題引起的一場政治鬥爭，發生於明世宗登基不久之時。當時，世宗與楊廷和（楊慎之父）、毛澄為首的武宗舊臣們之間關於以誰為世宗皇考（即宗法意義上的父親），以及世宗生父尊號的問題發生了爭議和鬥爭。大禮議歷時三年（1521-1524）才落幕。參見尤淑君《名分禮秩與皇權重塑：大禮議與嘉靖政治文化》，臺北：國立政治大學歷史系博士論文，2006 年。

> 不破，蓋胸中具一大武庫焉。[17]

《明史・楊慎傳》亦云：

> 明世記誦之博，著作之富，推慎為第一。詩文外，雜着至一百餘種，并行於世。

楊慎之博識，與其勤於抄書，廣泛搜集資料有關，升庵嘗自述云：

> 余自束髮以來，手所抄集，帙成逾百，卷計越千。

故其著作數量頗爲驚人，據統計其著述之總數約二百五十餘種。《四庫全書總目提要》卷一一九評楊慎所撰《丹鉛總錄》等書云：

> 慎以博洽冠一時，使其覃精研思，網羅百代，竭平生之力以成一書，雖未必追蹤馬、鄭，亦未必遽在王應麟、馬端臨下。而取名太急，稍成卷帙即付棗梨，餖飣為編，只成雜學。王世貞謂其：「工於證經而踈於解經，詳於稗史而忽於正史，詳於詩事而忽於詩旨，求之宇宙之外而失之耳目之內」，亦確論也。又好偽撰古書，以證成己說，睥睨一世，謂無足以發其覆，而不知陳耀文《正楊》之作已隨其後。雖有意求瑕，詆諆太過，毋亦木腐蟲生，有所以召之道歟？然漁獵既富，

17 《明代考據學研究》，頁 50。

> 根柢終深，故疎舛雖多，而精華亦復不少。求之於古，可以位置鄭樵、羅泌（1131～1189）之間，其在有明，固鐵中錚錚者矣！[18]

後來明代考據學之所以走入雜博僻異之途，楊愼實開其端緒。

除楊愼以外，還有不少學者也投入考證之學，《四庫全書總目提要》卷一一九《通雅》條云：

> 明之中葉，以博洽著稱者楊慎，……次則焦竑，亦喜考證而與李贄遊。惟（方）以智崛起崇禎中，考據精核，迥出其上。[19]

林慶彰先生列舉明代重要的考據學家有：楊愼、梅鷟、陳耀文、胡應麟、焦竑、陳第、周嬰、方以智等八人。

以楊愼爲代表的這種「博雜」學風，事實上和文人創作時講究「詞不貴奇，競須新事；句無虛語，語無虛字」在本質上是一樣的，都要靠「掉書袋」來表現，而其背後的靠山說穿了都是類書。江藩《漢學師承記・序》有云：

> 有明三百年，四方秀乂，困於括帖，以章句為經學，以類書為博聞。

---

18 《四庫全書總目提要》卷 119（臺北：藝文印書館 1979 年），頁 2380。

19 《四庫全書總目提要》卷 119，頁 2384。

一語道出了明代博雜學風與類書的關係。

因此本文即以撰《正楊》而糾正楊慎疏誤知名的陳耀文，及其所撰輯的《天中記》一書為例，探討類書與治學之間有何種關係，並試圖為類書之知識性質，做一新的定位。

四、《天中記》之作者與版本

關於《天中記》的編纂者陳耀文，其生平資料不多，茲就筆者檢閱所及，簡述如下：

陳耀文，字晦伯，號筆山，明．確山人（今河南省確山縣）。生而穎異，日記千言，目視數行俱下，鄉里號為神童。年十二，補邑庠生，嘉靖二十二年舉人，登嘉靖二十九年（1550）進士第，授中書舍人，陞工部給事中。同榜的名人有被稱為「後七子」的宗臣、梁有譽、徐中行、吳國倫等人。後以忤時相意（指嚴嵩，1480～1567），謫魏縣丞，移淮安推官、寧波、蘇州同知，遷南京戶部郎中、淮安兵備副使。尋授陝西行僕寺卿，以倦遊不樂邊塞，遂請告歸。居家杜門，以著述為事。卒年八十二。

當時士林即對於陳耀文甚為推重，如王世貞〈答胡元瑞第五書〉云：

> 以僕所見，當今博洽之士，陳晦伯可稱無二，然不無「書簏」之恨。

焦竑〈與陳晦伯書〉云：

> 不佞結髮時，從事鉛槧，即聞明公盛名，博聞好古者也。頃與二三同志，論列海內文學之士，靡不以明公稱首。每讀所撰著，竊有以得於心。夫其文理貫綜，敘致雅暢，經疑證隱，語類搜奇。收百代之闕文，采千載之遺韻，頓挫萬彙，囊括九圍，非曠代通材，孰與於此？[20]

《四庫全書》著錄陳耀文的著作有《經典稽疑》二卷、《學林就正》四卷、《學圃萱蘇》六卷、《花草粹編》十二卷、《正楊》四卷、《天中記》六十卷等。

《天中記》爲一部中型類書，又名《寰海類編》，言其取材之廣大淵博。而《天中記》一名則是因陳耀文晚年所居近於「天中山」（在河南省汝南縣之北）而命之。據說該處有山，山上有塔，塔下有井。每當日正中午時，陽光能直射井底，而塔下無影。當地人以爲此處或爲天下之正中，故名其山爲「天中山」。這兩個書名都能反映出陳耀文自詡其書的用心。[21]書前陳文燭[22]序云：

---

20 《明代考據學研究》，頁 171、172。

21 參見孫順霖〈陳耀文和他的天中記〉（《天中學刊》第 10 卷第 2 期，1995 年 5 月），頁 19-22。

22 陳文燭（1525～?），字玉叔，號五岳山人，湖北沔陽人。嘉靖四十四年（1565）進士，官至南京大理寺卿。與小說家吳承恩（1501～1582）相友善，著有《二酉園詩集》12 卷等。

汝南有天中山，陳晦伯先生記類書而繫之，蓋著作藏諸名山之意云。稿凡四易，為之者勞而觀之者逸，彰往訓來，懸諸日月，此不刊之書也。

又李蓘[23]序云：

朗陵陳君晦伯，夙負奇資，長多逸思。手不停披於六藝之書，目不輟目氏於百家之說。事有所聞，雖遠道必致其意；意有所屬，雖蔀屋其必詳。伺曉忘曛，燃膏繼晷，蓋自登第迄今，歷二十年而乃成此書，其力誠強而其心誠專且恒也。

對於其書皆推崇倍至。《四庫全書總目提要》卷一三六論及此書云：

明人類書大都沒其出處，至於憑臆增損，無可徵信。此書援引繁富而皆能一一著所由來，體裁較善。惟所標書名，或在條首，或在條末，為例殊不畫一。……明代稱博洽者推楊慎，後起而與之爭者，則惟耀文。所學雖駁雜不純，而見聞終富。故所採自九流毖緯，以逮僻典遺文，蒐羅頗廣，實可為多識之資。……尤能於隸事之中，兼資考據，為諸家之所未及。[24]

---

23 李蓘（1531～1609），字子田（一作于田），號黃谷，河南內鄉人。嘉靖三十二年（1553）進士，除翰林院檢討，官至貴州提學副使。喜藏書，著有《于田文集》、《黃谷瑣談》、《宋元藝圃集》、《明藝圃集》等。見《中國私家藏書通史》，頁 201。

24 《四庫全書總目提要》卷 136，頁 2674。

所言較爲中肯。據其生平與著作而言，陳耀文自然也是屬於「博雅」學風的一份子。

《天中記》初刻於隆慶三年（1569），凡五十卷（己巳本），當爲其草創未定之本，故此本傳世不多，惟明·焦竑《國史經籍志》著錄。《中國古籍善本書目·子部》著錄有明·隆慶間刊五十五卷本，[25]詳情待查。《明史·藝文志》、《四庫全書》著錄、諸藏書家著錄者多爲萬曆二十三年（1595）刊訂之六十卷本（乙未本），此本萬曆三十七年（1609）又有覆刻本（己酉本）。[26]又有清光緒四年（1878）林則徐聽雨山房覆明萬曆己酉本。[27]臺灣文源書局 1964 年景印中央圖書館藏明萬曆間刊本，亦爲六十卷，當爲乙未本。本文所據，即爲此本。[28]此本各卷前間有「四明屠隆緯真甫校」字樣。案：屠隆（1543-1605），字緯眞，一字長卿，號赤水，又號由拳山人，浙江鄞縣人。萬曆五年（1577）進士，曾官青浦令、吏部郎中。著有《曇花記》、《修水記》等劇本。

---

25 《中國古籍善本書目·子部》下冊（上海：上海古籍出版社 1998 年），頁 843，藏書單位為上海圖書館。

26 屈萬里先生《普林斯頓大學葛思德東方圖書館中文善本書志》卷三「子部·類書類」著錄此書萬曆三十七年刊本，書前有萬曆二十三年屠隆序，為他家著錄之本所無，待考。

27 見〈陳耀文和他的天中記〉。

28 文源書局景印本封面題「陳文燭撰」，當是誤以撰序人為作者，附訂於此。

五、《天中記》之內容與分類

《天中記》之體例：每卷收若干類，如卷一，收「天、日、日蝕、月、月蝕」等五類。每類下即廣搜古書中相關的資料，首爲標目，黑底反白。每條資料之末則標示文獻出處。尤其難得的是：在摘抄各類資料之時，遇到原文有錯誤，則加以校讎，訂其得失。《四庫全書總目提要》卷一三六云：

> 每條間附案語。如《玉篇》、《廣韻》之解誕字為生，《水經注》之以苗茨堂為茅茨堂，《世說注》以錢唐為錢塘，《唐逸史》之記孫思邈年代舛錯，《新唐書》之載安祿山死日乖互，皆為抉摘其失。又向來類書之沿訛者，如《合璧事類》以狄兼謩為魏謩，《錦繡萬花谷》以浮圖泓為一行，《事文類聚》以劉溉為到溉，《萬卷菁華》以晉建元元年為漢武帝，孔氏《續六帖》以三陽宮為逭暑宮，皆一一辨證。[29]

又如卷三十「三公宰相」部〈六貴〉條後有註云：

> 《南史》紀（張）弘策陳計語在（張）懿傳，懿傳無之，載弘策傳中。

訂正了《南史》中的錯誤。

---

29 《四庫全書總目提要》卷 136，頁 2674。

《天中記》所引古書，多據明以前之舊抄本或刊本，如其常引《齊人要術》，據書名應即《齊民要術》，陳氏所引尚為唐人寫本，故避李世民之諱。又卷五二「棗部」嵰山細棗條引《洞冥記》，文末注云：「今本無末句」，則所據亦當是古抄本。

《天中記》所載資料，可供後世校勘、輯佚者甚多，如卷三「祈雨部」積薪自焚條，引《搜神記》，與今本《搜神記》卷十一「諒輔」條對校，今本「和調百姓」誤，當作「和調陰陽」；「至日中時」誤，當作「至禺中時」。又如北魏·陽固〈北都賦〉久已失傳，嚴可均《全六朝文》中亦有目無文，而《天中記》卷四「山部」大翮條引其文二句十二字。《天中記》卷四「春部」栽雜木條引《氾勝之書》，馬國翰《玉函山房輯佚書》所輯即未見此條。

做為一部蒐羅廣博的類書，《天中記》也難免有一些錯誤或失當之處，《四庫全書總目提要》卷一三六云：

> 范守己《曲洧新聞》謂是書「鶴門」無浮邱翁、王子晉、丁令威、徐亞卿四事，「浦門」無青浦、黃浦等水，頗譏其漏。郭孔太《書傳正誤》亦謂其失載《紫薇苑》。夫天下事物無窮，一書卷帙有限，自有類書以來，未有兼括無遺者。《太平御覽》卷帙盈千，所未錄者尚不知凡幾，況此五、六十卷之書乎？是固不足為耀文病也。[30]

所評可謂公允。

---

30 《四庫全書總目提要》卷 136，頁 2674。

至於《天中記》的分類只有小類，而無大類，與《白孔六帖》相同。現依文源書局本書前重編之目錄，計算其分部，總計應有795 類。

若將《天中記》之分類與唐、宋古類書加以比較，可知《天中記》之分類方式大致仍是延續唐、宋古類書之分類，只是次序做了調整，類目也有增加的部分，如卷三十八之「科舉、主試、登第、下第、同年」等，即爲古類書之所無。此數類應是反映元、明以來科舉盛行，以致形成了新的知識內容。

茲將其分類情形，與其他重要古類書加以比較，分爲下列二表見之：

表一：《天中記》與唐、宋重要類書分類比較：總類

北堂書鈔	天部	歲時部	地部					帝王部	后妃部			封爵部
藝文類聚	天部	歲時部	地部	山部	水部	州部 郡部	符命部	帝王部	后妃部	儲宮部		封爵部
初學記	天部	歲時部	地部			州郡部		帝王部	中宮部	儲宮部	帝戚部	
太平御覽	天部	時序部	地部			州郡部		皇王部	皇親部			封建部
天中記	（天部）	（歲時部）	（地部）	（山部）	（水部）	（州郡部）	符命	（帝王部）	（后妃）	太子	親王宮主	
備註								太平御覽另有偏霸部				

北堂書鈔	設官部	政術部		武功部					禮儀部	樂部	藝文部	藝文部
藝文類聚	職官部	治政部	居處部	武部	軍器部	人部			禮部	樂部	雜文部	
初學記	職官部	政理部	居處部	武部		人部			禮部	樂部	文部	
太平御覽	職官部	治道部	居處部		兵部	人事部	逸民部	宗親部	禮儀部	樂部	文部	學部
天中記	（職官部）	（治道部）				（人部）		（宗親）	（禮部）	（樂部）	（文部）	（學部）
備註												

北堂書鈔	刑法部			儀飾部	衣冠部	服飾部						舟部
藝文類聚	刑法部	內典部	靈異部	儀飾部	衣冠部	服飾部	方術部		巧藝部		雜器物部	舟車部
初學記		道釋部				服食部				器用部		
太平御覽	刑法部	釋部	道部	儀式部	服章部	服用部	方術部	疾病部	工藝部	器物部	雜物部	舟部
天中記		（釋部）	（道部）		（衣冠部）	（服用部）	（方術部）					
備註												

北堂書鈔	車部							酒食部				
藝文類聚	舟車部			寶玉部	布帛部	產業部	百穀部	食物部	火部	祥瑞部	災異部	靈異部
初學記				寶器部				服食部				
太平御覽	車部	奉使部	四夷部	珍寶部	布帛部	資產部	百穀部	飲食部	火部	休徵部	咎徵部	神鬼部
天中記				（珍寶部）	（布帛部）		（百穀部）	酒、茶				
備註												

北堂書鈔												
藝文類聚		獸部	鳥部	鱗介部	蟲豸部	木部		菓部		藥香部		草部
初學記		獸部	鳥部			果木部		果木部				花草
太平御覽	妖異部	獸部	羽族部	鱗介部	蟲豸部	木部	竹部	果部	菜部	香部	藥部	百卉部
天中記		（獸部）	（鳥部）	（鱗介部）	（蟲豸部）	（木部）		（果部）				（百卉部）
備註												

表二：《天中記》與唐、宋重要類書分類比較：「天部」

北堂書鈔								天				日		晷	月		星
藝文類聚								天				日			月		星
初學記								天				日			月		星
白孔六帖	明天文							天	天河		晨夜	日			月		星
太平御覽		元氣	太易	太初	太始	太素	太極	天部上下		渾儀	刻漏	日上下	日蝕	晷	月	月蝕	星上中下
天中記								天				日	日蝕		月	月蝕	星
備註																	

北堂書鈔			雲	霄	漢	霞	風		雨		霽	雪	霰	露	雷	霹靂	電
藝文類聚			雲				風		雨		霽	雪			雷		電
初學記			雲				風		雨		霽晴	雪		露	雷		
白孔六帖			雲			霞	風		雨			雪	霰	露	雷		
太平御覽	瑞星	祅星	雲	霄	漢	霞	風	相風	雨上下	祈雨	霽	雪	霰	露	雷	霹靂	電
天中記			雲		漢	霞	風		雨	祈雨	霽	雪	霰	露	雷		電
備註																	

北堂書鈔	霜	雹	虹霓	氣	霧	霾	曀
藝文類聚			虹		霧		
初學記	霜	雹	虹霓		霧		
白孔六帖	霜	雹	虹		霧		
太平御覽	霜	雹	虹霓	氣	霧	霾	曀
天中記	霜	雹	虹		霧		
備註							

六、《天中記》與《正楊》之關係

《天中記》之文獻價值與知識意義，還可以從陳耀文另一本著作《正楊》[31]中所引以考證之資料得知。

《正楊》一書乃爲駁正楊愼所撰諸書而作，書前李蓘序云：

> 近世推博辨多蓄，曰：成都楊用修。用修著《丹鉛餘錄》等書，至數十百種，搜奇抉譎，擷采鈎隱，皆世所驟聞而學士大夫所望而駭歎者。以是聲譽籍甚，從同無異辭。顧余時時闚其謬盭，或事非幽邈而揜為秘藏；或義本殊途而牽為同致。……今朗陵陳君晦伯間取其誤謬，分疏其下，得一百五十條，[32]悉撮原本，無假辨說，開卷瞭然，固譚藪者之一快也。

書後陳耀文〈後語〉亦云：

> 余觀升庵氏書而深嘆立言之難也！夫世之稱升庵者，不曰「正平一覽」，則云「管綜百氏」，即其自視也，固已前無古人，後無來者。今茲所見，才數種耳，迺譌盭自相違伐若此，豈率爾師心，杜大方之家爾耶？……余恐其傳疑者眾，

31 本文所據版本為：屈萬里先生主編《雜著秘笈叢刊》景印明・隆慶三年（1569）刊本（臺北：臺灣學生書局 1971 年）。

32 筆者據正文標目詳細計算，當為 165 條。

間為是正數條。

可知此書全係針對楊慎而作，故名《正楊》。而陳氏所駁正者，有得有失，《四庫全書總目提要》卷一百十九評此書云：

> 是書凡一百五十條，皆糾楊慎之譌。成於隆慶己巳（1569），前有李蓘序及耀文自序。慎於正德、嘉靖間以博學稱，而所作《丹鉛錄》諸書，不免瑕瑜並見，真偽互陳。又晚謫永昌，無書可檢，惟憑記憶，未免多疎。耀文考正其非，不使轉滋疑誤，於學者不為無功。然釁起爭名，語多攻訐，醜詞惡謔，無所不加。雖古人挾怨爭構，如吳縝之糾《新唐書》者，亦不至是，殊乖著作之體。……觀是書者，取其博贍，亦不可不戒其浮囂也。[33]

對於其優、缺點指陳甚明。陳耀文對於楊慎的批評，確有「醜詞惡謔，無所不加」的情形，例如《正楊》卷三「蠱冶通用」條，楊慎引《太平廣記》爲證，陳氏駁之曰：

> 《廣記》引《易》，見第幾卷，何不明言？意謂《廣記》繁富，人難遍閱，故每借之以欺人耳！海觀張天錫作文極敏捷，而用事率出杜撰。人有質之者，則高聲應之曰：「出《太平廣記》！」蓋其書世所罕也（原注：《七修類藁》）。公

33 《四庫全書總目提要》卷 119，頁 2381。

引《廣記》，無亦天錫之故智乎？

引書不註出處，乃是古人通病，陳耀文自己在《天中記》中抄錄的資料，很多也都沒有注明卷數、頁數，獨厚責於楊慎，無怪有「流於叫囂」之譏。張舜徽先生（1911～1992）曾論明人政論之文云：

> 明人論政之文，間亦失之訐直，但欲以理道勝人，而不達婉辭諷勸之旨，始於察苛責備，終於峻噬嚴嗤。及其極也，所言未必見聽於人，而適以激人之怒。彼此攻詆，互相是非，迨朋黨之爭成，而國事不可問矣！[34]

移之以論陳耀文，也頗適當。

劉兆祐先生分析《正楊》書中考辨楊氏之誤，約有四種情況：[35]

一爲直舉楊氏之誤而訂正之：

如卷四「苦水變甘泉」條，楊氏以李錫爲盧城令，陳氏則正其爲虞城。

二爲舉發楊氏之僞引古書：

如卷四「唐詩葳蕤」條，楊氏引《錄異記》有「葳蕤鎖金鏤，屈伸在人」，陳氏正之曰：「《錄異記》杜光庭作，無葳蕤鎖事。」

三爲陳氏不滿楊氏之說，又不足以訂證之，則姑舉存疑：

---

34 張舜徽〈皇明經世文編選目〉，收入《舊學輯存》下冊（濟南：齊魯書社 1988 年），頁 1637。

35 《正楊》，《雜著秘笈叢刊》書前〈敍錄〉。

如卷四「石尤風」條，楊氏謂郎士元〈留盧秦卿詩〉中石尤風當為打頭逆風，陳氏舉古樂府〈宋武帝丁都護歌〉「願作石尤風，四面斷行旅」句，而謂「似非打頭風也」。

四為楊氏之說不誤，而所陳不備，陳氏乃更舉他書補充之：

如卷四「龍鍾」條，楊氏謂：「龍鍾竹名，年老曰龍鍾，言如竹枝葉搖曳而不自禁持也。」而不言所自出。陳氏則舉《南越志》所載，明其所出，又舉昌黎詩：「白首誇龍鍾」，董彥遠〈注〉：「潦倒意」，以明龍鍾一辭亦具有他義。

由於《正楊》一書的出現，引起明代後期學術界互相辯難之風，如胡應麟《正正楊》、周嬰《卮林》中有〈廣陳〉〈諗胡〉之篇、楊慎之孫楊宗吾專駁陳耀文的《檢蠹隨筆》、周亮工《翼楊》等，雖然看來各有所偏袒，而「明人之考據，也由糾楊的過程中，漸趨嚴謹。啓導之功，自應推耀文也。」[36]

詳檢《正楊》書中辨正之處，其引用之資料往往即見於《天中記》，可見陳耀文之所以能夠訂正或補充楊慎之失，主要是儲備了相當豐富的材料。茲略舉數例，如：

卷一「羿射日落九烏」條，引郭景純《山海經注》、《帝王世紀》等以駁楊慎「文士循名而騁奇」之說，見於《天中記》卷一「日部」。

卷一「牛耕」條，引《山海經》「后稷之孫叔均，始作牛耕」以駁楊慎「王伯厚未考及此」之疎，即見於《天中記》卷五五「牛部」。

---

36 《明代考據學研究》，頁 191。

卷一「彭祖」條，引《神仙傳》駁楊慎「彭祖非壽終也」之說，即見於《天中記》卷三九「壽部」。

卷三「太極泉」條，引《禮含文嘉》、《酉陽雜俎》等，駁楊慎「宋孝武帝詩中用僻典」之說，即見於《天中記》卷十「泉部」。

卷四「石尤風」條，引古樂府宋武帝〈丁都護歌〉云云，以駁楊慎「石尤風，打頭逆風也」之說，即見於《天中記》卷二「風部」。

我們相信如果將《正楊》中所載各條與《天中記》相關者一一比對，必能得到更多的證據，但僅此數條已能大致看出《天中記》與《正楊》之關係密切。再者，《天中記》之初刻本與《正楊》均於隆慶三年問世，其時間上巧合的意義也耐人尋味。

六、結　論

唐代書法家虞世南（558～638）因學問淵博，被唐太宗稱譽爲「行秘書」，[37]而現存最早的類書《北堂書鈔》，正是由其所編纂；晚唐著名詩人李商隱，「爲文多檢閱書冊，左右鱗次，號『獺祭魚』。」而《宋史・藝文志》著錄其所著類書《金鑰》二卷；[38]北宋詞人晏殊，「每讀得一故事，則書以一封皮，後批門類，按書吏傳錄，蓋今《類要》也。」[39]以上數例，在在可見古代文人學者的知識豐富，

---

37 彭邦炯《百川匯海——中國古代類書與叢書》（臺北：萬卷樓圖書公司 2001 年），頁 47。

38 《百川匯海——中國古代類書與叢書》，頁 9。

39 潘美月先生《宋代藏書家考》（臺北：學海出版社 1980 年），頁 71。

不完全是依靠博聞強記，而是有備無患——「類書」應該就是他們的秘密武器。經過廣泛抄撮資料，編成類書的紮實過程，任何人都有條件成爲詩人或學者。正所謂「以我搜輯之勤，祛人繙檢之劇」，而恰好明代的陳耀文同時留下了《天中記》與《正楊》兩部書，使我們有機會透過比對資料，眞正發現類書與治學的關係。

從類書的編纂體制與古代學者文人依賴類書的情況，使我們聯想到另外一種學術著作：「讀書考證筆記」，梁啓超論述清代考據學時，曾經指出：

> 凡用客觀方法研究學問的人，最要緊是先徹底了解一事件之真相，然後下判斷。能否得真相，全視所憑藉之資料如何？從量的方面看，要求豐備；從質的方面看，要求確實。所以資料之蒐羅和別擇，實占全部工作十分之七八。[40]

又說：

> 大抵當時好學之士，每人必置一「劄記冊子」，每讀書有心得則記之。……推原劄記之性質，本非著書，不過儲備著書之資料。然清儒最戒輕率著書，非得有極滿意之資料，不肯泐為定本。……訓詁學之模範名著，共推王念孫《經傳釋詞》、俞樾《古書疑義舉例》，苟一察其內容，即可知其實先有數千條之劄記，後乃組織而成書。……由此觀之，則劄

40 《中國近三百年學術史》（臺北：南嶽出版社 1978 年），頁 289。

> 記實為治此學之所最必要，而欲知清儒治學次第及其得力處，固當於此求之。[41]

筆者因而認為：清儒這種以讀書劄記為基礎的治學方法，事實上與古人編輯類書有著相同（至少是類似）的目的及功效，從陳耀文所編撰《天中記》與《正楊》二書之間的關係，可以初步得到證明。因此，對於類書的知識性質，我們應該修正原來的看法：不能把類書只是當成資料集或工具書，必要時翻查一下；而是將類書（尤其是重要的、好的幾部）做為可以從頭到尾認眞閱讀的書籍，逐步增加自己的知識量。正如宋太宗每天要看三卷《太平御覽》，並留下「開卷有益」的佳話；[42]而宋人所謂：「非止『初學』，可以為『終身記』」，[43]雖是論宋詩的特色，亦不妨包含此意。如果照一般的說法：中國的「類書」相當於西方的「百科全書」（Encyclopedia）的話，我們更應該注意到的是：編輯百科全書最初的目的，也正是要供人閱讀，而不只是加以翻檢而已。[44]

---

41 《清代學術概論》（臺北：南嶽出版社 1978 年），頁 653。

42 《宋朝事實類苑》卷二（臺北：源流出版社 1982 年），頁 19。

43 「初學」即唐代的類書《初學記》，此語乃論「西崑體」，見司馬光《溫公續詩話》引劉筠語（轉引自王水照〈宋代詩歌的藝術特點和教訓〉，收入《宋詩綜論叢編》，高雄：麗文文化公司 1993 年，頁 85）。

44 參閱《知識社會史——從古騰堡到狄德羅》（Peter Burke 著，賈士蘅譯，臺北：麥田出版社 2003 年）第八章。

附圖：

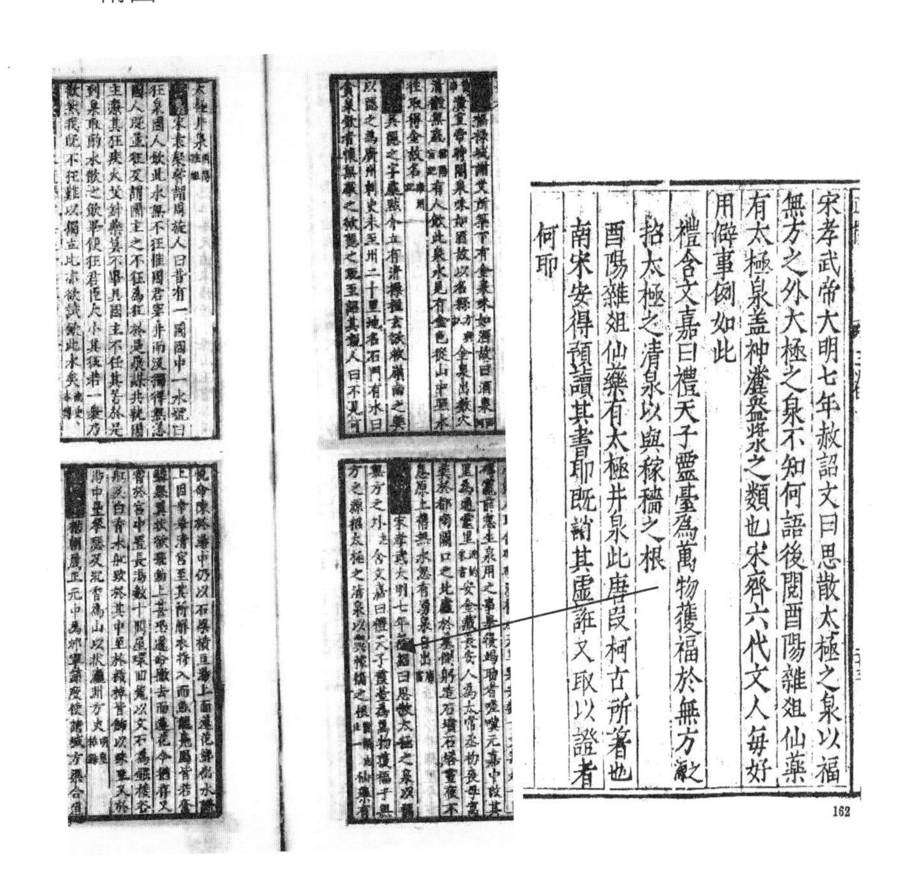

宋孝武帝大明七年赦詔文曰思散太極之泉以福
無方之外大極之泉不知何語後閱酉陽雜俎仙藥
有太極泉蓋神瀵盎漿之類也宋齊六代文人每好
用僻事例如此
禮含文嘉曰禮天子靈臺爲萬物獲福於無方之
招太極之清泉以與稼穡之根
酉陽雜俎仙藥有太極井泉此唐段柯古所著也
南宋安得預讀其書耶既誚其虛誕又取以證者
何耶

162

《天中記》卷十　　　　《正楊》卷三

傳播與回流──「和刻本」漢籍的淵源與價值

一、「和刻本」的發展

文化研究學者有所謂「回流」之理論，也就是說：任何兩個文化體系之間的交往互動，都不是單向的，而是雙向的。如同波浪的前進，必然有「傳播」與「回流」的現象。中、日兩國之間的書籍流通，也可以藉此加以說明。[1]

中、日兩國一水之隔，自古以來交流就甚爲頻繁。最早有徐福渡日的傳說，代表中國與日本文明傳承的關係。此時是否有中國典籍傳入，史無記載，但是推測是有的。宋代開始已有人相信日本存藏許多中土佚籍，如歐陽修〈日本刀歌〉云：「徐福行時書未焚，

1 參考司馬雲傑《文化社會學》（濟南：山東人民出版社 1990 年），頁 362-363；王勇《中日書籍之路研究》（北京：北京圖書館出版社 2003 年），頁 10-13。

逸書百篇今尚存，令嚴不許傳中國，舉世無人識古文。」[2]至於明確的文字記錄則始自隋唐以後，七世紀時，日本因實行「大化革新」，遣唐僧與留學生源源不絕前來中國讀書、求經，中國古籍也從此大量傳入日本。《舊唐書・日本國傳》記載：「開元初，又遣使來朝，所得賜賚，盡市文籍。」一直到了明代，這種情形依然未改。鄭若曾《籌海圖編》卷二指出「倭人」喜好的物品有：「絲綢、藥材、古字畫、古書」等。然而書籍輸入的速度，顯然無法全然滿足日本社會對於學習中國文字、文化的大量需求，於是日本人開始自行翻印中國書籍。這就是「和刻本」產生的背景。

所謂「和刻本」，又稱爲「日本刻本」，是指古代日本以中國歷代之寫本或刻本爲底本，加以翻刻或重刊之書籍。[3]關於「和刻本」出現的時代，歷來有不同的說法，[4]學界從前的看法是以「寶

---

2 見《居士外集》卷四（北京：中國書店 1994 年《歐陽脩全集》本）。案：歐陽脩此詩向來都認定是歐陽脩所作，無人懷疑。復旦大學王水照教授曾撰文否定，認為是司馬光所作，姑附註於此，以俟再考。見王水照〈日本刀歌與漢籍回流〉，收入《半肖居筆記》（北京：東方出版中心 1998 年），頁 47-51。

3 關於「和刻本」的定義，歷來也有許多討論。參見長澤規矩也《和刻本漢籍分類目錄》（東京：汲古書院 1976 年）；川瀨一馬《五山版の研究》（東京：日本古書籍商協會 1970 年）；王勇〈和刻本與華刻本〉，收入《中日書籍之路研究》（北京圖書館出版社 2003 年），頁 238-241 等。

4 本節所述，大抵依據楊維新〈日本版本之歷史〉，收入《圖書印刷發展史論文集》（臺北：文史哲出版社 1982 年），頁 399-414；鄭梁生《元明時代東傳日本的文獻》（臺北：文史哲出版社 1984 年），頁 146-156；嚴紹璗〈日本刊印之漢籍研究〉，收入《漢籍在日本的流布

治本論語」爲日本出版史上「和刻本」漢籍外典之始。「寶治」是日本後深草天皇（1243～1304）的年號，寶治元年（1247，南宋理宗淳祐七年），有署名「陋巷子」者刊印《論語集注》，底本是朱熹的《論語集注》，距離寧宗嘉定四年（1217）劉瀹初次刊行朱子《四書集注》才不過三十年。

其次，是「元亨本古文尚書」。後醍醐天皇（1288～1339）元亨二年（1322，元英宗至治二年），沙門素慶刊行「僞古文尚書」十三卷，並在其跋文中提出了「儒以知道，釋以助才」的說法。此後不久，1324 年又有玄惠刊《詩人玉屑》，1325 年，圓澄刊《春秋經傳集解》，同年宗澤刊《寒山詩集》。

早期「和刻本」中最著名的是「五山版」。「五山」是鐮倉時代（1186～1330）至室町時代（1338～1573）京都附近著名寺廟的總名。主要的寺廟包括南禪寺、天龍寺、建仁寺、東福寺、萬壽寺、建長寺、圓覺寺、壽福寺、淨智寺、淨妙寺等。當時正值中國禪宗傳入日本，兼與宋學並興，受到幕府將軍的大力支持，各大寺廟逐漸成爲學術、文化的重心。爲了適應五山學僧鑽研禪學與漢文化的需要，覆刻中國文獻典籍的事業，便在「五山十刹」之間盛行起來，出現大規模以宋元版爲底本的覆刻本，其中又以「臨川寺本」最爲有名。

京都臨川寺，位於都城西郊大堰河畔，嵐山腳下。開基住持是

研究》（南京：江蘇古籍出版社 1992 年），頁 121-166；王寶平《中國館藏和刻本漢籍書目・序言》（杭州：杭州大學出版社 1992 年）等。

夢窗疏石（1274～1351），其大弟子春屋妙葩（1311～1388）在1341年（元順帝至正元年）刊印《佛果圜悟禪師心要》；1351（至正十一年），在京都天龍寺主持刊印《明教大師輔教編》；1358年（至正十八年），刊印《詩法源流》；1359年，刊印《蒲室集》；1361年，刊印《范德機詩集》；1363年，刊印《翰林珠玉》；1371，刊行《宗鏡錄》。這些刊本都是以元刻本爲底本加以摹刻的。

其他著名的「五山版」漢籍，還有1284年（元世祖至元二十一年）淨智寺釋正念主持刊印的《大休和尚語錄》；1288年建長寺刊印的《禪門室訓集》；同年四月，東福寺釋湛照、師元二人合刊《應安語錄》與《密庵語錄》等。除佛經、語錄之外，還有許多「外典」（佛教以外的典籍）的刊行。據統計，「五山版」漢籍外典可考者，凡經部十一種、史部六種、子部十三種、集部三十六種，合計六十六種。

在五山版之外，最著名的和刻漢籍當推「正平本論語」。正平是日本南北朝時代南朝後村上天皇（1328～1368）的年號，正平十九年（1364，元順帝至正二十四年）有堺浦（今九州地區）人士道祐居士，出資刊行《論語集解》十卷，據日本《泉州志》所載：「道祐，足利義男之四子，俗名祐氏者也。幼而喪父，共其母來居於當津，薙髮號道祐。初學天台，後謁大谷本願寺覺如上人，爲一向專修念佛者。足利尊氏至任將軍，依同姓舊緣，除寺地租稅，封田若干戶。」可知其人與幕府爲遠親。此書傳世者略有三種，依卷末道祐居士題跋之有無，分爲「單跋本」、「雙跋本」、「無跋本」，另有一種明應八年（1499）西周平武「覆刊本」。明末清初之際，「正平本論語」曾傳入中國，錢曾「述古堂」藏有一通影寫抄本，因不明瞭日本版刻歷史，誤以爲朝鮮本。後流入黃丕烈「士禮居」，始訂正之。[5]錢遵王藏本輾轉歸陸心源「皕宋樓」，今存於日本「靜嘉堂文庫」。

與五山版差不多同時期，日本民間也出現以營利爲目的的「坊刻本」，這些版本也是以宋、元刊本爲底本照樣摹刻的。據木宮泰彥（1887～1969）的調查統計，1336 至 1473 年之間刊行的坊刻本有：佛經、論、僧傳等十九種；語錄、清規等四十七種；詩文集二十九種；史書五種；儒書、醫書、字書等九種，共計 109 種。這也反映出日本讀書界對漢籍的大量需求。

「和刻本」還有一個非常值得注意的現象，就是實際從事刻板的雕刻工匠，有一些是從中國沿海地區移民到日本的中國人，他們所刊印的書籍，可以說是眞正的宋元版，只是在日本出版印行的而已，這可能是圖書出版界最早的「移地生產」與「技術轉移」的記錄！早在 1289 年（元順帝至正二十六年）時，就有徐汝舟、洪舉二人合刻的《雪竇明覺大師語錄》行世。而後日僧義堂周信（1325～1388）在其《空華日用工夫略集》「應永三年（1370）九月二十二日」條中記載：「唐人刮字工陳孟千、陳伯壽二人來，福州南臺橋人也。丁未年（1367）七月到岸。」另外，《師守記》一書「貞治六年（1367）七月二十一日」條下云：「今日唐人八人抵嵯峨，是爲菩薩去年渡唐，渡日本唐人也。形木開之輩也。」「形木開」即雕版之意。當時正值元末明初，天下擾亂，沿海居民多有東渡避

5 章鈺《讀書敏求記校證》卷一（上海：上海古籍出版社 2007 年），頁 31-34。

禍者。而日本國內則是五山印版書籍正盛，需要大量工匠。這些刻版工人之中有一部分也正是在此大環境之下受邀赴日。

在這些渡日刻工裡，最著名的是陳孟榮與俞良甫二人。陳孟榮與前述的陳孟千（或謂當作陳孟才）應是同族，刻書甚多，如曾協助春屋妙葩在 1371 年刊行《宗鏡錄》一百卷。另外曾參與刊刻的書籍還有《禪林類聚》、《天童平石和尚語錄》、《昌黎先生聯句集》、《重新點校附音增註蒙求》、《集千家註分類杜工部詩》等。俞良甫則是渡日刻工裡較有文化水準及國族意識者，其所刻書後，往往有跋文自述心情。如《新刊五百家注音辨唐柳先生集》跋云：「祖在唐山福州境界，福建行省興化路蒲田縣仁德里台諫坊住人俞良甫，久住日本京城附近，幾年勞碌，至今喜成矣。」（1387 年刊）又《李善注文選》跋云：「《文選》之板，世鮮流布，童蒙不便之。福建道興化路蒲田縣仁德里人俞良甫頃得大宋尤袤先生之書，於日本嵯峨，自辛亥起刀，至今苦難始成矣。」（1374 年刊）又有一些刊本之後自署「俞良甫學士」，可見其並非普通的刻字工人。俞良甫所刻之書，目前可考者共有九種，爲紀念其事蹟，特稱爲「俞良甫版」。據統計，現存和刻本中可考的中國刻工約有六十餘人，實際人數應超過百人。[6]

十六世紀時，和刻本還有名爲「博多版」者，亦値得注意。博多即今九州福岡地區，1528 年（享祿元年，明世宗嘉靖七年）有博多富商阿佐井野家刊刻《醫書大全》與《韻鏡》，並在書前序文

6 李國慶〈中國的雕板刻工在日本〉，收入《中日漢籍交流史論》（杭州：杭州大學出版社 1992 年），頁 315-331。

中首次提出覆刊時應注意校勘的觀念。其他重要的「博多版」還有 1533 年（天文二年，嘉靖十二年）刊印的「天文本論語」，又稱「南宗寺本論語」，此書相傳是以唐人歐陽詢手書之搨本爲底本，臨摹刊成，故文獻價值頗高。[7]又 1494 年（明應三年，明孝宗弘治七年）有相國寺僧光源號葉巢子，刊印《增註唐賢絕句詩法》。

德川家康在 1603 年（慶長八年，明神宗萬曆三十一年）任「征夷大將軍」，開府於江戶，也開啓了和刻本的新紀元。江戶時代日本版刻事業最大的特色是活字版—也就是所謂「官版」—的大量出現，此時印刷漢籍的重心也由民間、寺廟轉移到朝廷、幕府，全面帶動了和刻本漢籍的進步。日本活字印刷當起於 1396 年（應永三年，明太祖洪武二十九年）覆刊俞良甫版的《五百家注韓柳文集》，此後直到十六世紀末，才又廣泛應用。日本活字刊本可分爲三大系統，一是「敕版」，即天皇敕令排印之書，如《錦繡段》、《勸學文》、《四書》、《五妃曲》、《新雕皇朝類苑》等。二是「伏見版」，是德川家康在伏見（今京都市伏見區）創設的學校所刊，有《孔子家語》、《三略》、《六韜》、《周易》、《七書》等。三是「駿河版」，即德川家康在其根據地江戶修建的駿府，以銅活字所印之書，有《大藏一覽》、《群書治要》等。

江戶時代私人印書的風氣也較前代爲盛，著名的有「甫庵版」的《補注蒙求》、「直江版」的《增補六臣注文選》等。到了江戶後期，私人刻書多以營利爲目的，價值已不如古代和刻本遠甚。

---

7 國立臺灣大學圖書館藏有此書之覆印本，共 3 部，見《臺灣大學圖書館藏珍本東亞文獻目錄──日本漢籍篇》，頁 23。

二、國內「和刻本」的存藏概況

「和刻本」除了在日本國內流傳之外，也大量回流於中國，這與江戶時代中日商船的往來，與藏書家注意及之而大力訪求有關。因此大陸地區存藏的「和刻本」，爲數不少。1995 年，杭州大學日本研究所教授王寶平主編的《中國館藏和刻本漢籍書目》由杭州大學出版社出版，基本反映了大陸地區所藏和刻本的面貌。[8]反觀國內迄今尚缺乏全面對於「和刻本」的調查與集中記錄，最早注意到此一課題的是劉兆祐教授，曾撰〈論中國古籍日本刊本之價值〉一文，提出應充分運用國內和刻本資源的呼籲。[9]事隔多年，響應者少，目前僅有臺灣大學中文系張寶三教授主編之《臺灣大學圖書館藏珍本東亞文獻目錄—日本漢籍篇》，爲收錄臺大所藏和刻本之完整目錄。[10]可知這一份重要的文獻資源尚未能得到充分重視，頗爲可惜。希望未來能有國家級學術機關主持調查、編印國內所藏和刻本的總目。國內現存的「和刻本」漢籍，主要集中在故宮博物院、臺灣大學等單位，國家圖書館及其所屬臺灣分館也有部分收藏。

故宮博物院所藏「和刻本」古籍，主要是來自楊守敬「觀海堂」

---

8 書前王寶平〈和刻本漢籍初探〉一文，說明著錄中國各館藏之和刻本凡 3063 種（頁 6），然而頁 12〈中國館藏和刻本漢籍分布一覽表〉卻統計共 5266 種，可見該書所收尚非中國所藏和刻本之全部。

9 刊登於《中國書目季刊》27 卷 4 期（民 83 年 3 月），頁 44-62。

10 該書為臺灣大學「東亞經典與文明研究計畫」之子計畫「臺灣大學圖書館藏珍本東亞文獻目錄編纂暨研究計畫」之部分成果，2008 年 7 月由臺大出版中心出版。

舊藏。楊守敬（1839～1915），字惺吾，號鄰蘇老人，湖北宜都人。同治元年（1862）舉人，光緒六年（1880），應駐日公使何如璋（1838～1891）之邀，赴日擔任公使館隨員。當時正值日本明治維新期間，排斥舊學，故家藏書，大量流出，幾於論斤估值。楊氏乃趁機蒐購，或以所藏互易，收穫極豐。光緒十年，差滿歸國，所得之書裝滿一船。十四年，於黃州故居建藏書樓，以其地近蘇東坡「雪堂」，故題曰「鄰蘇樓」。民國建立，為袁世凱所迫，擔任政府顧問及參議，乃遷居北京。其「觀海堂」之名，當起於此時。民國四年逝世，楊氏後人將全部藏書售與北洋政府，十五年，徐世昌總統（1855～1939）將其中十分之四五，撥交故宮博物院圖書館保存。三十八年隨國民政府遷臺，成為目前臺北故宮善本藏書的主要部分。楊氏「觀海堂」所藏之和刻本，即得之於日本。其中不乏罕見之本，如：永祿七年（1564）刊《韻鏡》；寬政十二年（1800）刊《唐玄宗開元注孝經》；日本覆刊高麗藏本慧琳《一切經音義》等。

臺灣大學所藏「和刻本」古籍，主要是來自日據時期之臺北帝國大學舊藏。[11]「臺北帝國大學」為日據時期臺灣最高學府，成立於 1928 年三月，隨即於 1929 年購入福州藏書家龔易圖「烏石山房」

11 參考潘美月先生、夏麗月主任〈臺灣大學館藏古籍的整理〉（「兩岸古籍整理學術研討會」論文，1996 年）；又〈臺灣大學圖書館藏和刻本漢籍的收藏與整理〉（「第三次兩岸古籍整理研究學術研討會」論文，2001 年。）

部分藏書，[12]凡 2099 部，34803 冊。其後歷年入藏圖書的重要來源還有：久保文庫（久保天隨原藏）、桃木文庫（桃木武平原藏）、石原文庫（石原幸原藏）等。臺灣光復後，改制爲國立臺灣大學，並於圖書館設立特藏組。目前臺灣大學所藏和刻本漢籍，共約四百六十一部，列入善本者有 75 部，743 冊。其中頗多國內外均罕見之孤本，如：延享三年（1746）刊明・閔光德撰《春秋左傳異名考》；承應三年（1654）村上平樂寺刊明・林希元撰《四書存疑》；寬文三年（1663）村上勘兵衛刊《山谷詩集注鈔》；慶安三年（1650）刊明・王世貞編《有象列仙傳》等。

國家圖書館所藏「和刻本」古籍，主要來自抗戰期間所收購的故家舊藏。國家圖書館前身爲國立中央圖書館，民國二十二年開始籌備，正式成立於民國二十九年。當時正値對日抗戰全面展開，江南一帶故家藏書紛紛湧出，央圖在政府大力支持之下，展開搜購搶救古籍的工作。其中最重要的兩家是劉承翰「嘉業堂」與張均衡「適園」。張氏民國初年曾在上海與楊守敬有過書籍收售的往來，推測其中可能有和刻本。[13]另外原「中央圖書館臺灣分館」也藏有部分和刻本，則是接收自日據時期的「臺灣總督府圖書館」（成立於 1915 年）。

---

12 龔易圖（1835～1894 年），字藹仁，號含晶，福建閩縣人。咸豐八年（1858 年）進士，累官至湖南布政使。家有「烏石山房」、「大通樓」等藏書。

13 蘇精〈抗戰時期秘密搜購淪陷區古籍始末〉，收入《近代藏書三十家・附錄》（臺北：傳記文學出版社 1983 年），頁 233-236。

除上述三個機構所藏和刻本之外，東海大學圖書館也存藏若干和刻本，如：萬笈堂刊《曾茶山詩集》、三都書肆據明萬曆三十一年（1603）刊本重刊《朱子語類大全》等。[14]

三、「和刻本」的價值與運用

張惠寶、李國慶在〈中國圖書館所藏和刻本漢籍及其文獻價值〉，一文中歸納出「和刻本漢籍的價值與功用」有四：

1、保存了在中土早已失傳的中國古籍。

2、在日本刊印的和刻本構成了中國古籍的又一個版刻系統。

3、大量異本的出現足資校勘所需。

4、是中日兩國古代文化交流與融合的證物。

據此而知和刻本漢籍的價值，可以由文獻、文化、學術三方面加以考察。

（一）文獻方面

首先，「和刻本」據以覆刻的底本，可分為三類：一是自古鈔本覆刊者；二是影刻宋元明清歷代刊本者；三是日本歷朝重刊者。然而不論其底本為何，許多都是中土久佚或是罕見之書，在文獻的保存與輯佚上，貢獻甚大。所以蔣復璁先生（1898～1990）在〈中

14 〈東海大學圖書館館訊〉2004年3月。

日書緣〉一文中，曾經指出：「中國經籍散入鄰邦，以日本爲最多，亦惟日本保存的經籍，能補充吾人之不足。」[15]以下略舉數例：

1、《群書治要》五十卷

《群書治要》是唐代初年編輯的重要類書，唐·魏徵（580～643）等撰。魏徵字玄成，魏州曲城人，《舊唐書》卷七一、《新唐書》卷九七有傳。《唐會要》卷三六：「貞觀五年（631）九月二十七日，秘書監魏徵撰《群書治要》，上之。」阮元《揅經室外集》卷二：「又《唐書》蕭德言傳云：太宗詔魏徵、虞世南、褚亮及德言裒次經史百氏，帝王所以興衰者上之……德言賚賜尤渥。然則書實成於德言之手，故《唐書》於魏徵、虞世南、褚亮傳皆不及也。」是書國內久佚，《四庫全書》亦未收，而日本藏有平安、鐮倉時代的寫本。元和二年（1616），德川家康曾據「金澤文庫」舊藏古寫本以銅活字排印出版。天明七年（1787）又據活字本重刊，民國十一年商務印書館在張元濟主持下，出版《四部叢刊初編》，始據天明刊本影印收入本書，其中缺四、十三、二十等三卷，阮元所見應即是天明本[16]。清代考據學家，如王念孫之《讀書雜志》校釋古籍，往往運用類書

15 劉百閔主編《中日文化論集續編》（臺北：中華文化出版事業委員會 1963 年）第二冊，頁 339。

16 近年於日本宮內廳書陵部又發現一種鎌倉時代古寫本，見吳金華〈略談日本古寫本《群書治要》的文獻學價值〉（《文獻》2003 年第三期，頁 118-127）。

之資料，而其所據之《群書治要》僅為舊鈔本，且有錯誤，可證和刻本的重要。

2、《韻鏡》一卷

等韻之學，亦稱為「七音之學」，其表現方式為做成「等韻圖」，將聲與韻互相配合，用以闡明反切，辨析音值。等韻圖起於唐宋之際，到了清代，學者運用韻圖研究古音，達於極致。目前存世最早的韻圖即是《韻鏡》，但宋代以後久佚，直到清末楊守敬從日本發現之後，等韻之學又進入一個新境界。關於《韻鏡》的狀況，楊守敬《日本訪書志》卷四云：「是書不著撰人名氏。紹興辛巳（1161）張麟之得其本，別為之序例刊之，初名《指微韻鏡》。逮嘉泰三年（1203），麟之又重為之序，蓋鄭夾漈〈七音略・序〉所云《七音韻鑑》者也。是宋代已經三刊，不知何故，元、明以來遂無傳本，著錄皆不之及。日本享祿戊子（1528），清原宣賢合諸傳鈔本重刊之，頗有更改。又云永祿七年（1564）得慶元丁巳（1197）所刊原本重校之，始還其舊。其書直列十六，平上去入各四等，大致與《切韻指掌》、《四聲等子》略同。簡而不漏，詳而不雜，等韻書中，最稱善本。」民國以後研究聲韻學的學者，很少有不言及此書者。[17]

17 參見高小方《中國語言文字學史料學》（南京：南京大學出版社 1998年），頁 142-144。

3、《宋朝事實類苑》七十八卷

《宋朝事實類苑》原名《皇宋事實類苑》，《四庫全書》著錄，則簡稱爲《事實類苑》，僅六十三卷。宋・江少虞編纂。江少虞，字虞仲，常山人。政和中進士，歷任建、饒、吉三州太守。是書完成於紹興十五年（1145），乃採集諸家記錄中有關北宋的朝野事迹，選擇類次，彙編成書。全書共分二十四門，各以四字標題，其下再分列子目。所記時代起自宋太祖，止於宋神宗，凡一百二十餘年。書中所引諸家筆記，或久已失傳，或與今本內容頗有出入，幸賴此書得以保存。紹興二十三年（1153），建陽麻沙書坊曾出版此書之刻本，而後歷經元、明、清三朝，一直沒有再版，鈔本流傳也很少。《四庫全書》所收者即爲傳鈔本，既有缺卷，錯誤也多。直到 1911 年，才從日本找到元和七年（1621，明天啓元年）所刊木活字本，並傳入中國，不久武進董康（1867～1947）據以重刻，是書才重顯於人世。近年來研究宋代歷史或文學的學者，常引用此書的材料。

其次，「和刻本」漢籍在版本學上有一個重要特點，就是在覆刻之初，秉持的是「一字不改，照樣翻刻」的原則，因此大部分的「和刻本」都保留了底本的原貌，幾乎絲毫不差。如其覆刻宋本時，原書中避諱缺筆之字，都一一照刻，很容易據以推斷底本的年代。甚至在覆刻宋、元刊本時，連書中的牌記都一起翻刻，可說是宋、元刊本的「拷貝本」。這在校勘古籍上，是非常重要的依據。如前述《宋朝事實類苑》一書，日本木活字本是完全根據紹興麻沙本翻印的，其目錄首行題爲「麻沙新雕皇朝類苑卷第目錄一」，目錄第三卷末又有「紹興二十三年癸酉歲中元日麻沙書坊印行」牌記一行，[18]即是顯例。

（二）學術方面

從和刻本的刊印情況，可以印證日本學術發展的軌跡。據日本古代傳說，最早傳入日本的中國典籍是「《論語》十卷與〈千字文〉一卷」，從此儒學成爲日本文化極爲重要的組成部分。「寶治本論語」、「正平本論語」的相繼出現，說明孔子思想深遠的影響。五山時代，禪宗與宋學盛行，和刻本便出現大量的禪師語錄、宋儒語錄的覆刻本。江戶時代初期，朱子學成爲顯學，江戶中期，則出現古學派、國學派，促成日本人研究傳統學術的風氣，此中和刻本傳播的影響，不容忽視。[19]此外，日本自古重視醫學，蒐藏的中國古代醫書甚多，覆刊中國醫書之多也是和刻本的特色之一。

（三）文化方面

文化的傳播主要依賴人和書，日本古代由於自然環境限制，無法將留學生大量送入中國的太學，而中國士大夫渡海傳授學問者亦

---

18 上海圖書館藏有木活字本全帙，參見《宋朝事實類苑》出版說明（臺北：源流出版社 1982 年）。

19 參考張琴鶴《日本儒學序說》（臺北：明文書局 1987 年）；許政雄譯註《日本儒學史概論》（臺北：文津出版社 1993 年）；王中田《江戶時代日本儒學研究》（北京：中國社會科學出版社 1994 年）；鄭梁生《元明時代東傳日本的文獻》（臺北：文史哲出版社 1984 年）。

不甚多，因此通過書籍汲取中國文化，遂爲不得已之策。事實證明，書籍做爲文化傳播的媒介，比人能持續的時間更長，涵蓋的空間更廣。如果說絲綢是中國物質文明的象徵，則書籍凝聚了更多中華文明的精神創意，因而具有強大的再生能力，可以超越時空，影響後世。經由入華日人攜歸的漢籍，經過不斷傳抄、翻刻（即和刻本），而流布世間，再經過訓讀、闡釋而深入人心，對日本文化產生不可估計的影響。日本人通過閱讀中國典籍，接受了與中國人大致相近的薰陶，形成類似的道德觀念、審美意識、行爲規範、藝術情趣。他們的知識結構與心靈世界，具有東亞文明的普遍特徵，因而由心靈的發動而創造的文化，自然也具有東亞文明的普遍特徵。[20]

四、從《古逸叢書》之刊刻看中日書籍交流

由「和刻本」問題的探討，進一步可以研究日本所藏中國古籍回流之狀況。此處可以藉《古逸叢書》的刊印爲代表，來看中日佚書之傳播與回流，[21]做爲本文之結論。

《古逸叢書》收書凡二十六部，二百卷，是清末派駐日本公使黎庶昌與其隨員楊守敬在日本訪書時所輯刻，光緒十一年（1885）

---

20 參考王勇〈絲綢之路與書籍之路——試論東亞文化交流的獨特模式〉，收入《中日書籍之路研究》（北京圖書館出版社 2003 年，頁 1-14）。

21 關於《古逸叢書》的研究，參考陳東輝〈從日本輯刻的古逸叢書及其文獻價值〉（收入《中日漢籍交流史論》，杭州大學出版社 1992 年，頁 283-294）；連一峰《黎庶昌、楊守敬「古逸叢書」研究》（中國文化大學史學研究所 1997 年碩士論文）。

出版。因其中多古本逸篇，遂命名爲《古逸叢書》。[22]其所收之書籍及版本如下表（案：原書未依四部分類次序，當是按刻成時間先後排列，本表已改依四部，以便查檢。）

書　名	卷數	備　註
覆元至正本《易程傳》	六卷	
附《晦庵先生校正繫辭精義》	二卷	楊氏有跋文
影宋蜀大字本《尙書釋音》	一卷	有潘錫爵跋文
影宋紹熙本《穀梁傳》	十二卷	楊氏有跋文及校記
覆日本正平本《論語集解》	十卷	楊氏有跋文
覆舊鈔卷子本《唐開元御注孝經》	一卷	
影宋蜀大字本《爾雅》	三卷	楊氏有跋文
舊鈔卷子殘本《玉篇》	三卷	楊氏有跋文
仿唐石經體寫本《急就篇》	一卷	
覆宋本《重修廣韻》	五卷	
附校記	一卷	黎庶昌撰
覆元泰定本《廣韻》	五卷	
覆日本永祿本《韻鏡》	一卷	
影唐寫本《漢書·食貨志》	一卷	楊氏有跋文及校記
影宋本《史略》	六卷	
影舊鈔卷子本《天臺山記》	一卷	
影宋本《太平寰宇記補闕》	五卷	楊氏有跋文
影舊鈔卷子本《日本國見在書目錄》	一卷	
影宋臺州本《荀子》	二十卷	楊氏有跋文

22　日本先前已有林天瀑（名衡，字述齋，1768~1841）所編印之《佚存叢書》，則此書之命名也應受其啟發。見楊守敬〈日本訪書志·緣起〉。

集唐字《老子注》	二卷	
影宋本《南華眞經注疏》	十卷	
附辨證、後語	八卷	
影北宋本《姓解》	三卷	
影舊鈔卷子本《玉燭寶典》	十一卷	
影舊鈔卷子本《文館詞林》	十三卷	楊氏有跋文
影舊鈔卷子本《彫玉集》	二卷	
影舊鈔卷子本《碣石調幽蘭》	一卷	
覆元本《楚辭集注》	八卷	
覆宋麻沙本《草堂詩箋》	四十卷	
附外集	一卷	
補遺	十卷	
傳序碑銘	一卷	
目錄	二卷	
年譜	二卷	
詩話	二卷	

楊守敬（1839～1915），字惺吾，湖北宜都人。黎庶昌（1837～1897），字蒓齋，貴州遵義人。方二氏出使日本之時，正逢明治維新（1868～1889）伊始，其國人追求西化，因而唾棄漢學舊籍，於是乘機搜羅訪求，以賤價得之，並由楊氏倡言，黎氏促成，集其精粹刊刻成《古逸叢書》。《古逸叢書》的輯印成書，使千百年來流落異邦的遺文墜簡，得此契機復睹於中華子孫，正可補充我國秦火之後華夏典籍的闕佚，對於我國文獻的保存、文化的傳承、民族精神的賡續，影響至爲深遠。這部書無論由外觀形式、文獻內容、版本學上的意義、實用性及書法藝術等方面來看，都有可觀之處。在外觀形式上，由於主其事者楊守敬精於鑒別，眼界又高。加之

日本覆刻工匠技藝高明，摹勒精審，毫髮不爽，力求還復古書面貌。[23]而且裝幀精美，無論紙張、用墨都很考究，超越前古。是以叢書初刊成時，士林爭相購求，視若珍寶，讚嘆之餘，咸認爲與宋槧元刊幾無差異。

至於其文獻內容之特色及價值，可以舉其犖犖大者如下：

（一）《古逸叢書》多保存中土久佚之古本，不傳之舊刊。於海外訪獲的這些逸書，內容廣泛，提供豐富文史資料，其價值或可比擬我國近代考古上的重大發現，如殷墟甲骨文、敦煌石室、流沙墜簡等之價值，也可視爲一種新發現的史料。可填補我國學術史的空白處或因文獻不足而未涉及的研究領域。更可貴的是，這些逸書往往還引證及保存了許多久已亡佚的典籍，堪稱爲「逸書中的逸書」。由於這些逸書的引證，吾人可考知古逸書的崖略，則古逸書雖亡猶存，學術研究的價值極高。

（二）叢書中有些雖非逸書，但爲罕傳之名家精校本，或與中土傳本不同，多與石經文字或雕版初期的字句相同，可以校勘後世傳本的訛誤，提供辨僞、考證、訓詁等學術研究之資。

---

23 楊守敬《鄰蘇老人自訂年譜》光緒九年（1883）條下云：「是年仍經理刻書事。日本刻書手爭自琢磨，不肯草率。而日本人亦服我鑒別之精，每刻一書，先擇其藝之絕高者為準繩，餘人規模筆法，既成而後動工，故雖藝之次者，亦有虎賁中郎之似。然吾每至其家，閱工人所刻之板，不用印刷樣本，即以白板分好惡。」（收入《中國近代史料叢刊》，臺北：文海出版社 1966 年）。

（三）《古逸叢書》所收錄之經書多爲名家注疏的較早版本，即所謂「典範」之本。如范甯之於《穀梁》、郭璞之於《爾雅》，儼然已成一家之學。

（四）叢書輯錄典籍內容廣泛，如《文館詞林》、《玉篇》、《廣韻》、《太平寰宇記》、《碣石調幽蘭》等書，提供文學、史學、文字學、聲韻學、語言學、地理、音樂等珍貴的史料，開拓這些學門研究的範疇。

（五）《古逸叢書》所收諸書多具備工具書性質，有實用價値。以當代字書考證當代事物，甚具學術價値。

（六）唐代乃我國書法藝術之顚峰極盛時期，名家輩出。《古逸叢書》中不少古鈔本是於唐時傳入日本，多存唐人書法風格，頗具有藝術、文物之價値。

（七）在版本學上，《古逸叢書》之北宋本《爾雅》一書尤爲近古，五代長興舊監模式，庶幾可以想像。正平版《論語》，爲開創「五山版和刻本」經書之嚆矢，於版本學上意義重大。

此外在文化上，《古逸叢書》發揮了輯逸、補闕的功能，保存中華文化遺產。《古逸叢書》刊成後，影響至爲深遠，一方面促使日人覺悟到維新以來唾棄漢學之不智與失策，重新重視漢學典籍，因而有收購歸安陸氏「皕宋樓」藏書，舶載東去，相繼成立「靜嘉堂文庫」、「東洋文庫」等漢籍文庫之舉，積極搜訪世界各地之漢文資料。另一方面也激發了國人珍視華夏文化遺產，掀起學者赴日蒐訪海外逸書的熱潮，斐然有成，對中國文物的保存有莫大貢獻。《古逸叢書》同時開創輯刻逸書的風氣，其後商務印書館在張元濟主持下，影印出版了《續古逸叢書》，2004 年北京中華書局又編刻出版了《古逸叢書三編》，蔚成輯印佚存古籍的風氣。

綜合而論，考察《古逸叢書》各書之源流及傳播途徑，可瞭解中日典籍的交流歷史以及中國典籍在日本之流布及影響。《古逸叢書》所收既爲珍貴古籍，又有名手爲之剞劂，故能精美絕倫。無論在學術上、藝術及文化上均有極高的價值，同時由於刊刻於日本，是爲研究中日文化交流的最佳見證。至於黎、楊二賢海外訪書之舉，更對於保存中華文化做出努力與貢獻，樹立了讀書人立德、立功、立言不朽之風範。

附錄：臺灣現存「和刻本」經部漢籍簡目

書　　名	作　者	版　　本	典藏地
周易十卷三冊	魏、王弼	足利活字五經本	故宮
周易十卷三冊	魏、王弼	足利活字五經本	故宮
周易注十卷五冊	魏、王弼	慶長 10 年（1605）刊本	故宮
周易注十卷二冊	魏、王弼	寶曆 8 年（1758）東都書肆刊本	故宮
周易注六卷二冊	魏、王弼	日本舊刊本	故宮
周易本義十二卷五冊	宋、朱熹	寬政元年（1789）刊本	故宮
周易本義十二卷五冊	宋、朱熹	寬政元年（1789）刊本	國圖
周易音訓二卷二冊	宋、呂祖謙	弘化四年（1847）精溪文房本	故宮
泰軒易傳六卷六冊	宋、李正中	《佚存叢書》本	故宮
泰軒易傳六卷六冊	宋、李正中	《佚存叢書》本	故宮
周易程朱義傳二四卷八冊	宋、程子 朱子	寬永四年（1627）刊本	臺大
周易二四卷八冊	宋、程子 朱子	慶安元年（1648）刊本	臺大
周易二四卷十三冊	宋、程子 朱子	享保九年（1724）京都今村八兵衛刊本	臺大
周易本義十二卷七冊	宋、程子 朱子	延寶三年（1675）刊本	臺大
周易本義十二卷五冊	宋、程子 朱子	寬政二年（1790）刊本	臺大
周易宗義十卷十冊	明、程汝繼	日本影刊明萬曆三十七年（1609）刊本	臺大
周易本義辨証五卷三冊	清、惠棟	享和三年（1803）刊本	故宮

尙書十三卷四冊	漢、孔安國	慶長、元和間活字本	國圖
尙書十三卷二冊	漢、孔安國	足利五經本	故宮
尙書十三卷三冊	漢、孔安國	足利五經本	故宮
尙書正義二十卷二十冊	漢、孔安國	弘化四年（1847）細川利和覆刊宋本	國圖
尙書十三卷六冊	漢、孔安國	天明八年（1788）清原氏刊本	臺大
尙書正義二十卷二十冊	漢、孔安國	弘化四年（1847）熊本文庫覆宋八行本	臺大
書經集註六卷六冊	宋、蔡沈	享保九年（1724）京都今村八兵衛刊本	臺大
書經講義會編十二卷十五冊	明、申時行	延寶二年（1674）刊本	臺大
毛詩二十卷十四冊	漢、鄭玄	五山本	故宮
毛詩二十卷五冊	漢、鄭玄	足利活字五經本	故宮
毛詩二十卷五冊	漢、鄭玄	足利活字五經本	故宮
毛詩二十卷五冊	漢、鄭玄	舊活字本	國圖
毛詩蒙引二十卷十冊	明、陳子龍	寛文十二年（1672）刊本	國圖
詩蒙引二十卷十冊	明、陳子龍	寛文十二年（1672）刊本	臺大
韓詩外傳十卷五冊	漢、韓嬰	京師書坊翻明薛氏本	故宮
禮記二十卷六冊	漢、鄭玄	足利活字五經本	臺大
禮記二十卷十冊	漢、鄭玄	足利活字五經本	臺大
禮記存十卷五冊	漢、鄭玄	舊活字本	國圖
禮記集說三十卷十五冊	元、陳澔	寛文四年（1664）刊本	國圖
禮記集說三十卷十五冊	元、陳澔	享保九年（1724）京都今村八兵衛刊本	臺大

春秋經傳集解三十卷十三冊	晉、杜預	五山本	故宮
春秋經傳集解三十卷十五冊	晉、杜預	五山本	故宮
春秋經傳集解三十卷十五冊	晉、杜預	足利活字五經本	故宮
春秋經傳集解三十卷十五冊	晉、杜預	足利刊本	故宮
春秋經傳集解三十卷十五冊	晉、杜預	舊活字本	國圖
春秋經傳集解三十卷十五冊	晉、杜預	舊刊本	國圖
春秋經傳集解三十卷十五冊	晉、杜預	安政三年（1856）田邊氏覆宋本	國圖
春秋穀梁傳十二卷四冊	晉、范寧	金澤文庫刊本	故宮
（左氏）東萊博義十二卷四冊	宋、呂祖謙	元祿十三年（1700）刊本	國圖
左傳註解辨誤二冊	明、傅遜	延享三年（1746）刊本	國圖
左傳註解辨誤二冊	明、傅遜	延享三年（1746）刊本	臺大
左傳註解辨誤二冊	明、傅遜	延享三年（1746）刊本	臺大
春秋左傳異名考二卷一冊	明、閔光德	延享三年（1746）刊本	臺大
古文孝經孔氏傳一卷一冊	隋、劉炫	寬政十二年（1800）刊本	國圖
孝經一卷一冊	山本信友 校定	寬政九年（1797）刊本	故宮
孝經大義一卷一冊	元、董鼎	正保四年（1647）刊本	國圖

西河合集經問九卷五冊	清、毛奇齡	寬政十一年（1799）刊本	國圖
論語十卷五冊		正平原刊本	故宮
論語十卷二冊		天文二年（1533）刊本	故宮
論語十卷二冊		天文二年（1533）刊本	故宮
論語十卷二冊		天文二年（1533）刊本	故宮
論語十卷二冊		足利刊本	故宮
論語十卷二冊		足利刊本	故宮
論語集解存八卷三冊		文化間（1804–1817）覆刊正平本	故宮
縮臨古本論語集解十卷二冊		天保八年（1837）津藩有造館刊本	故宮
論語十卷二冊		日本舊刊本	故宮
論語義疏十卷十冊		寬延三年（1750）東都書肆刊本	故宮
論語義疏十卷十冊		寬延三年（1750）東都書肆刊本	故宮
論語集解十卷五冊		正平間刊本	國圖
論語筆解二卷一冊	唐、韓愈	寶曆十一年（1761）刊本	臺大
孟子十四卷五冊		足利五經本	故宮
孟子十四卷五冊		足利五經本	故宮
大學章句一卷一冊		日本刊本	故宮
四書輯釋大成三十六卷十四冊	元、倪士毅	文化九年（1812）覆刊元日新書堂本	國圖
四書蒙引十五卷二十冊	明、蔡清	寬永十三年（1636）刊本	國圖
四書圖史合考二十四卷二十五冊	明、蔡清	寬文九年（1669）中野氏刊本	國圖

四書便蒙講述二十卷六冊	明、盧一誠	慶安四年（1651）書林道伴刊本	國圖
四書存疑十四卷十四冊	明、林希元	承應三年（1654）村上平樂寺重刊本	臺大
樂書要錄存三卷一冊	唐、武則天	佚存叢書本	故宮
新刻釋名八卷一冊	漢、劉熙	明曆二年（1656）刊本	故宮
新刊稗雅二十卷四冊	宋、陸佃	日本翻明刊本	故宮
重脩玉篇三十卷五冊	梁、顧野王	翻元至正二年（1342）南山書院本	故宮
大廣益會玉篇三十卷五冊	宋、陳彭年	慶長間覆刊元至正南山書院本	臺大
大廣益會玉篇三十卷七冊	梁、顧野王	日本舊刊本	國圖
龍龕手鑑八卷七冊	遼、釋行均	翻明嘉靖高德山歸直寺本	故宮
韻鏡一卷一冊	宋、張麟之	翻刻宋慶元三年（1197）本	故宮
韻鏡一卷一冊	宋、張麟之	享祿三年（1530）覆宋慶元本	故宮
韻鏡一卷一冊	宋、張麟之	享祿三年（1530）覆宋慶元本	故宮
增修互注禮部韻略五卷六冊	宋、毛晃	翻元日新書堂本	故宮
古今韻會舉要三十卷十五冊	元、黃公紹	應永五年（1398）翻元刊本	故宮
古今韻會舉要三十卷十五冊	元、黃公紹	翻明嘉靖十五年（1536）江西刊本	故宮
篇海類編二十卷二十二冊	明、宋濂	寬文九年（1667）刊本	國圖

韻府古篆彙選五卷五冊	清、陳策	元祿十年（1677）刊本	國圖
纂圖附音增廣古注千字文三卷一冊	梁、周興嗣	日本刊本	國圖
新刊增廣附音釋千字文註一卷一冊	梁、周興嗣	日本刊本	故宮
字考不分卷一冊	明、黃元立	慶安間翻刊明本	臺大
草書韻會五卷二冊	金、張天錫	日本舊刊本	國圖
草書韻會不分卷二冊	金、張天錫	慶安四年（1651）秋田屋平左衛門刊本	中研
草書禮部韻寶一卷六冊		延享四年（1747）翻刊宋本	中研

二十世紀中國藏書史之研究與著作述評

一、前　言

二十世紀末，全世界都興起一股反思、檢討二十世紀人類在學術、思想、文化等各個方面的成就與缺失的風氣。這些反思的成果，許多是以叢書形式出版的，單篇論文更是不計其數。[1]1999 年，臺灣學生書局為了慶祝成立四十週年，特別委請前佛光大學校長龔鵬程教授策劃編輯一套回顧五十年來國內學術發展的叢書，其中一項主題是「五十年來的圖書文獻學研究」，由淡江大學中文系周彥文教授擔任主編，承周教授的盛情，邀約筆者撰寫有關版本學的部分。該叢書到 2009 年三月為止，已出版了包括經學、中國文學、

1 即以大陸地區而言，據筆者所知以叢書形式出現的，如《二十世紀中國文學大師文庫》（海口：海南出版社 1994 年）；《二十世紀中國語言學叢書》（太原：書海出版社發行 2000 年）；《二十世紀中國民俗學經典》（北京：社會科學文獻出版發行 2001 年）；《二十世紀中國著名學者傳記叢書》（北京圖書館出版社 2000 年）；《二十世紀中國文學研究》（北京出版社出版發行 2001 年）等。

圖書文獻學、語言文字學、哲學與宗教等專書。筆者也就因此機緣，躬逢其盛，在這股反思風氣中略盡了一份棉薄之力。

當筆者在撰寫〈五十年來版本學的研究與著作〉[2]一文時，常常思考的一個問題就是：「許多研究著作究竟屬於版本學範疇或是藏書史範疇？」這是因爲版本學研究的對象，也就是各種善本古籍，與歷代藏書家有密切關係。而對於個別藏書家的研究，毫無疑問應該屬於藏書史的範疇。另一方面，許多藏書家本身往往也兼具版本學家的身份，例如葉德輝（1864～1927），著有中國第一本版本學專書——《書林清話》；歷代藏書家又留下大量藏書題跋，也是研究版本學重要的資料，使得藏書家研究即成爲橫跨版本學與藏書史兩類學科的研究主題。

所謂藏書史研究，是中國歷史研究的一個分支，也是中國文化史的一部分。其主要研究範疇是中國古代公家及私人藏書的傳承經歷、典藏內容、求書方法、收藏理論等，並進而發掘其文化史的意義。藏書史研究的成果，也可以提供文學、文化學、社會學、經濟學等領域的學者參考。以往有關藏書史研究的資料，是包含在目錄學與版本學之中的（如各種善本提要與藏書題記），隨著學科意識的進步，中國藏書史已經具備逐漸獨立出來，成爲一門新興學科的勢能。

既然如此，我們對版本學研究做了整體的回顧之後，爲什麼不順便對藏書史研究也做一番反思與期勉？筆者當時便一直希望遇

---

2 該文修訂後收入拙作《圖書文獻學考論》（臺北：里仁書局 2005 年），頁 233-287。

到適當機會時，應該另外撰寫一篇回顧藏書史研究的論文，補足整個反思圖書文獻學應有的架構。牽延至今，草成本文，完成當初的心願。需要說明的是，海峽兩岸有關藏書史研究的著作非常豐富，受到時間、空間限制，還有很多作品筆者未能見到，因而無法做全面的掌握與分析。另外，由於本文主旨在回顧近代以來藏書史研究的大方向，因此先以海峽兩岸的學術著作爲考察對象，暫時不包含港、澳地區，主要是由於就研究成果的數量而言，大陸與臺灣較爲豐碩。[3]將來有機會再完成詳細的著作提要，同時祈望學界先進們不吝提供資料，加以補正。

二、圖書與藏書

文字與圖書，是代表人類文明進步的兩個主要象徵，[4]而「藏書」這件事則是伴隨著圖書一起出現的。早在殷商時代的甲骨卜辭，已經有專人保管且分類收藏的遺跡，[5]可證明我國的圖書典藏制度源遠流長。從殷商到西周，圖書典藏主要是朝廷或政府的權

---

3 例如香港中文大學新亞書院教授羅炳綿先生撰有〈清初錢毛諸藏書家及學風考〉，收入《清代學術論集》(臺北：食貨月刊社 1978 年)；前珠海書院教授何廣棪先生撰有《陳振孫之生平及其著述研究》(臺北：文史哲出版社 1992 年) 均是具有代表性的作品。

4 Will Durant《世界文明史》（臺北：幼獅文化事業公司 1988 年中譯本）第一冊，頁 137。

5 任繼愈主編《中國藏書樓》中編第一章第二節（瀋陽：遼寧人民出版社 2001 年），頁 342。

利，至於私人開始藏書的時代，則可由「藏書」一辭的出現而得到線索。《莊子・天道》記載：「孔子西藏書於周室。」其後《韓非子・喻老》又云：「智者不藏書。」乃至於「惠施多方，其書五車」的典故，顯示至少在戰國時代已經形成私人藏書的形態。從此以後，歷代文獻或多或少都有藏書家的記載，只是資料頗為分散。

從文化的角度而言，每個時代圖書典藏的消長，與當時學術思想以及文化建設的成果是息息相關的，由圖書典藏的質量與數量，可以觀察這一個時代的學術風氣、文化傾向、人才分布、政治結構等指標。換言之，圖書典藏與整體文化發展既是融為一體，又是互相影響的。[6]既然圖書典藏有如此的重要性，那麼從理論上講，圖書典藏的歷史，應該是歷史記錄或文化史研究中的重要核心之一，[7]但事實並不完全如此。歷代政府藏書狀況在歷史的記錄中一直未能得到充分反映，[8]而私人藏書家的記載也往往付之闕如。一直到十

---

6 吳晗《江浙藏書家史略》序云：「自板刻興而私人藏書乃盛，……其有裨於時代文化，鄉邦徵獻，士大夫、學者之博古篤學者至大且鉅。」（臺北：文史哲出版社 1982 年，頁 2）；業師潘美月先生《宋代藏書家考》緒論亦云：「典籍之藏，其關係學術文化者甚鉅。欲察一時代學術文化之盛衰，輒可於其典籍收藏之豐富與否，窺見消息。」（臺北：學海出版社 1981 年，頁 1）。

7 周少川《藏書與文化——古代私家藏書文化研究》第一章緒論云：「中國古代私家藏書是一種內蘊極其豐富的文化現象。……如此豐厚的內容，決定了古代私家藏書必然成為中國文化史研究的一個重要課題。」（北京：北京師範大學出版社 1999 年，頁 1）。

8 歷代正史中的《藝文志》、《經籍志》等，雖然是當時政府藏書的記錄，但是並非全貌，對此歷來學者從事增補的著作很多。參考拙撰：〈唐以前

九世紀後半葉，情況總算有所改觀。

近代藏書史研究的第一步，即是有關藏書史料的編纂，史料的內容又以藏書家傳記之纂述爲最主要工作。在纂述藏書家傳記方面，早期有鄭元慶（1660～1730）所編撰的《湖州府志稿》（簡稱《湖錄》），其中錄有起自五代迄於明末藏書家三十人的傳記，是極其重要的開山之作。[9]其次，光緒十一年（1885），丁申[10]撰有《武林藏書錄》，記載杭州一地的公私藏書源流，及藏書家七十五人。但是這兩種著作所記錄的，只限於一地，不夠全面，記述內容也嫌簡略。因此直到葉昌熾在清光緒二十三年（1897）出版了《藏書紀事詩》六卷本，方可視爲我國學者全面而且有系統的研究藏書史的開始。

二十世紀後半葉，中國古代藏書史的研究進入了空前繁榮的階段，海峽兩岸的學術界，都出現了爲數可觀的研究成果，爲中國藏書史研究的深化與總結，貢獻了豐沛的能量。大陸方面，早期因爲老一輩的藏書家還有碩果僅存的幾位，如潘景鄭先生、[11]顧廷龍先

正史藝文、經籍志續補考證著作舉要〉，收入《圖書文獻學考論》（臺北：里仁書局2005年），頁1-39。

9 據丁申〈武林藏書錄．序〉（臺北：成文出版社1978年《書目類編》第91冊）所云：此書後由范鍇（聲山）增訂為《吳興藏書錄》（通行本為民國九年《吳興叢書》本，收入廣文書局《書目三編》，1969年）。

10 丁申，字竹舟（1829～1887），杭州人，與弟丁丙（1832～1899，字松生）並稱「雙丁」。兄弟二人生平以搜救抄補文瀾閣《四庫全書》知名於世，其八千卷樓則名列清末四大藏書家之一。

11 潘承弼（1907～2000），字良甫，號景鄭，蘇州人。為潘祖蔭後人，與其兄潘承厚（1904～1943）並稱近代藏書大家。1949年以後，其家傳藏書

生、[12]鄭逸梅先生、[13]周叔弢先生[14]等，主持整理出一批藏書題跋，也發表了一些藏書掌故的文章，延續了藏書史的命脈[15]。80 年代以後，新的藏書史研究專著如雨後春筍般的紛紛問世，質量也超越從前。臺灣方面，民國三十八年（1949），國民政府播遷來臺時，帶來了大批善本古籍，這些善本古籍，分別貯藏於國家圖書館（前中央圖書館）、故宮博物院、中央研究院、各公私立大學圖書館等單位，提供了國內研究發展藏書史良好的環境。多年來藏書史研究一直伴隨古籍版本學同步前進，研究成果也極爲豐碩。

以下就分爲若干主題，對於二十世紀以來中國藏書史研究，做一個回顧，並嘗試探討藏書史研究未來的展望。

及金石拓本，大多捐贈上海博物館、上海圖書館、南京博物館等。著有《著硯樓書跋》、《明代版本圖錄》等。

12 顧廷龍（1904～2002），號起潛，蘇州人。燕京大學畢業，曾任合眾圖書館館長、上海圖書館館長，主編《中國古籍善本書目》，著有《涉園序跋集錄》、《吳大澂年譜》等。

13 鄭逸梅（1895～1992），名愿宗，上海人。生平喜撰寫小品文、書林掌故、人物軼事等，又蒐羅各種雜誌、圖書，雖無特殊善本，卻也自成一家。其藏書室名為「紙賬銅瓶室」，著有《鄭逸梅選集》。

14 周叔弢（1891～1984），名暹，以字行，安徽建德人，寓居天津，曾任天津市副市長。喜聚書，精於目錄版本之學。1950 年代，曾將所藏善本 747 種捐贈北京圖書館。其藏書之處名「自莊嚴龕」、「寒在堂」、「雙南華館」，著有《自莊嚴龕善本書目》、《弢翁藏書題識》等。

15 嚴靈峰先生在 1970 年代，主持編纂《書目類編》（臺北：成文出版社 1978 年），收入不少這方面的著作，如《著硯樓書跋》、《虞山錢遵王藏書目錄彙編》、《吟香仙館書目》、《武林藏書錄》、《卷庵書跋》等。

三、近代藏書史研究的先驅——《藏書記事詩》

清光緒二十三年（1879），葉昌熾出版其所撰《藏書紀事詩》六卷本，成爲我國學人全面而且有系統的研究藏書史的先驅者。

葉昌熾（1849～1917），字頌魯，號鞠裳、緣督廬主人，江蘇長洲人。光緒十五年進士，授翰林院庶吉士，官至甘肅學政。頗好藏書，雖不云甚富，亦頗有可觀。[16]其藏書之所有「治廧室」、「奇觚廎」等。又極力蒐訪金石拓本，其「五百經幢館」所藏金石碑版，達八千餘通，僅次於繆荃孫之「雲自在龕」。[17]著有《語石》、《邠州石室錄》、《緣督廬日記鈔》、《奇觚廎文集》等。

《藏書紀事詩》初創於光緒十年（1884），葉昌熾當時在潘祖蔭[18]家爲西席，教導其弟潘祖年。有感於以往歷朝正史中，皆未替藏書家立傳；而私人收藏，旋聚旋散，藏書家生平行事，也不易長

16 《緣督廬日記鈔》卷十四「宣統二年（1910）重陽日」葉氏自記所藏：「位置箱架，整理籤題。新舊本都三十三箱；湖海投贈、坊肆雕造、並不全之本三架；又臥室精本一架，與舊拓裝冊本，升上下而居之；拓片九箱。」（臺北：臺灣學生書局 1964 年），頁 487。

17 蘇精《近代藏書三十家》（北京：中華書局 2009 年增訂本），頁 15。

18 潘祖蔭（1830～1890），字伯寅，號鄭庵，蘇州人。咸豐二年進士，官至軍機大臣、工部尚書，諡文勤。家有「滂喜齋」、「八求精舍」等藏書之所。葉昌熾曾助其編輯《滂喜齋藏書記》，有宋刊本五十八種，以宋刊《金石錄》十卷最為珍貴。其弟潘祖年（1870～1925），字仲午，亦有「拙速齋」藏書。

久流傳於衆人之口。於是年遠世邈，其事跡往往流於草萊。王頌蔚〈藏書紀事詩序〉[19]云：

> 葉子自恨家貧力薄，不能多得異書；又嘆自來藏書家節食縮衣，勼集善本，曾不再傳。遺書星散，有名姓翳如之感。因網羅前文，集摭逸事，竭八九年之力，由宋元迄今，得詩二百餘首。

葉氏在〈自序〉中說：

> 昌熾弱冠即喜為流略之學，顧家貧不能得宋、元槧，視藏家書目輒有望洋之嘆。因念古人愛書如命，山澤之臞，槁首黃馘，縹緗既散，蒿萊寂然，可為隕涕。顧澗蘋先生[20]嘗欲舉藏弆源流，彙所見聞，述為一編，稍傳文獻之信。[21]竊不自

---

19 王頌蔚（1848～1895），字芾卿，號嵩隱，長洲人。咸豐六年（1856）庠生，與撰《蘇州府志》，負責藝文、古跡諸門，又為常熟瞿氏校定《鐵琴銅劍樓書目》。光緒六年（1880）進士，選庶吉士，官戶部郎中。十三年，補軍機章京。藏書之所名「寫禮廎」，著有《古書經眼錄》、《明史考證捃逸》、《隋書經籍志韻編》等。

20 顧千里（1766～1835），名廣圻，號澗蘋，別號思適居士，以字行，江蘇元和人。喜藏書，尤精校讎，號稱「清代校勘第一」。又常助人校刻古籍，以黃丕烈《士禮居叢書》最為精善。

21 案：黃丕烈〈百宋一廛賦注〉有云：「予嘗欲搜訪藏書家（生平），起元明之交，終於所聞見，各撰小傳，合為一集。然後如（朱）叔榮者，或不致有名氏翳如之歎。」可知蓄有此志者非僅顧千里一人。

> 揆，肄業所及，自正史以逮稗乘方志、官私簿錄、古今文集，見有藏家故實，即裒而錄之。初欲人為一傳，自維才識譾漏，絲麻菅蒯，始終條理之不易。乃援厲樊榭〈南宋雜事詩〉、施北研〈金源紀事詩〉之例，各為一詩，條舉事實，詳注於下。

說明私人藏書極爲重要但未受歷代史學家重視的事實。〈自序〉又云：

> 右《藏書紀事詩》七卷，原稿六卷，尚為未定之本，及門江建霞太史（標）校士湘中，錄副出都，遂鋟諸木，今《靈鶼閣叢書》本是也。客春（即宣統元年 1909）刊《語石》既畢，遂取舊稿，手自釐定。舊例不錄生存，斷自蔣香生太守（鳳藻）[22]為止。今以續得九首，移原稿附錄諸詩別編為一卷，都七卷。正史有傳者，據史為次；有科名者以釋褐先後為次，無者以其同時人序跋贈答，參稽而互定之。

則對其書之刊刻過程及體例，有所說明。

《紀事詩》卷六「程世銓叔平」條下云：「此書自甲申（光緒十年）屬稿，迄今七載，粗可寫定。時光緒庚寅，客都門記。」可

---

22 蔣鳳藻（1837～1908），字香生，蘇州人。富商出身，以納貲補官，任福建建寧知府。喜藏書，與周星詒（1833～1904）相友善，得其目錄之學，故所藏多精品。藏書之處名「心矩齋」、「鐵華館」、「秦漢十印齋」等。

知此書自光緒十年（1884）起草，至光緒十六年（1890）寫定，是爲初稿。然而據《緣督廬日記鈔》卷四光緒十三年（1887）九月初五日，有「余蒐輯藏書人姓名約三百人」及「余於藏書絕句亦列二譚一首」等語，可知當時還沒有「藏書紀事詩」之名；又據卷七光緒二十三年（1897）三月十八日所記，至此日方編定藏書詩目錄。可見葉氏對此書態度之謹愼，中間陸續有所增訂。

《藏書紀事詩》初稿成書後，潘祖蔭欲爲付梓刊行，會卒而未果。光緒二十三年（1897），葉氏門生江標始刻於長沙，是爲《靈鶼閣叢書》六卷本，[23]然訛誤甚多。宣統二年（1910），昌熾自爲校讎，增刪改補，釐爲七卷，自刻於家，是爲「葉氏家刻本」。民國四十七年（1958），上海古典文學出版社曾據宣統本重新排印，是爲標點本，1980 年臺灣世界書局曾據此本翻印；1983 年，上海古籍出版社出版徐鵬點校《藏書紀事詩附補正》，除葉書原文外，附有原復旦大學中文系王欣夫教授（1901～1966）的補正；1999 年 11 月，上海古籍出版社將補正本與點校本《辛亥以來藏書紀事詩》合併出版；同年 12 月，北京燕山出版社出版王鍔、伏亞鵬點校的簡體字本 《藏書紀事詩》。目前《藏書紀事詩》可知的版本即此數種。

是書體例 （以七卷本爲準）：卷一爲五代、宋，卷二爲遼、金、元，卷二中至卷三爲明，卷四至卷六爲清，卷七爲續補九首及

23 江標（1860～1899），字建霞，號萱圃，江蘇元和人。光緒十五年（1889）進士，授翰林院編修。官湖南學政時，助陳寶箴創設「時務學堂」，辦《湘學報》，鼓吹變法。精於版本目錄之學，嗜藏書，藏書之所名靈鶼閣。又輯刊 《靈鶼閣叢書》、《唐賢小集五十家》等。

附錄二十三首。每一條下，先錄詩句，皆為七言絕句，通常一人一首，有時合數人為一首（最多者為卷四「張惟赤」，祖孫八人合一首），凡詩四百一十六首，藏書家一千一百二十九人。每條附注內容則如下述：

1、先考藏書家生平，引證繁富；如：卷五「錢謙益受之」條下，引用曹溶〈絳雲樓書目題詞〉、《天祿琳瑯》、《人海記》、《橋西雜記》、《古夫于亭雜錄》、《讀書敏求記》、《初學集》、《有學集》、《士禮居藏書題跋記》等資料。

2、間附加「昌熾案」，或辨史料、或訂前人之誤、或發感慨，如卷一「晁公武」條，所附案語即達三百多字。

然而葉氏此書，雖可稱體偉思精，且用力甚勤，但也因篇幅鉅大，難免疏漏訛誤之處。試舉數例為證：[24]

1、人物分合之誤

卷一「毋昭裔守素」，以昭裔、守素為一人。然考諸《宋史》卷四七九〈毋守素傳〉云：「守素字表淳，河中龍門人，父昭裔，偽蜀宰相。」可知昭裔、守素為父子，昭裔仕於後蜀，而守素（885～937）仕宋，官至容州知州。

2、藏書印記之誤

卷二「范欽堯卿」，載其子少明（名大沖）有「碧沚書堂」印。今查《天一閣書目》集部「明刊唐詩品彙」，下著錄

---

24 參見蔡金重《藏書紀事詩引得・序》（北京：哈佛燕京學社引得叢刊 1937 年）；徐鵬《藏書紀事詩補正・序》（上海：上海古籍出版社 1989 年）。

有「碧沚書堂」印記，可知「沁」當爲「沚」之誤。[25]

3、人名字號之誤

卷三「李如一貫之」，載如一名鶴沖，字如一。錢謙益《有學集》卷三十二〈李貫之先生墓誌銘〉則作諱鶚沖，可知鶴或爲鶚之誤。

4、年代之誤

卷三「黃翼聖子羽」，引子羽跋語，葉氏案語云：「昌熾案：戊子爲順治六年。」實則戊子爲順治五年（1648），六年乃己丑。

5、用典之誤

卷五「吳騫槎客」，詩云：「爲慕一廛藏百宋，更移十架庋千元」，以吳騫（1733～1813）藏書號稱「千元十架」爲典。實則吳氏藏書自稱「千元十駕」，蓋取《荀子・勸學》「駑馬十駕，功在不舍」之意，以與黃丕烈之「百宋一廛」相頡拮。參見吳騫《拜經樓詩集續集》卷二〈千元十駕詩小序〉。

四、「紀事詩」式的著作

受到葉昌熾的啓發，清末至民國以後，研究中國古代藏書史的著作就逐漸增多了。其中繼承「藏書紀事詩」這種體裁的相當多，

---

25 此書樓之遺址尚在，可為旁證。參見駱兆平《書城瑣記》（上海：上海古籍出版社 2000 年），頁 26。

舉其重要者如下：

（一）《辛亥以來藏書紀事詩》

倫明（1875～1944）撰。倫明，字哲如，廣東東莞人。光緒二十七年（1901）舉人，二十八年，入京師大學堂讀書。畢業後，從事教育工作。民國以後，歷任北京大學、北平師大、輔仁大學等校教授，積極推動續修《四庫全書》。生平酷嗜藏書，號為「書蟲」，建「續書樓」以儲書。又為便於搜藏，在北京開設「通學齋」書舖，買賣古書，並培養出一位民間版本學家孫殿起（1894～1958，著有《販書偶記》、《琉璃廠小志》等）。其藏書得自於「三十三萬卷書堂」（孔廣陶）、「目耕堂」（易學清）、番禺何氏、錢塘汪氏等為多，身後均捐贈北京圖書館。

繼葉氏之後，最早效法其例，繼續成書者，當推倫明之《補藏書紀事詩》，是編約作於民國初年，所補數十人，然當時僅有稿本，今已不傳。民國二十四年起，倫氏又在《正風半月刊》連載《辛亥以來藏書紀事詩》，凡詩作一百三十首，收錄藏書家一百五十五人，附錄二十八人。上海古籍出版社 1990 年有排印本，雷夢水校補。

（二）《續補藏書紀事詩》

王謇（1888～1969）撰。謇字佩諍，號鄭盧，晚號瓠叟，江蘇吳縣人。畢業於東吳大學，供職江蘇省立蘇州圖書館，擔任編目工作，又任教於上海震旦大學、大同大學、華東師範大學等校。家有「澥粟樓」藏書，收藏鄉邦文獻甚富，又多金石碑拓、法書字畫。著有《宋平江城方考》、《鹽鐵論札記》等。

是編爲王氏晚年未定之稿，曾有油印本流傳於世，1987 年北京書目文獻出版社印行李希泌點校本。收詩作一百二十五首，清末以來學者、藏書家一百三十二人。內容詳於江、浙而略於其他地區。

（三）《廣東藏書紀事詩》

徐紹棨（1879～1948）撰。紹棨字信符，廣東番禺人。初就學於學海堂、菊坡精舍，後致力於教育事業，先後任教於廣東大學、中山大學、嶺南大學等，又兼任廣東省圖書館館長。生平極喜藏書，家有「南州書樓」，所藏達六十萬卷，收藏以廣東地方文獻最爲齊備。

是編原刊於《廣大學報》（1949），其子徐承瑛加以擴充補輯。所收詩作六十一首，藏書家五十餘人。臺北文海出版社民國六十四年曾翻印 1936 年香港商務印書館影印本。

（四）《續藏書紀事詩》

吳則虞（1913～1977）撰。則虞字藕頎，安徽涇縣人（一作歙縣）。早年受業於章太炎，專攻文字、聲韻、訓詁之學，先後任教南嶽師範學院、重慶女子師範學院。後任職於中國社會科學院哲學研究所，善詞章、工度曲，又精於目錄流略之學。藏書之處名曰「曼榆館」。

是編以地域爲別，續詩二百七十首，藏書家三百六十人，[26]爲所有續補葉書篇幅規模最大、徵引最賅備者。

---

26 承黃沛榮教授告知：《中國社會科學家傳略》載此書作：詩 382 首、397 人，經筆者詳細覆核吳書原文無誤，當是二者計算方式不同所致。

以上幾種續作，原都有印本流傳，民國七十七年（1988），遼寧人民出版社將四種續作合編在一起，加以標點、整理、注釋、補充，題名《續補藏書紀事詩傳》出版行世，頗便查檢。

（五）《上海近代藏書紀事詩》

在所有藏書紀事詩的續作中，此書是時代最近的一本。作者有兩位：周退密，1914 年生，寧波人，震旦大學畢業。曾任上海市文史研究館員、上海詩詞學會理事。宋路霞，1952 年生，山東省濟南市人，曾任華東師大校刊編輯室主任。

此書 1993 年華東師範大學出版，收入上海附近自清末迄民國初年藏書家六十人，又有附錄十篇，介紹江南近代重要藏書家九家。

另外有一些僅存其名未見傳本之續作，也列舉於下，以備參考：

（六）《續藏書紀事詩》

劉聲木（1878～1959）撰，號十枝，原名體信，字述之，安徽廬江人。家富藏書，以金石、小學、目錄之書爲多，凡 7690 種、103520 卷。曾校勘孫星衍《寰宇訪碑錄》、續補顧修《匯刻書目》。著有《桐城文學淵源考》、《萇楚齋隨筆》等，室名「直介堂」。此書一作《清藏書紀事詩補遺》，是以清代藏書家爲主，收 1158 人，稿本未出版，見於《直介堂叢刻》目錄後所附之出版計劃。

（七）《藏書紀事詩補續》

莫伯驥（1878～1958）撰，字天一，廣東東莞人，以經商致富，酷嗜藏書，家有「五十萬卷樓」、「福功書堂」等。是編僅成手稿，未見流傳，蓋燬於抗戰期間。

（八）《續藏書紀事詩》

馮雄（1900～1968）撰，字翰飛，江蘇南通人（一作河南開封）。曾任涵芬樓編纂，喜聚書，建「雲岫樓」以貯之。是編未見傳本。

（九）《齊魯藏書紀事詩》

王獻唐（1896～1960）撰，原名家駒，易名琯，號鳳笙，山東省日照人。曾任山東省立圖書館館長，精於訓詁、版本、金石考古，藏書室名「那羅延室」、「雙行精舍」等。著有《國史金石志考》、《中國古代貨幣通考》、《雙行精舍書跋輯存》等。是書未見傳本，據先生日記，有「近作藏書絕句若干首」之記載，可知先生或有類似著作，惜未完成。[27]

案：「藏書紀事詩」這種體裁，之所以受到許多學者的喜愛，而有如是多的續作、補作產生，一方面是景仰葉昌熾蓽路藍縷、開創新體的功績，有意踵武前賢，以承先啓後。另一方面，實在是因爲以紀事而爲詩，能夠使意逞才，充分表現個人的學識與文采，非一般人所能率爾操觚。再從源流來看，「藏書紀事詩」的出現，和

27 此條承丁原基教授告知，2008 年 6 月，筆者至濟南參加山東省圖書館主辦之「王獻唐、屈萬里、路大荒學術研討會」時，曾向與會之獻唐先生哲孫王福來先生求證過，據云手稿迄未發現。

我國傳統的論詩詩、敘事詩、詠史詩等，都有密切關聯。[28]

五、通史式與斷代史式的著作

經過前述「紀事詩式」的研究階段，學術界開始普遍重視藏書史的研究，具有嚴格學術意義的藏書史論著也開始出現了。從「時間」的角度分析，可分爲「通史式」與「斷代史式」兩大類，以下分項討論。

（一）「通代藏書史」式的有：

1、《私家藏書概略》

作者袁同禮（1895～1965），字守和，河北徐水人，是近代著名的圖書館學家。歷任北京大學圖書館館長、北平圖書館館長，抗戰期間，曾協助搶救淪陷區之善本古籍。1949年赴美國國會圖書館工作，著有《中國經濟社會發展史目錄》、《國會圖書館藏中國善本書目》、《中國美術學目錄》等。

此書爲三篇單篇論文組成，分別是〈清代私家藏書概略〉，刊登於《圖書館學季刊》第一卷一期；〈明代私家藏書概略〉，刊登於《圖書館學季刊》第二卷一期；〈宋代私家

28 參見拙著〈藏書紀事詩相關問題研究〉，收入《王叔岷先生學術成就與薪傳研討會論文集》（臺北：國立臺灣大學中文系 2001 年），頁 447-472；修訂稿收入《圖書文獻學考論》（臺北：里仁書局 2005 年），頁 165-207。

藏書概略〉，刊登於《圖書館學季刊》第二卷二期。每篇先綜述當代藏書概況與特色，再分別舉出重要藏書家加以介紹。

2、《中國藏書家考略》

合作者楊立誠（1888～1931），字以明，江西豐城人。曾任浙江省立圖書館館長，著有《文淵閣書目索引》；金步瀛（1898～1966），一名天游，字敏甫，浙江嘉興人。曾任職於清華大學圖書館、浙江省立圖書館，著有《增訂叢書子目索引》、《中國現代圖書館概說》、《現代圖書館編目法》等。

此書 1929 年初版，收錄自秦漢至清末藏書家凡 741 人。1985 年，上海古籍出版社出版俞運之增補標點本，增加 134 人。另外臺灣新文豐出版公司曾於 1978 年出版《中國文學・藏書家考略》，是將此書初版本與楊蔭深《中國文學家考》合併印行，並附宋海屏校訂。此書之體例近於人名辭典，介紹較爲簡略。全書按姓名筆劃排列，增補本書後附有人名、書名、室名索引。

3、《古今典籍聚散考》

作者陳登原（1900～1974），字伯瀛，浙江餘姚人。曾任職於金陵大學，著有《天一閣藏書考》、《荀子哲學》、《中國土地制度史》等。

此書於 1936 由上海商務印書館初版，內容是以藏書史中之「主題」爲論述次序，分爲卷首：〈敘引〉；卷一：〈政治卷〉；卷二：〈兵燹卷〉；卷三：〈藏弆卷〉；卷四：

〈人事卷〉；卷末：〈芻言〉。論述涵跨的時代，由先秦至民國初年。如就嚴格的史學意義而言，本書可說是相當合乎標準的藏書通史著作。因為其他的藏書史著作，大多是以個別藏書家之生平記述為主，其隱藏的歷史背景及意義，必須讀者自行融會建構。此書能夠突破平面敘述的傳統，而以四個主題彰顯「藏書」一事的歷史文化脈絡，的確具有嚴謹的學術思維。又此書曾經在臺灣翻印，因應當時的政治情勢，就只得改名為《中國歷代典籍考》，作者也被易名為程登元。筆者所見版本為 1978 年盤庚出版社《文史叢刊・中國圖書研究》第一冊。另嚴靈峰先生主編《書目類編》第 96 冊亦收有此書。

4、《中國著名藏書家傳略》

鄭偉章、李萬健合編，此書由北京書目文獻出版社於 1986 年出版，選擇自宋代以迄民國初年重要的藏書家 56 家，分別撰寫詳實的生平傳記，並分析其學術貢獻。

主編鄭偉章，1944 年生，畢業於北京大學圖書館學系，歷任北京大學教授、《國際商報》副社長、中國駐澳洲大使館經濟參贊等職。另主編《文獻家通考》等書。李萬健，現任《中國圖書館學報》常務副主編，著有《中國古代印刷術》等書。

5、《中國古代藏書樓研究》

黃建國、高躍新主編，1999 年中華書局出版。此書為「中國古代藏書樓國際學術研討會」之論文集，研討會於 1998 年 12 月由杭州大學歷史系主辦。所收論文凡 35 篇，討論範圍遍及公藏、私藏、寺院藏書、書院藏書，尤其有五篇直接探討有關藏書文化的問題，形成可觀的學術意義。

6、《中國私家藏書史》

作者范鳳書，1931 年生，河北省石家莊人，長期在中學圖書館工作。此書 1999 年由鄭州大象出版社出版，前有緒論，後有總論與專論，中間分爲三編：書籍以手抄傳寫的私家藏書緩慢興起時期（漢至唐五代）；書籍以雕版印刷與手抄並舉的私家藏書興盛發展時期（宋至清代）；書籍以機械排印爲主的私家藏書鼎盛及轉型時期（民國至現代）。

本書資料豐富，論述詳盡，又善於編製許多圖表，是以個人力量完成的藏書史研究著作中篇幅最大的一部，將近八百頁、五十七萬多字。據了解，作者在 1990 年之前，已經以二十年時間完成《中國歷代私家藏書匯編》一百多萬字，再加以精簡整理而成此書，能有如此過人之成績，可說是良有以也！

7、《中國藏書樓》

此書 2000 年由遼寧人民出版社出版，共三冊，分爲上、中、下三編。上編爲「藏書論」：首先按官府、私家、寺觀、書院四大系統概論藏書樓的產生，藏書活動的興衰，各藏書系統的特點及其歷史貢獻。然後從不同角度，剖析藏書的來源、私家藏書觀、藏書與借書、藏書與刻書、藏書家與目錄學、藏書與書厄、藏書與書籍保護、藏書家與版本學、藏書家與書商、藏書與藏書印等重要問題，探討藏書活動與民族文化形成與發展之間的規律。中編是「藏書樓發展史」：按朝代分期，先概說各個時期不同歷史背景下的藏書活動，然後分系統介紹重點藏書樓的名稱、建築格局及藏書樓主人的家世、生平、收書、求書、讀書、鑑書、校書、著書、刻書、編目等活動和其他學術成果，以及藏書的流傳存佚等情況，直至近現代藏書樓向圖書館的遭變過程。下編爲《中國藏書大事年表》：以中國帝王（或民國）年號爲序，以藏書事件與人物事跡爲綱，展示幾千年的藏書歷史。附錄爲〈中國藏書樓索引〉、〈中國藏書家索引〉。兩索引針對本書涉及的藏書樓、藏書家進行標引，按「漢語拼音方案」拼寫音節順序排列，提供給讀者兩條檢索途徑。

主編任繼愈（1916～2009），山東省平原縣人，中國著名文獻學家、佛教學家，曾任北京圖書館名譽館長。

8、《中國藏書通史》

主編傅璇琮、謝灼華，此書 2001 年寧波出版社出版，分上、下兩冊。上冊有〈導言〉部分，就中國藏書史的概念、中國藏書的四大系統、中國藏書史的分期等問題，做綜合敘述。其次依朝代次序撰述中國藏書發展的歷史，上冊是先秦至明代，下冊是明代至二十世紀中國藏書。

主編傅璇琮先生，1933 年生，浙江寧波人。曾任中華書局總編輯，爲著名的古典文學研究專家，尤其在唐詩研究方面，著有《唐代詩人叢考》、《唐代科舉與文學》、《唐詩論學叢稿》等。謝灼華，現任武漢大學圖書情報學院教授，著有《中國圖書和圖書館史》、《中國文學目錄學》等。

以上兩部書可說是總結了中國大陸近數十年來研究藏書史成果之大成，開啓了 21 世紀藏書史研究的新視野，值得我人借鏡與重視。

（二）「斷代藏書史」式的有：

1、《宋代藏書家考》

作者爲業師 潘美月教授，潘先生 1939 年生，臺北市人，1964 年臺大中文研究所畢業後，留校任教。師承屈萬里先生（1907～1979）、王叔岷先生（1914～2008）、昌彼得先生（1921～2011）等大家，專研目錄、版本之學。2003 年自臺大中文系退休，曾任教於佛光大學文學研究所，目前仍兼任臺大中文系、圖資系教授。

此書原爲潘先生的升等著作，民國 69 年（1980）由學海出版社出版，增訂本於 2011 年由花木蘭文化出版社收錄於《古典文獻研究輯刊》第 12 編。此書爲國內第一部全面研究宋代藏書家的力作，所考藏書家凡 162 位，分爲五代入宋時期、北宋承平時期、南北宋之際、南宋中興時期、南宋末期等五個時期論述。其〈緒論〉部分並從：（1）圖書之採訪與讎校，（2）圖書之分類編目，（3）圖書之典藏，（4）圖書之利用，（5）圖書之存佚，（6）藏書家之地區分布等六個方面，綜述宋代私家藏書的特色。

北京圖書館《文獻》季刊 1988 年第一期、第二期，載方建新輯〈宋代私家藏書補錄〉，增加 160 人。

2、《明清蟫林輯傳》

作者汪誾，字靄庭，江蘇江寧人，民初曾任職江蘇省立國學圖書館。是書原載於《圖書館學季刊》第七卷第一期、第八卷第四期。有 1932 年中國圖書館協會抽印本、1934 年香港中山圖書公司影印本。文前有小序云：「鞠裳先生撰《藏書紀事詩》七卷，網羅前聞，攟摭逸事，發揚潛德闡彰之功，誠不朽矣。然猶有生不越窪巷，名不絓通人，獨藏書事跡，或僅見於邑志，散入史乘，又豈少哉？竊不揣譾陋，總輯明清兩代共得七百餘人，滙著是編。非敢補葉氏之不足，聊以覘盛衰之概，古籍存亡，有足徵矣。」此書所收藏書人物雖多，但因原係登載於期刊，以篇幅所限，每位藏書家之介紹稍覺簡略。

3、《清代藏書家考》

作者洪有豐（1893～1963），字範五，安徽績溪人。曾任金陵大學、清華大學圖書館館長。此文原載於《圖書館學季刊》第一卷第一期至第二卷第一期，香港中山圖書公司 1973 年曾出版單行本。文前有〈引言〉，說明本文爲作者計畫撰寫《中國歷代私家藏書源流考》之一部分，接著指出清代私人藏書之有功於學術者四：讎校抄藏之專精、利便好學之士、多自致於深造之學問、保存傳留希見之典冊。而清代私家藏書之特色亦有四：藏書之風至清代而極盛、藏書與學術之關係更形密切、私人刻書之風盛行、目錄校勘家輩出。以下分論清代重要之藏書家，每人均分傳略、藏書、著書、刻書四項，敘述頗爲詳盡。

4、《清代藏書樓發展史》

作者譚卓垣（1900～1956），廣東新會人。1922 年畢業於嶺南大學，赴美獲哥倫比亞大學圖書館學碩士、芝加哥大學哲學博士，曾任嶺南大學圖書館館長、夏威夷大學東方圖書館館長。此書原爲其博士學位論文英文本，初版於 1935 年，後來由譚華軍譯爲中文，徐雁校訂，增加許多譯注，修訂補充原書之疏誤，1988 年遼寧人民出版社出版，2007 年再版。全書分爲五章：一、引論，介紹清代藏書的背景、學術發展因素與藏書樓的效用。二、皇家藏書樓，以康雍乾三朝爲主。三、私家藏書樓，綜論藏書之道、普遍特徵與藏書樓的命運。四、藏書家的學術成就，分爲方法論、文獻保存、目錄學、學術著述等四方面的貢獻。五、概述，包括書院藏書樓、清代藏書史概評、歷史發展中的三大事件、[29]北平國家圖書館等。此書能運用學術史的角度，引證大量資料，分析清代藏書史的特殊意義與貢獻，雖然篇幅不是很大，仍甚具特色。

5、《近代藏書三十家》

作者蘇精，1946 年生，臺灣省屏東縣人，曾任職於國立中央圖書館特藏組。後赴英留學，獲倫敦大學圖書館學博

---

29 三大事件是指：敦煌藏經的發現、內閣大庫檔案的搶救與楊守敬訪求佚書於日本。

士，研究近代中西文化交流史，目前任教於雲林科技大學。此書原於 1983 年由傳記文學出版社出版，2009 年北京中華書局出版增訂本。所錄藏書家起自盛宣懷「愚齋」，迄於劉承幹「嘉業堂」，附錄〈抗戰時秘密搜購淪陷區古籍始末〉一文及參考書目、索引等。學界評論此書認爲：「書中涉及近代藏書家有關的著述逾百種，極富參考價值。尤其每篇之後詳盡的注釋以及全書之末的參考書目，爲讀者指示了進一步研究的線索。」[30]

六、地區史式與個別藏書家研究

（一）「地區史式」的藏書史著作

從「空間」的角度，研究地區歷史與文化發展，是近代史學的重要趨勢之一，藏書史研究也是如此。以下選擇較重要的研究成果加以介紹：

1、《兩浙藏書家史略》、《江蘇藏書家史略》

作者吳晗（1909～1969），一名春晗，字辰伯，浙江義烏人。1935 年畢業於清華大學歷史系，歷任雲南大學、西南聯大教授；北京市副市長。喜好藏書，室名「梧軒」，並致力於明史研究。中共文化大革命期間，因編寫《海瑞罷官》一劇，被誣影射當權派，含冤而死。著有《讀史札記》、

30 《中國藏書通史》（寧波：寧波出版社 2001 年）下冊，頁 1368。

《三家村札記》、《朱元璋傳》等。

此二書原名《浙江藏書家小史》、《江蘇藏書家小史》（1933年刊行），1980年北京中華書局將二書合併印行，改題《江浙藏書家史略》，1982年臺北文史哲出版社又據中華書局本覆印。《兩浙藏書家史略》前有序言，將兩浙藏書家依時代與地區分別做出統計；《江蘇藏書家史略》前之序言則綜論歷代藏書家之貢獻與功過，均深具參考價值。

2、《浙江藏書家與藏書樓》

作者顧志興，1937年生，浙江省社會科學院研究員。此書由浙江人民出版社於 1987 年出版，分爲七章，主要論述自宋代至清代浙江地區私家藏書發展的情況，並總結浙籍藏書家對中國文化的貢獻。

3、《山東藏書家史略》

作者王紹曾、沙嘉孫，1992年山東大學出版社出版。此書收錄山東地區從孔子、墨子以來，至民國王獻唐等凡 559 位藏書家，作者因此認爲以人數而言，山東藏書之風絕不下於號稱藏書淵藪的江浙地區。

王紹曾（1910～2007），江蘇省江陰縣人。曾任山東大學古籍整理研究所教授，主編《清史稿藝文志拾遺》、《山東文獻書目》等。

2004 年，王紹曾先生之高弟杜澤遜教授（1963 年生）及其夫人程遠芬，在《山東藏書家史略》的基礎上，增補成爲《山東著名藏書家》一書，收入《齊魯歷史文化叢書》第 8 輯，山東文藝出版社出版。

4、《山西藏書家傳略》

作者薛愈，1912 年生，山西太原市人。曾任山西大學圖書館副研究館員，參與編纂《太原府志》、《遼州志》等。此書始編於 1977 年，至 1996 年由山西古籍出版社出版，收錄山西省自南北朝起，迄於清末藏書家凡 196 人。

各地藏書家歷史的著作早期還有蔣鏡寰（字吟秋）《吳中藏書先哲考略》（有民國 19 年江蘇省立蘇州圖書館排印本）；聶光甫《山西藏書家考》（1927 年）；何多源《廣東藏書家考》（1936 年）；項士元《浙江藏書家考略》（1937 年）；郭白陽《閩省藏書家考略》（稿本）等，因傳本較稀，僅略舉書名，以供參考。[31]最近幾年又有新的成果問世，如：江慶柏《近代江蘇藏書研究》（合肥：安徽文藝出版社 2000 年）；曹培根、沙嘉孫等編《常熟藏書家藏書樓研究》（上海文化出版社 2002 年）。

（二）個別藏書家研究著作

在近代公立圖興起以前，圖書文獻的保存與流傳，主要的途徑之一就是私人藏書，一方面歷代藏書家對文化的傳承有很大貢獻，而另一方面，藏書家本身往往也是版本目錄學的專家，研究版本學，一定要借助於藏書家所編製的目錄、題跋等。因此對於個別重要藏書家的研究，就構成藏書史研究的主體。

---

31 參見《清代藏書樓發展史·譯者序》（瀋陽：遼寧人民出版社 1988 年），頁 3。

大陸方面的藏書家研究，可以駱兆平《天一閣叢談》爲例。此書1990年由北京中華書局初版，1996年再版，是專門研究寧波「天一閣」藏書的著作。作者駱兆平，1934 年生，浙江諸暨人，長期在「天一閣」負責典藏整理的工作，對於其中藏書的淵源、流向、藏書掌故都知之甚深。此書由「天一閣」的歷史談起，包括藏書的管理、藏書目錄、刻書考、散書訪歸記、閣中所藏各種文獻資料（如方志、家譜、碑帖、科舉錄等）的概述。

與此同類的著作還有：李性忠《劉承幹與嘉業堂》（北京：文物出版社 1994 年）；徐楨基《潛園遺事：藏書家陸心源生平及其他》（上海：三聯書店 1990 年）；仲偉行、吳雍安、曾康合編《鐵琴銅劍樓研究文獻集》（上海古籍出版社 1997 年）等。

至於國內對歷代藏書家的研究情況：自民國六十八年起，潘美月先生開始在臺灣大學中文系講授版本學，並且與目錄學分開，上下學期各三學分。爾後在潘先生及其他學者如昌彼得先生、劉兆祐先生、吳哲夫先生、喬衍琯先生等的指導之下，由各公私立大學中文研究所或圖書館學研究所培養出一批研究中國藏書史的青年學者，以學位論文的形式爲主，推動了臺灣研究藏書史及相關學術的風氣。[32]如從研究主題來看，還是以個別藏書家的生平與藏書事業爲多，時代則以明、清兩朝爲主。

民國八十年，臺北漢美圖書公司彙集了十篇圖書文獻學方面的碩士論文，出版了「圖書館學與資訊科學論文叢刊第二輯」，其中的九篇都是與藏書家有關的，足以代表當時國內這類研究的成果。

---

32 有關學位論文目錄，請見本文附錄，頁 140。

其次，自 2005 年起，臺北花木蘭文化出版社開始出版「古典文獻研究叢刊」，其中一個專題就是「藏書史研究」。至 2011 年已出版 12 編，所收藏書史研究論文已達 13 種之多，完整呈現出臺灣近 20 年來藏書史的研究成果。

國內研究成果舉例而言，如：《鐵琴銅劍樓藏書研究》，藍文欽撰，臺灣大學圖書館研究所 73 年度碩士論文，由昌彼得先生指導。該論文指出：「瞿氏藏書難能可貴之處，約有下列數端：一、藏書綿亙五世，爲我國私人藏書史上不可多見。二、藏書閎富精當，非一般藏家所能企求。三、瞿氏不吝通假，一掃藏書家扃鑰過密之弊。所藏可以代鈔、代校，有時亦可外借。對於至該樓觀書者（無資格限制），並備有餐膾招待。此外，還編印精善的書影，以傳古書精神。四、鐵琴銅劍樓藏書目錄，融目錄、版本、校勘三者爲一事，雖體例未能純一，亦間有舛誤。然後人多有取爲考證之資，且今日善本書志的寫法，亦倣自此。」作者藍文欽，1958 年生，目前任教於臺灣大學圖書資訊學系。

七、工具書、藏書理論與藏書文化研究

在前述研究藏書史領域本身的學術問題之外，學術界對於藏書史相關的領域，也做了許多推展與耕耘。主要表現在以下幾方面：

（一）工具書的編纂

舉其重要者 ，如：

1、《中國古代藏書與近代圖書館史料》

李希泌、張椒華合編，此書是第一本古代至近代藏書史的資料集，1982 年北京中華書局出版。編輯者在〈編輯說明〉中說：「我國圖書館事業的發展有著悠久的歷史，是世界上最早創立圖書館的國家之一，這本書試圖給研究與編寫我國圖書館事業發展史者提供一些史料和素材。」可知其編輯立場是從圖書館學出發，不過其中古代部分卻提供很多研究藏書史的資料。編輯者之一李希泌（1918～2006），是民國初年藏書家李根源[33]之子，早年畢業於西南聯大歷史系，畢生服務於圖書館界，曾任職中國國家圖書館研究館員。

2、《中國歷史藏書論著讀本》

徐雁、王燕均合編，此書自 1984 年開始編輯，至 1990 年由四川大學出版社出版，分爲上、下兩卷，上卷包含：中國歷史藏書常識錄、宋麟臺故事、南宋館閣錄、南宋館閣續錄；下卷包含：明清藏書樓秘約、浙西藏書錄兩種、吳中藏書錄兩種。

書前〈代序—全面展開中國歷史藏書的研究〉中，明確指出：「弄清中國古代藏書的歷史發展事實，總結古代藏書的優良文化傳統，介紹其文化學術史地位，這是中國古代

---

33 李根源（1879~1965），字印泉，雲南騰沖人。曾留學日本，並襄助蔡鍔（1882~1916）策動雲南獨立之事。家有「杜芴樓」，藏書甚富。著有《永昌府文徵》、《曲石文錄》、《吳郡西山訪古記》等。

藏書學價值之所在。」此處所提「藏書學」的觀念，筆者深表贊同，且實具有「由實踐經驗中建構理論體系」之重要意義。

主編徐雁，1963 年生，江蘇太倉人，曾任南京大學中國思想家研究中心編審，現任南京大學信息管理學系教授。

3、《中國歷代國家藏書機構及名家藏讀敘傳選》

袁詠秋、曾季光合編，1997 年由北京大學出版社出版。此書爲編輯者另一部資料集──《中國歷代圖書著錄文選》的延伸，後者偏重於目錄學資料的蒐集，前者則包含有豐富的藏書史資料。其內容架構與前述之《中國古代藏書與近代圖書館史料》一書相近，也有資料重覆之處，但增加了「中國古經籍與教化」、「中華文化古籍之源流故實」、「歷代名家藏讀敘傳選」等三部分，取材更爲充實，實際上也已經接觸到藏書文化的範疇。

主編袁詠秋，1928 年生，湖北黃陂人。曾任《中國圖書館學報》主編。

以上三種是文獻資料的匯集，還有藏書家人名辭典，如：

1、《中國藏書家辭典》

李玉安、陳傳藝合編，此書 1989 年 9 月由湖北教育出版社出版，所收藏書家 1149 人，按朝代先後排列，書後並附姓氏筆劃索引。

2、《歷代藏書家辭典》

梁戰、郭羣一合編，此書 1991 年 10 月由陝西人民出版社出版，所收藏書家 3400 人，按姓氏筆劃排列。是筆者所知的藏書家辭典中，所收人數最多的一種，近代藏書家、文獻學家亦收入較多，但每條敘述較爲簡略。

3、《中國歷代藏書家辭典》

此書 1991 年 12 月由同濟大學出版社出版，主編王河，服務於江西省社科院圖書館，參與編撰的還有王建平、汪叔子、劉彥雲、康芬、雷獻英等人。此書所收藏書家共 2747 人，按姓氏筆劃排列。

另外，有關藏書印鑑的研究，也是研究藏書史、版本學重要的依據，這方面也有部分研究成果，例如：《善本藏書印章選粹》，國立中央圖書館特藏組編，1988 年；《清代天祿琳琅藏書印記研究》，賴福順撰，1991 年中國文化大學出版部出版；《中國藏書家印鑑》、《明清著名藏書家藏書印》，均爲林申清編，北京圖書館出版社，2000 年。

（二）藏書理論的建立

藏書史研究到了一定程度，必須開始思考建立理論體系的問題，這個部分在海峽兩岸尚屬初步探索的階段。如：南京大學程千帆教授（1913～2000），湖南寧鄉人。早在 40 年代，已經著手撰寫《校讎廣義》的初稿，將傳統的「校讎學」分爲目錄、版本、校勘、典藏四個部分，其中《典藏篇》即是有關於藏書史的研究。程教授在《典藏篇》〈第一章：典藏學的建立與典藏的功用〉指出：「本書所謂『典藏學』則是研究我國古代書籍保管與利用規律的一門學問。」這個說法標誌著藏書史的研究已經從以藏書家生平傳記爲主的研究，提昇到以「藏書」這一個整體文化活動爲對象，探索其中的普遍規律、理論與方法，並試圖建立一個完整的學科體系。對於藏書史的研究來說，這代表了思維的深化與研究範爲的擴大，顯然是一個重大進步。《校讎廣義》全書共四冊，共同撰寫者還有徐有富教授，於 1998 年由齊魯書社出版，屬於《中國傳統文化研究叢書》中的一種。[34]

無獨有偶，筆者在 1999 年高雄中山大學中文系與清代學術研究中心合辦的「第二屆國際清代學術研討會」中提出了一篇論文：〈清代藏書學理論初探〉，主要是以清末葉德輝所撰〈藏書十約〉爲例，探討清人對藏書理論的歸納整理，並嘗試提出「藏書學」的學科名稱。[35]當時筆者還無緣見到程教授的著作，會後才經由南京大學周勛初教授的慨贈，得以拜讀程先生之書。對於自己以爲頗爲大膽的提法，竟與前輩學人暗合，雖然對於學科名稱看法與程先生稍有不同，[36]但是私心仍然甚覺振奮！這也說明藏書史研究成果在經過長時間的累積之後，足以逐漸形成立體的理論架構，而不應只是時間縱軸的依次敘述而已。

34 據筆者的了解，程先生此書出版有前後不同的版本，而且是分次出版。目前手邊所有的則是 1998 年的平裝完整版。

35 修訂稿收入拙作《圖書文獻學考論》(臺北：里仁書局 2005 年)，頁 209-232。

36 「典藏」一辭並不專指藏書，也包括藏字畫、藏古董等，範圍似不如「藏書學」明確。又在本文撰寫期間，偶然讀到徐雁先生〈中國古代藏書學述略〉一文（《四川圖書館學報》1986 年第一期），方知早在十多年前大陸學者已有此見，除了感到精神上遙相契合的愉快，也驚覺到兩岸學術界因長期隔閡而產生的隱性競爭態勢，已是迫在眉睫了。

（三）「藏書文化」觀念的提出

如：《藏書與文化——古代私家藏書文化研究》，周少川（1954年生）撰，北京師範大學出版社 1999 年。書中提出了私家藏書應該與整體文化結合起來研究，「由於私家藏書有如此鮮明的特點，以及在藏書過程中不僅有主客體間相互關係，而且有主客體與社會環境、地域風尚、文化傳統等多方面的相互關係，因而私家藏書不僅要從藏書史的角度加以研究，更要從藏書文化的角度進行研究。私家藏書是一項私人對典籍進行收藏、整理、研究以及傳播的文化活動，私家藏書文化即指在這一文化活動中所呈現的物質與精神方面內容的總合。」[37]這無疑也是推闡藏書史研究的新方向。屬於此類性質的著作還有李廣宇《書文化大觀》（北京：中國廣播電視出版社 1994 年）、程煥文《中國圖書文化導論》（廣州：中山大學出版社 1995 年）、李雪梅《中國近代藏書文化》（北京：現代出版社 1999 年）、許媛婷《明代藏書文化研究》（中國文化大學 2002 年博士論文）、 張建崙主編《海寧藏書文化研究》（杭州：西冷印社 2004 年）、薛貞芳《徽州藏書文化》（合肥：安徽大學出版社 2007 年）等。

關於藏書文化還有極爲重要的一部分是「藏書家的學術思想」，就這一點而言，臺灣學者在對各別藏書家進行專題研究時，多少會觸及到。如筆者所撰《楊守敬之藏書及其學術》（1986 年，修訂本《觀海堂藏書研究》2005 年花木蘭文化出版社印行），除了

---

37 《藏書與文化——古代私家藏書文化研究》（北京：北京師範大學出版社 1999 年），頁 5。

探討楊守敬「觀海堂」藏書的情況，也分析歸納楊守敬的文獻學成就。不過，中國古代藏書家人數衆多，有重要貢獻及歷史地位而尙未深入研究的藏書家還很多，因此這個方向値得研究的題目也不少。

另外，爲了通俗閱讀與推廣傳統文化的需要，也有學者編輯了一些藏書史介紹的入門書，如：焦樹安《中國古代藏書史話》（臺灣商務印書館出版，1994 年）；劉兆祐先生《認識古籍版刻與藏書家》（臺灣書店，1997 年）；黃燕生《天祿琳瑯—古代藏書和藏書樓》（萬卷樓圖書公司出版，2000 年）；余章瑞《藏書故事》（北京出版社，2001 年）等；對於推廣並重視藏書史的觀念有一定的價值。

八、結論：藏書史研究的發展方向

綜合以上所述，海峽兩岸學術界對中國藏書史的研究，可以說是各有千秋。大致來說，臺灣方面著重「個別藏書家生平考察、學術思想分析」；大陸方面則因相關資料較多，著重於「藏書史的整體客觀描述、藏書與文化的互動關係」。如果從全體研究成果的「數量」上來看，大陸學者似有超過臺灣學者的情形，其中原因，應當和兩岸的學術風尙與大環境走向有關。[38]至於藏書史研究未來可能的發展方向，約有以下兩項：

---

38 大陸各高校中文系、歷史系普遍設有文獻學專業科目，其中即包含藏書史課程。而重點學校更設立「古文獻研究所」或「古籍整理研究所」，其重視文獻學及有關學術之程度可見一斑。

（一）藏書史與文獻學其他部門的結合

目錄學、版本學的研究，以往著重的是所謂「辨章學術，考鏡源流」，也就是在學術史上的運用。今後還可以結合藏書史、社會史、經濟史等，從爲數頗多的藏書目錄、藏書提要等資料中，分析、歸納出有用的各種線索，提供其他學科參考。例如筆者曾撰〈蕘圃藏書題識與清代學術史料〉一文，[39]其中提出利用藏書題跋中的資料，研究清代善本書價，並指出其經濟史上的意義。雖然是一個初步嘗試，論述引證也限於清代，然而已發其端緒，值得繼續擴大範圍，做更深廣的探討。

（二）由藏書史建構「藏書文化」的體系

如前所述，學術界目前已經有學者提出了「藏書文化」的觀念，這正是標誌著對於藏書史的研究，已經從以藏書家生平傳記爲主的平面研究，提昇到以「藏書」這一個整體文化活動爲對象，探索其中的普遍規律、理論與方法，並試圖建立一個完整學科體系的立體研究。然而目前研究「藏書文化」的成果，卻還是存在一些之不足處，例如：對於「藏書文化」一詞的理解，仍然與「藏書史」無法明確區分，以致於重人而輕事、重斷代而輕綜述、重藏書活動本身而輕藏書與其他文化活動之聯繫。因此，筆者認爲在目前學術界已經完成有關藏書史研究成果的基礎上，還可以進一步深入研究藏書文化的其他面向，例如：1、藏書與文學 2、藏書與經濟 3、藏書

---

39 發表於《成大中文學報》第 8 期，89 年 6 月，頁 149-182。修訂稿收入拙作《圖書文獻學考論》（臺北：里仁書局 2005 年），頁 129-150。

與思想……等。

再以筆者的研究狀況爲例而言：多年來一直以中國藏書史爲研究基礎，對於清代藏書家之生平與學術尤爲措意。藉由對藏書家生平及學術思想的研究出發探討文獻學各個方面，如目錄學、版本學、校勘學等，是筆者學術研究的主軸。近年來，更嘗試將藏書史研究的觸角，延伸至其他學科之領域。因爲中文系出身的關係，首先接觸到的，即是文學領域。原來中國文學在漫長的歷史發展中，衍化出琳瑯滿目的各種文體，如詩歌、散文、騷賦、樂府、散文、詞、曲、小說、戲劇等，展現出「千巖競秀，萬壑奔流」的磅礴氣象。因此古人常常強調「辨體別體」的重要。[40]但是一種文體通行既久，作家作品日衆，難免因循襲套，自成窠臼。久而久之，此一文體逐漸奄奄一息，無復生氣。王國維所謂「文體始盛終衰」者在此。[41]爲了救亡圖存，於是有種種追新求變的努力，「破體爲文」是切實有效的方式之一。宋詩對於唐詩的繼承與超越、新變與代雄，正是因爲宋代詩人在詩歌創作上以「破體爲文」、「詩思出位」的努力，而形成文學史上足以和唐詩分庭抗禮的宋詩大觀！受到這個觀念的啓發，筆者認爲文獻學（包含藏書史）的研究也可以往跨領域的方向發展，例如「文獻學與宋詩」，即是筆者自 89 年通過國科會專題研究計畫補助以後的最新研究方向，目前已經有初步研究成果，今後將賡續有關此一系列論題的研討。

40 參考張高評《宋詩之新變與代雄》（臺北：洪葉文化事業有限公司 1995 年），頁 158。

41 見於《人間詞話》（唐圭璋主編《詞話叢編》本，第五冊，北京：中華書局 1986 年），頁 4252。

附錄：國內各大學藏書史研究學位論文一覽表

《鐵琴銅劍樓藏書研究》　藍文欽　臺灣大學圖書館學研究所碩士論文　民 73.05

《晚清藏書家繆荃孫研究》　張碧惠　臺灣大學圖書館學研究所碩士論文　民 74.05

《中國古代圖書典藏管理的研究》　李家駒　中國文化大學圖書資訊研究所碩士論文　民 74.06

《范氏天一閣藏書研究》　蔡佩玲　臺灣大學圖書館學研究所碩士論文　民 75.05

《楊守敬之藏書及其學術》　趙飛鵬　臺灣師範大學國文研究所碩士論文　民 75.05

《清初藏書家錢曾研究》　湯絢　臺灣大學圖書館學研究所碩士論文　民 76.05

《祁承㸁及澹生堂藏書研究》　嚴倚帆　臺灣大學圖書館學研究所碩士論文　民 76.05

《孫星衍藏書研究》　劉玉　東海大學中文研究所碩士論文　民 77.05

《清丁丙及其善本書室藏書志研究》　沈新民　中國文化大學中文研究所碩士論文　民 77.06

《聊城海源閣藏書研究》　陳金英　東海大學中文研究所碩士論文　民 77.05

《清代藏書家張金吾研究》 王珠美 臺灣大學圖書館學研究所碩士論文 民 77.0
《傅增湘藏書研究》 趙惠芬 東海大學中文研究所碩士論文 民 77.06
《錢謙益藏書研究》 簡秀娟 臺灣大學圖書館學研究所碩士論文 民 78.05
《徐乾學及其刻書藏書》 陳惠美 東海大學中文研究所碩士論文 民 79.05
《宋代藏書家尤袤研究》 蔡文晉 東吳大學中文研究所碩士論文 民 80.12
《王獻唐先生之生平及其學術研究》 丁原基 東吳大學中文研究所博士論文 民 82.06
《葉德輝觀古堂藏書研究》 蔡芳定 臺灣大學圖書館學研究所碩士論文 民 82.11
《莫伯驥五十萬卷樓藏書研究》 劉振琪 東海大學中文研究所碩士論文 民 83.04
《黃丕烈〈百宋一廛賦注〉箋證及相關問題研究》 趙飛鵬 臺灣大學中文研究所博士論文 民 84.06
《先秦兩漢官府藏書考述》 蔡盛琦 中國文化大學史學研究所碩士論文 86.06
《明代的蘇州藏書——藏書家與藏書生活》 陳冠至 中國文化大學史學研究所碩士論文 民 87.06
《莫友芝之目錄版本學研究》 薛雅文 東吳大學中國文學研究所碩士論文 民 90.06

《陸心源及其《皕宋樓藏書志》史部宋刊本研究》　林淑玲　中國文化大學史學研究所博士論文　民 90.06
《明代藏書文化研究》　許媛婷　中國文化大學中文研究所博士論文　民 91.06
《明代的福建藏書——藏書家的藏書活動與藏書生活》　鄒信勝　中國文化大學史學研究所碩士論文　民 93.06
《明代的江南藏書——五府藏書家的藏書活動與藏書生活》　陳冠至　中國文化大學史學研究所博士論文　民 94.06

第二章

文獻學與文學研究

歐陽脩與宋代文獻學

時代風尚，對於文人學士之思潮與文學創作自必有所影響。以宋代而言，整體的時代文化氛圍是「重文」，不但朝廷強調「天子重英豪，文章教爾曹」，民間更是「人人尊孔孟，家家誦詩書」。[1] 重文風氣影響所及，宋人也普遍重視典籍文獻之收集與整理。據統計，宋代藏書達萬卷以上者，就有 214 人，超過唐代以前的總和，卻還只佔宋代藏書家總人數的三分之一，正可以說明宋人重視文獻典藏的情況。[2]另一方面，個別士大夫的行爲中也反映了群體生活的特徵，致力於古代文獻的典藏、編纂、整理。這種時代與個人交互影響而形成的文獻學風，可以對於觀察、理解宋代文學的發展，提供一個新的角度。本文即嘗試以北宋大文豪歐陽脩（1007～1072）做爲例證，說明這個新的觀察角度。

1 張邦煒〈宋代文化的相對普及〉，收入《國際宋代文化研討會論文集》（成都：四川大學出版社 1991 年），頁 77。

2 范鳳書《中國私家藏書史》（鄭州：大象出版社 2001 年），頁 82。

一、宋代的「重文」傳統

宋代自太祖趙匡胤（927～976）開國以後，就建立起一個「重文」的傳統。過去學界在解讀這段歷史時，多半只注重宋太祖「杯酒釋兵權」的集權手段，以致造成宋代的「重文輕武」風氣。事實上，這樣的理解，既不符合歷史事實，更不能眞正看到宋人「重文」的文化及學術意義。《宋史・藝文志》就曾指出：

> 宋之不競，或以為文勝之弊，遂歸咎焉。此以功利為言，未必知道者之論也。[3]

嚴格的說，宋人「重文」有之，「輕武」則未必。宋代重要的將領如狄青、岳飛、韓世忠、虞允文等，皆是軍事史上的著名人物。話本小說《水滸傳》描述的一百單八條好漢，個個武藝超群，從一個側面說明宋人習武之風。宋代文人在某方面輕視武人，但另一方面也出現「儒將」這樣的文人形象。[4]所以正確的說，宋人是「以文御武」而非「重文輕武」。現代學者研究宋代文化，對於此一現象，也提出類似的看法：

---

3 《宋史》卷 202（北京：中華書局點校本），頁 5031。

4 如《太平御覽》卷 277 有「儒將」條，又李心傳《舊聞證誤》卷一（四庫本）引《建隆遺事》云：「上（案：指宋太祖）命曹彬、潘美、曹翰收江南，以沈倫為判官。臨行朝辭，赴小殿燕餞。酒半，出一黃帕文字，顧彬曰：『汝實儒將，潘美、曹翰桀悍，恐不能制。不用命者，望朕所在，焚香啟之，自有處置。』」。

> 太祖、太宗的「重文」，從根本上說正是「重武」的另一種表現形式。他們禮遇文人，開科取士，目的是要為宋廷所用。這決不是輕武之舉，而是用文士去駕馭武將，以加強中央集權統一。所以，太祖、太宗所推行和奠定的「文治」，其實質是吸引文人參政，抑制武人跋扈，擴大統治基礎。這是趙宋政治措施中的一大發明，是太祖、太宗的高明之處。[5]

關於宋人的「重文」傳統，可由前史文字知之。例如：

> 藝祖革命，首用文吏而奪武臣之權，宋之尚文，端本乎此。太祖皇帝以神武定天下，儒學之士，初未甚進用。及卜郊肆類，備法駕，乘大輅，翰林學士盧多遜攝太僕卿，升輅執綏，且備顧問。上因歎儀物之盛，詢政理之要。多遜占對詳敏，動皆稱旨。上謂左右曰：「作宰相需當用儒者。」
> 太宗曰：「王者雖以武功克定，終須用文德致治。」[6]

再就現存的史料分析，宋代的重文傳統，至少包含了三個層面：

（一）政治上的「重用文臣」

宋太祖本是軍人出身，後周世宗時擔任「殿前都點檢」，與其

5 參見楊渭生主編《兩宋文化史研究》（杭州：杭州大學出版社 1998 年），頁 16-18。

6 《兩宋文化史研究》，頁 6、7。

父弘殷同典禁軍。但太祖天性好學，史云：

> 太祖少親戎事，性好藝文。即位未幾，召山人郭無為於崇政殿講書。至今講官所領階銜，猶曰「崇政殿說書」云。

又云：

> 太祖晚年，好讀書。[7]

輔佐太祖建國的功臣趙普（921～991），原本是太祖年少時的私塾老師，深爲相得，平居「獨與趙議事」，可見太祖對文臣產生好感，可謂其來有自。[8]

太祖重用文臣，主要是因爲文臣多博學廣知，如：

> 太祖將改年號，謂宰臣等曰：「須求古來未曾有者」，宰臣以「乾德」為請。三年（965）正月平蜀，宮人有入掖庭者，太祖因閱奩具。得鑑，背字云：「乾德四年鑄」。大驚曰：「安得四年鑄此鑑？」以出示宰相，皆不能對。乃召學士陶穀、竇儀問之，儀曰：「蜀主曾有此號，鑑必蜀中所得。」太祖大喜曰：「作宰相須是讀書人！」自是大重儒臣矣。[9]

7　引文見《宋朝事實類苑》（臺北：源流出版社 1982 年），頁 3、174。

8　參見《宋人軼事彙編》卷一（臺北：源流出版社 1982 年），頁 2。

9　《宋朝事實類苑》，頁 10。

更進一步，太祖認爲武臣亦應多讀書，如：

> 太祖聞國子監集諸生講書，喜，遣使賜之酒菓，曰：「今之武臣，亦當使其讀經書，欲其知為治之道也。」[10]

宋初開國功臣亦多折節讀書，如：

> （趙）普少習吏事，寡學術。及為相，太祖常勸以讀書。晚年手不釋卷，每歸私第，闔戶啟篋取書，讀之竟日。[11]

自宋太祖起，便建立起重用文臣的傳統，也終止軍人干政的可能。史云：

> 自唐天寶後，歷肅、代，藩鎮遂不復制，以及五代之亂。太祖即位，罷藩權，擇文臣使治州郡，至今百餘年，生民受賜。[12]

如是上行下效，形成一種「重文」風氣，遍及宋代社會，而宋代文人地位之崇高，亦歷朝所僅見。

---

10 《宋朝事實類苑》，頁3。

11 《宋史》卷256，頁8933。

12 《宋朝事實類苑》，頁11。

（二）生活上的「重視文藝」

宋代文人地位提高，士大夫的生活情趣也有進一步發展。例如對於繪畫的重視，形成「潑墨山水」的新畫風以及「詩畫合一」的傳統。朝廷方面，宋太宗時成立「翰林圖畫院」，簡稱畫院，一方面召集天下知名畫家，以供御用。另一方面也培養了許多繪畫人才，推動宋代繪畫的發展。民間方面，由於北宋時期幾位大家，如巨然、關同、李成、范寬等的影響，使得山水畫的進步超過唐代。到了神宗朝的郭熙，以其「得雲烟出沒、峰巒隱顯之狀，布置筆法，獨步一時」的技巧，正式建立「烟雲山水」[13]的畫風。又如書法，自北宋太宗時開始提倡，太宗本人即深好書藝，草、隸、篆、行，無不精妙，尤其擅長「飛白書」。[14]太宗又設置「御書院」，募求善書者以充翰林。又在內廷建「秘閣」，存藏前代墨跡名品。由於宋代文人重視生活中的文藝修養，以致宋代在「文房四寶」——筆、墨、紙、硯的生產製造，都有長足的進步。而士大夫基本的文藝素養：琴、棋、書、畫，也從宋代起，成爲中國千餘年來知識份子生活的共同基調。

---

13 姚瀛艇主編《宋代文化史》（開封：河南大學出版社 1999 年），頁 458。

14 飛白書，一種特殊的書法。相傳東漢靈帝時修飾鴻都門，匠人用刷白粉的帚寫字，蔡邕見後，歸作「飛白書」。這種書法，筆畫中絲絲露白，像枯筆所寫。漢魏宮闕題字，曾廣泛采用。唐・張懷瓘《書斷》上：「飛白者，後漢左中郎將蔡邕所作也。王隱、王愔并云：飛白，變楷製也。本是宮殿題署，勢既徑丈，字宜輕微不滿，名為飛白。」

（三）學術上的「重視文獻」

宋人在學術文化上有超越前代的成就，世所公認。究其原因，與宋代學者普遍重視文獻基礎有關。經學、史學等學術必依賴文獻以爲基礎，固不待言，即以宋代新興的哲學流派「理學」而言，理學家並非如後人所批判的「束書不觀，游談無根」，悠遊於概念建構的天地，而是從熟讀經典文獻中提煉、轉化出新的思想觀念，建立新的哲學體系。朱子（1130～1200）的名句：「舊學商量加邃密，新知培養轉深沉」[15]最能表現這個特點。再如著名的理學家、古文家呂祖謙（1137～1181），爲浙東學派的開山人物。其學術特徵即爲「得中原文獻之傳」，主張治經史以致用。其後學宋末元初的王應麟（1223～1296）更是著名的文獻學家。[16]南宋史學家鄭樵（1104～1162），撰《通志略》，其中〈校讎略〉是中國學術史上第一篇討論文獻蒐集、典藏與整理的理論專著，也開目錄學理論之先河。凡此都說明宋人之治學，無不重視文獻基礎，形成「宋學」中一個容易爲人忽視的特點。

綜合以上的分析可知：宋人的重文傳統，不僅是單數，更是複數，從政治到學術，形成一張以文爲主的網絡，尤其具體落實在典籍文獻的典藏與整理，值得後人重視。

---

15 朱熹〈鵝湖寺和陸子壽〉：「德義風流夙所欽，別離三載更關心；偶扶藜杖出寒谷，又枉藍輿度遠岑。舊學商量加邃密，新知培養轉深沉；卻愁說到無言處，不信人間有古今。」《朱熹集》卷3（成都：四川教育出版社1997年）第一冊，頁185。

16 參見侯外廬主編《宋明理學史》上冊（北京：人民出版社 1984 年），頁356-362。

二、宋人對文學文獻之蒐集與整理

宋人自立國之初，即非常重視圖書文獻的蒐集與典藏。如：

> 乾德元年（963），平荊南，召有司盡收高氏圖籍，以實三館。三年九月，命右拾遺孫逢吉往西川，取僞蜀法物圖籍印篆赴闕，得書萬三千卷送三館。開寶九年（976）平江南，命太子洗馬呂龜祥就金陵籍其圖書，得二萬餘卷，悉送史館。王師平金陵，得書十餘萬卷，分配三館及學士舍人院。其書多讎校精當，編帙全具，與諸國書不類。[17]

除諸國所藏書籍之外，私人藏書與著作也在搜羅之列，如：

> 乾德四年（966）閏八月，詔購亡書。是歲，三禮涉弼、三傳彭翰、學究朱載皆應詔獻書，總千二百二十八卷，命分置館閣，賜弼等科名。
>
> 雍熙三年（986）正月，著作佐郎樂史獻所著《貢舉事》二十卷、《登科記》三十卷、《題解》二十卷、《唐登科文選》五十九卷、《唐孝悌錄》二十卷、《續卓異記》三卷，太宗嘉其功，遷著作郎，直史館。[18]
>
> 趙鄰幾善屬文，有名於時，……平生多著文，家有遺稿，上

17 《宋朝事實類苑》，頁 393、389。

18 《宋朝事實類苑》，頁 38。

（太宗）遣直史館錢熙往訪之。得補會昌以來《歷》二十六卷、文集三十四卷、所著《鲰子》一卷、《六年帝略》一卷、《史氏懋官志》五卷，及他書五十餘卷來上。[19]

北宋時期私人著述爲朝廷收藏的還有羅處約、朱昂、姚鉉、孫復等。

宋人對於文獻的典藏與維護，也有詳細的制度。中央機構有所謂「館閣」，包括昭文館、史館、集賢院，合稱「崇文院」。太宗端拱元年（988）另在崇文院中堂設「秘閣」，做爲善本特藏書庫，與崇文院的三館合稱「館閣」。館閣皆設置大學士、學士、直館、編修、檢討等職官，由朝廷擇優出任。値得注意的是：宋代的館閣制度在當時政治上是非常重要的一環，一方面具有典藏秘本圖書的功能，形成累積知識與學術研究的中心。另一方面又提供少數精英份子深造與進修的管道，成爲培養高級文官的搖籃。洪邁《容齋隨筆》卷十六云：

館閣之選，皆天下英俊，必試而後命。一經此職，遂為名流。

宋太宗甚至曾說：

學士之職，清切貴重，非他官可比，朕常恨不得為之！[20]

---

19 《宋朝事實類苑》，頁 523。

20 《宋朝事實類苑》，頁 32。

因此在宋代士大夫的心目中，「館職」—出任館閣之職務，[21]是無比崇高的，宋代許多著名文人、學者都出身館職，這也是宋人「重文」之一證。

宋人重視文獻的思想，更表現在大型書籍的編纂上。太祖即位不久，開寶四年（971），即命中官往成都雕印《大藏經》，至太平興國八年（983）完成，凡 1078 部，5048 卷，是爲《開寶藏》，亦爲宋人編纂大型圖書之始。至太宗朝，進入編書之高峰期。太宗本人重視讀書，過於太祖，嘗曰：

> 朕性喜讀書，開卷有益。每見前代興廢，以為鑑戒。雖未能盡記，其未聞未見之事，固以多矣！
> 夫教化之本，治亂之源，苟無書籍，何以取法？[22]

因而當太宗在位時，便積極組織人力，進行各種圖書的編纂。雖然對於太宗推動大型圖書的編輯工作，也有另外一種解讀的立場，例如王明清《揮麈後錄》云：

> 太平興國時，諸降王俱死。其舊臣或有怨言，太宗盡收用之，寘之館閣，使修書。如《冊府元龜》、《文苑英華》、《太平廣記》之類，皆廣其卷帙，厚其廩祿贍給，以役其心，故

---

21 宋代館職的情況，參見李更《宋代館閣校勘研究》第二章（南京：鳳凰出版社 2006 年），頁 46-51。

22 《宋朝事實類苑》，頁 21。

多卒老於文字之間。[23]

但是宋代因此而形成一種普遍重視文獻典藏與運用的風氣，卻也是不爭的事實。

宋人編纂大型圖書一般以所謂「四大類書」最爲知名，即《太平御覽》、《太平廣記》、《文苑英華》、《冊府元龜》，其中三種完成於太宗朝，《冊府元龜》完成於真宗大中祥符六年（1013）。史云：

> 太宗銳意文史，太平興國中，詔李昉、扈蒙、徐鉉、張洎等門類群書為一千卷，賜名《太平御覽》。又詔昉等撰集野史小說為《太平廣記》五百卷，類選前代文章為一千卷，曰《文苑英華》。[24]
>
> 真宗詔諸儒編君臣事迹一千卷，曰《冊府元龜》；不欲以后妃婦人等事廁其間，別纂《彤管懿範》七十卷。[25]

除前述幾部之外，太宗還命人編輯醫方一千卷，名《神醫普救》。[26]

這四大類書中，《文苑英華》是繼《文選》之後最大的詩文總集，對後世的影響甚大。《文苑英華》的編輯過程是：太平興國七年（982）九月，當纂修《太平御覽》的工作接近完成時，太宗又

---

23 《宋人軼事彙編》，頁 15。

24 《宋朝事實類苑》，頁 19。

25 《宋朝事實類苑》，頁 29。

26 參見曹之《中國古籍編撰史》（武漢：武漢大學出版社 2005 年），頁 227。

以「諸家文集其數至繁，各擅所長，蓁蕪相間。」決定整理宋以前的文集。前後共二十多人參與其事，至雍熙三年（986）十二月修成《文苑英華》一千卷。至眞宗朝，曾兩次校勘全書，以臻完善。[27]《宋會要輯稿》〈崇儒四之三〉：

> 景德四年（1007）八月，詔三館秘閣直館校理，分校《文苑英華》、李善《文選》，摹印頒行。《文苑英華》以前所編次未精，遂令文臣擇古賢文章，重加編錄，芟繁補闕，換易之，卷數如舊。

《文選》所收上起先秦，下迄梁初，《文苑英華》即上起梁代，下迄於唐。分文體爲三十八類，也與《文選》相同。全書選錄之作家有兩千兩百人，詩是其中主要的文體，也是收錄最多作品的一種文體（卷一五一至三三○）。而《文苑英華》所收之詩作十之八九爲唐人所作，約有一萬多首，可說集唐詩之大成。清人編纂《全唐詩》、《全唐文》等即多取材於《文苑英華》。

《文苑英華》成書後本應即時雕板印行，未幾因宮城失火，以致書稿遭到燒燬，而民間一直有抄本流傳。直到南宋寧宗嘉泰年間，宰相周必大（1126～1206）卸官之後，命門人彭叔夏、胡柯等據各種文獻重加校訂，而後刊印行世（1205）。彭叔夏並撰《文苑英華辨證》十卷，發凡起例，將書中訛誤情況分爲二十一類，逐項論述，成爲校勘學的名著。

---

27 《玉海》卷54「雍熙文苑英華」條。

《文苑英華》的重要價值即在於保存了許多唐代的文學資料，周必大〈文苑英華序〉[28]云：

> 是時印本絕少，雖韓、柳、元、白之文，尚未甚傳。其他如陳子昂、張說、張九齡、李翱等諸名士文集，世尤罕見。修書官於宗元、居易、權德輿、李商隱、顧雲、羅隱輩，或全卷收入。

近人整理出版明刊本《文苑英華》時也指出：[29]

> 《文苑英華》的資料價值約有三個方面：
> 第一，《英華》中收錄的大批詔誥、書判、表疏、碑誌，只要善加利用，可以考訂載籍的得失，補充史傳的缺漏。
> 第二，唐人文集見於《新唐書‧藝文志》著錄的，有三百多家，……明朝人和清朝人曾經對一部分亡佚的文集做過輯補，主要的材料來源仍然離不開《英華》。《四庫全書》中所保存的七十六家唐人文集，其中李邕、李華、蕭穎士、李商隱等人的集子都是這樣輯出來的。補遺工作可做的也很多。
> 第三，宋人編訂的唐人文集，所據材料往往和《英華》源出兩途，文字有所差異，可以互相比較。至於明清人編訂的唐

28　見《文苑英華‧事始》（北京：中華書局影印明刊本《文苑英華》第一冊，1995年），頁8。

29　《文苑英華‧事始》，頁3。

> 人文集，《英華》一書更是重要的校勘依據。……此外，《英華》中還有不少「集作某」、「某史作某」的小注，這樣的小注正是以宋本校宋本的校勘記，對後人校勘該集該史有參考價值。

宋人除編纂類書之外，學者們尤其關注對唐人詩文集的蒐集整理，從文學史的角度看，這些行爲對於宋詩的發展具有重要意義。以下略作陳述：

宋初學者在編纂前述《太平御覽》等幾部大書時，曾利用機會對唐代的文獻資料有所整理，例如曾參與《文苑英華》編輯的宋白（936～1012）：「嘗聚書數萬卷，唐賢編集遺落者多，白纘續之。」[30]稍後的大藏書家宋綬（991～1040），曾編《唐大詔令集》，提供研究唐代史事的重要資料。而宋人整理編輯唐詩代表人物李白、杜甫的詩文集，更可以爲顯例。

李白詩集在唐代原有「草藁萬卷」，其族人李陽冰（約 721～785）據以編成《草堂集》二十卷，到了宋初，其竄亂殘缺的情形已甚爲嚴重。咸平元年（998）樂史作〈李翰林別集序〉云：

> 李翰林歌詩，李陽冰纂為《草堂集》十卷，史又別收歌詩十卷，與《草堂集》互有得失，因校勘排為二十卷，號為《李翰林集》。今於三館中得李白賦、序、表、贊、書、頌等亦排為十卷，號曰：《李翰林別集》。

30　《宋史》卷 439，頁 13000。

熙寧元年（1068）宋敏求作〈李太白文集後序〉云：

> 治平元年（1064），得王文獻公溥家藏白詩集上、中、下帙，凡廣一百四篇，惜遺其下帙。熙寧元年，得唐・魏萬所纂白詩集二卷，凡廣四十四篇。因裒唐類詩諸篇，洎刻石所傳、別集所載者，又得七十七篇，無慮千篇。沿舊目而釐正其彙次，使各相從，以別集附於後。……合為三十卷。

由此可知，李白詩文之得以流傳後世，宋人整輯之功實不可沒。[31]

至於杜甫詩文，因爲其寫實主義的「詩史」風格契合宋代知識份子的憂患意識，更加受到重視，整理、注釋、刊行杜詩的人不知凡幾。《郡齋讀書志》卷九已謂：「本朝自王原叔（王洙）以後，學者喜觀甫詩，世有爲之注者。」宋代甚至曾出現《集千家注批點杜工部詩集》這樣的書（後世所謂「千家注杜」即從此來），說明杜詩受到宋人歡迎的狀況。[32]正因爲宋人的普遍重視杜甫的詩歌，形成學習杜詩的風氣，其「以詩爲文」的特色也就影響了宋詩。[33]

宋代目錄所著錄的唐人文集，除正本之外，常見有「集外文」

---

31 周勛初〈宋人發揚前代文化的功績〉，收入《國際宋代文化研討會論文集》（成都：四川大學出版社 1991 年），頁 60。

32 近人編輯《杜集書目提要》（濟南：齊魯書社 1986 年），著錄宋人刊行的杜甫詩集 17 種；周采泉編《杜集書錄》（上海：上海古籍出版社 1979 年）也收宋人之作達 42 種之多，均可證明此一現象。

33 參見曾棗莊〈論宋人對杜詩的態度〉，收入《宋詩綜論叢編》（高雄：麗文文化公司 1993 年），頁 219-237。

之類的著錄，如《郡齋讀書志》於《高適集》十卷之外，著錄《集外文二卷、別詩一卷》；《李觀文編》三卷之外，著錄《外集》二卷；《柳宗元集》三十卷之外，著錄《集外文》一卷；劉禹錫《夢得集》三十卷之外，著錄《外集》十卷等，也說明宋人在整理唐人詩文集時努力於拾遺補闕的成績。

其他受到宋人喜愛而加以蒐集、整理、注釋的詩文集，還有《陶淵明集》、《韓愈文集》、《柳宗元文集》、《李商隱詩集》等[34]。

三、歐陽脩與文獻整理

在一般文學史的記載中，歐陽脩的古文、詩、詞都有卓越的成就，使其文學家的聲譽掩蓋一切。然而歐陽脩的成就是多方面的，文學之外，其經學、史學，都有傳世之作。他所編輯的《集古錄》，開後世金石之學。做為一個知識份子，歐陽脩也受到宋代重文獻學風的影響。

首先，歐陽脩本身也是出身館閣，而且其一生有三次擔任館職，在宋代是極少數的特例。第一次是景祐元年（1034）閏六月，因王曙之荐，召試學士院，充館閣校勘。第二次是康定元年（1040）六月，自權武成軍節度判官廳事召回，任館閣校勘。第三次是嘉祐七年（1062）三月，提舉三館秘閣，寫校書籍，同譯經潤文。[35]這

34 參見張富祥《宋代文獻學研究》（上海：上海古籍出版社 2006 年），頁 223-237。

35 見〈廬陵歐陽文忠公年譜〉，收入《歐陽脩全集》，上冊（北京：中國書店 1994 年），頁 4、5、16。

三次擔任館職的經歷，不但充實了歐陽脩的學問，也使他對於館閣的職能有充分的認識。他曾撰〈論館閣取士劄子〉，又撰〈乞補館職劄子〉、〈乞寫秘閣書令館職校讎劄子〉等三篇文章，討論館閣的職能。[36]如云：

> 館閣之職，號為育才之地。今兩府闕人，則必取於兩制（翰林學士謂之內制，中書舍人、知制誥謂之外制）；兩制闕人，則必取於館閣，然則館閣，輔相養才之地也。

又云：

> 學士待制，號為侍從之臣，所以承晏閒，備顧問，以論思獻納為職。自祖宗以來，尤所精擇，苟非清德美行、藹然眾譽，高文博學、獨出一時，則不得與其選。是以選用至艱，員數至少。官以難得為貴，人以得職為榮。縉紳之望既隆，則朝廷之體增重。

歐陽脩擔任館職期間，還參與了宋代最重要的官修目錄《崇文總目》的編纂，並在其文集中留下了三十篇〈敘釋〉。

仁宗景祐元年（1043）閏六月，因爲三館、秘閣所藏，或有謬亂不全的書籍，於是命翰林學士張觀、知制誥李淑、宋祁等看詳，決定其存廢，譌謬者刪去，差漏者補寫，並倣效《開元四部錄》，

---

36 《歐陽脩全集》，下冊，頁 875、900、901。

依准國史《藝文志》，著爲目錄。又詔翰林學士王堯臣、史館檢討王洙、館閣校勘歐陽脩等校正條目，討論撰次，定著三萬六百六十九卷，分類編目，總成六十六卷，於慶曆元年（1041）奏上，賜名《崇文總目》。

由現存歐陽脩文集中的《崇文總目敘釋》來看，歐陽脩實際上是主編者之一，《總目》中有些創新的體例和議論，很可能就是出於他的意見。到了嘉祐六年（1061），歐陽脩還奏請將兵書、天文等秘本一併修訂校勘。

至於歐陽脩與文獻學的關係，可以分爲兩項析論之：

（一）勤學與文獻搜集

衆所周知，歐陽脩四歲喪父，由其母親鄭氏教養成人，在讀書求學的過程中，刻苦自勵，留下了「畫地學書」的美名。[37]而永叔的好學與博識，當時已傳誦人口，如：吳充〈歐陽公行狀〉：

> 公幼孤，家貧無資，太夫人以荻畫地，教以字書。稍長，從閭里借書讀，或手抄之，抄未畢而成誦。[38]

歐陽發〈先公事跡〉：

---

37 此事見於歐陽發〈先公事跡〉；蘇轍〈歐陽文忠公神道碑〉；《宋史》本傳（卷319）等，其他各種文獻亦多有之。

38 《歐陽修全集》附錄，下冊，頁191。

先公平生，於物少所嗜好，獨好收蓄古文圖書，……藏書一萬卷，雖至晚年，暇日惟讀書，未嘗釋卷。[39]

蘇舜欽〈和韓三謁歐九之作〉：

永叔聞我來，解榻顏色喜，殷勤排清樽，甘酸飣果餌。圖書堆滿床，指論極根柢。……永叔經術深，爛熳不可既，雖得終日談，百未出一二。[40]

歐公生平也常自述其勤於讀書、求書的景況，如：洪邁《容齋隨筆》卷四引〈張舜民與石司理書〉：

（歐陽）公云：「吾昔貶官夷陵，方壯年，未厭學，欲求《史》、《漢》一觀，公私無有也。無以遣日，因取架閣陳年公案，反覆觀之，見其枉直乖錯，不可勝數。」[41]

《居士集》卷一〈讀書〉詩：

念昔始從師，力學希仕宦，豈敢取名聲，惟期脫貧賤；忘食日已餔，燃薪夜侵旦。……歲月不我留，一生今過半，前時

---

39 《歐陽脩全集》，下冊，頁283。

40 《歐陽脩全集》，上冊，頁18。

41 《歐陽脩資料彙編》（北京：中華書局1995年），頁238。

可喜事，閉眼不欲見，惟尋舊讀書，簡編多朽斷。古人重溫故，官事幸有閒，乃知讀書勤，其樂固無限。[42]

甚至歐公因長時間讀書，眼力受損，但是仍然不停用功，葉夢得《石林燕語》云：

歐陽文忠近視，常時讀書甚艱，惟使人讀而聽之。

《居士集》又有〈鎭陽讀書〉詩自言其臨老讀書之境況：

春深夜苦短，燈冷餤不長，塵蠹文字細，病眸澀無光；坐久百骸倦，中遭群慮戕，尋前顧後失，得一而十忘，乃知學在少，老大不可彊。

凡此，皆可看出歐公勤讀好學之精神。

歐公教人作詩作文，也常以多讀書爲訓，如：歐公〈試筆〉云：

作詩須多誦古今人詩，不獨詩爾，其他文字皆然。[43]

蘇軾《東坡題跋》卷一：

---

42 《歐陽脩全集》，上冊，頁 62。

43 《歐陽脩全集》，下冊，頁 1051。

頃歲，孫莘老識歐陽文忠公，嘗乘間以文字問之，公曰：「無他術，唯勤讀書而多為之，自工。世人患作文字少，又嬾讀書，每一篇出，即求過人，如此少有至者。」[44]

至於歐公所曾讀之書，可以從其詩文及後人筆記中推知一二，如：
《居士集》卷一〈讀易〉：

莫嫌白髮擁朱輪，恩許東州養病臣，飲酒橫琴銷永日，焚香讀《易》過殘春。

又〈蘇主簿挽歌〉：

諸老誰能先賈誼？君王猶未識相如；我獨空齋掛塵榻，遺編時讀子雲書。

朱弁《曲洧舊聞》卷一：

歐公在潁上，日取《新唐書》列傳令子棐讀，而公臥聽之。[45]

案：《新唐書》列傳爲宋祁撰，本紀、志、表則歐公所撰。

44 《歐陽脩資料彙編》，頁 92。
45 《歐陽脩資料彙編》，頁 195。

勤學之餘，歐陽脩亦頗好藏書，前引吳充〈行狀〉已提及歐公自幼即經常向他人借書來抄寫，此應爲歐公藏書之始。中年以後，藏書尤富。〈六一居士傳〉自述其藏書達一萬卷，集錄三代以來金石遺文一千卷，在北宋而言已是了不起的大藏書家了。《通志·藝文略》著錄「歐陽參政書目一卷」，今不傳。

除了蒐集中土的圖書文獻，歐陽脩還注意到海外的文獻典藏，《居士外集》卷四有一首〈日本刀歌〉，云：

> 傳聞其國居大島，土壤沃饒風俗好，……徐福行時書未焚，逸《書》百篇今尚存。令嚴不許傳中國，舉世無人識古文。先王大典藏夷貊，蒼波浩蕩無通津。[46]

雖然「逸書百篇」只是一個傳說，但是歐陽脩的這個看法，卻穿越時空，影響到八百多年後，清朝末年的一位藏書家楊守敬（1839～1915），啓發他於光緒六年（1880），利用擔任駐日使館隨員的機會，東渡日本，前後六年，蒐集大量的遺文逸籍，帶回中國，[47]

46　《歐陽脩全集》，上冊，頁372。案：本文在「紀念歐陽脩一千年誕辰國際學術研討會」宣讀後，承蒙特約討論人洪本健教授提供訊息：據王水照教授研究，〈日本刀歌〉並非歐陽脩作，而是司馬光作。經查王教授之文見《半肖居筆記》（北京：東方出版中心1998年）頁47-51。此處姑仍其舊，以俟詳考。

47　楊守敬《日本訪書志·緣起》云：「庚辰（即光緒六年，1880）東來日本，念歐陽公百篇尚存之語，頗有收羅放佚之志。乃日遊市上，凡板已毀壞者皆購之，不一年，遂有三萬餘卷。雖無秦火不焚之籍，實有奇然未獻之書。」見吳天任《楊惺吾先生年譜》（臺北：藝文印書館1974年），頁142。

至今保存完好，大部分還典藏於臺北的故宮博物院。

歐陽脩的藏書內容，目前所知不多，茲舉文集與後人所記資料，略舉二例：[48]

樓鑰〈跋春秋繁露〉：

> 《繁露》一書凡得四本，……然止於三十七篇，終不合《崇文總目》與歐陽文忠公所藏八十二篇之數。

《郡齋讀書志》卷十八〈鮑溶詩五卷〉：

> 以史館本與歐陽公所藏互校，得二百三十三篇，今本有一百九十二篇，餘逸。

（二）治學與文獻整理

歐陽脩的藏書絕非藏而不讀，而是運用藏書進行文獻整理與學術研究。如其子歐陽棐在〈集古錄・錄目記〉中云：

> 家君命棐曰：「吾集錄前世埋沒缺落之文，豈徒出於嗜好之僻，而以為耳目之玩哉？其為所得亦已多矣！」

〈集古錄・自序〉云：

48 參見潘美月先生《宋代藏書家考》（臺北：學海出版社 1980 年），頁 83。

> 上自周穆王以來，下更秦漢、隋唐五代，外至四海九州、名山大澤莫不皆有，以為《集古錄》。……又以聚多而終必散，乃撮其大要，別為〈錄目〉，因并載夫可與史傳正其闕謬者，以傳後學，庶幾益於多聞。

〈刪正黃庭經序〉云：

> 有《黃庭經》石本者，乃永和十三年（357）晉人所書，其文頗簡，以較今世俗所傳者，獨為有理，疑得其真。……乃為刪正諸家之異，一以永和石本為定。其難曉之言，略為註解。[49]

歐陽脩整理之古籍文獻甚多，然而其中又以整理韓愈詩文集影響最大，可說是後來形成宋詩特色的一大關鍵。

前人論宋詩特色，指出「以文字為詩」、「以議論為詩」、「以才學為詩」等三項。[50]從源流而論，唐代杜甫的作品中已經出現了這三項特色，但眞正完整具備這三項特色的卻是韓愈。因此宋詩顯然主要繼承了韓愈的風格，而這個特色正是由歐陽脩所奠定的。

北宋初年，詩風猶存五代習氣，因之「西崑體」盛行。至眞、仁之際，柳開、穆修等人開始提倡學韓，但迴響尚少。直到歐陽脩

---

49 《歐陽脩資料彙編》，頁 287、471。

50 參見王水照〈宋代詩歌的藝術特點和教訓〉，收入《宋詩綜論叢編》（高雄：麗文文化公司 1993 年），頁 63-86。

知貢舉，大力提倡韓文，才逐漸改變宋代文壇的風尚，韓愈的地位也越來越重要。

另一方面，據南宋方崧卿撰《韓文舉正・敘錄》所引，可知韓愈詩文集自唐代起，已經有四、五種傳本行世，甚至直到南宋初年都還看得到。但韓愈文集早期仍以抄本爲主，至宋代始有刊本。北宋初期，柳開、穆修等復古運動的先驅，都曾收藏過韓愈的詩文集，也都推崇韓愈在文章道統方面的重要地位。穆修甚至可能是宋代刊印韓愈詩文的第一人。[51]這種理論提倡與文獻收藏印行交集的現象，絕非巧合，而是文學發展的一體兩面。

歐陽脩從少年時期就接觸到韓愈的作品，從此即以韓文韓詩做爲自己的典範，力求光大韓愈的詩文風格。歐陽脩曾自述這段經過：

《居士集・記舊本韓文後》：

> 予少家漢東，家貧無藏書，州南有大姓李氏者，其子堯輔頗好學。予為兒童時，多遊其家，見有弊筐貯故書在壁間，發而視之，得唐《昌黎先生文集》六卷，脫落顛倒無次序。因乞李氏以歸，讀之，見其言深厚而雄博。……集本出於蜀，文字刻畫頗精於今世俗本，而脫謬尤多。凡三十年間，聞人有善本者，必求而改正之，其最後卷帙不足，今不復補者，

---

51 參見拙作〈韓愈詩文在唐宋的整理刊行及其影響〉，《故宮學術季刊》20卷第 2 期，2002 年。修訂稿收入拙作《圖書文獻學考論》（臺北：里仁書局 2005 年），頁 91-106。

> 重增其故也。予家藏書萬卷，獨此《昌黎先生集》最為舊物。[52]

又《集古錄跋尾・唐田弘正家廟碑》云：

> 余家所藏書萬卷，惟《昌黎集》是余為進士（前）時所有，最為舊物。自天聖以來，古學漸盛，學者多讀韓文，而患集本訛舛。惟余家本屢經校正，時人共傳，號為善本。及後集錄古文，得韓文之刻石者，以校集本，舛謬猶多，當以石本為正。乃知文字之傳，久而轉失其真者多矣，則校讎之際，決於取捨，不可不慎也。

案：歐公所藏蜀本韓集今不傳，據《直齋書錄解題》卷十六所言，南宋方崧卿撰《韓文舉正》，其「《外集》但據嘉祐蜀本劉煜所錄二十五篇，而附以石刻聯句」云云，可見北宋前期蜀中確有韓集刻本。歐公所藏，或許即劉煜本的祖本。

韓愈的散文與詩歌作品，由唐至宋，其遭遇是完全不同的。就散文而言，韓愈提倡古文，在當時雖然受到很大的反對壓力，但是經過不斷努力，終究贏得了成功。其門人李漢〈昌黎先生文集序〉云：

> 時人始而驚，中笑而排，先生益堅，終而翕然隨以定。嗚呼！

---

52 〈廬陵歐陽文忠公年譜〉繫此事於大中祥符九年（1016）條下，時歐陽脩年方十歲。

先生於文，摧陷廓清之功，比於武事，可謂雄偉不常者矣！

可以爲證。相反的，在宋詩形成新面貌之前，韓詩所受到的待遇，是非常冷淡的。晚唐人對韓愈的肯定多止於古文，與杜甫合稱「杜詩韓筆」，[53]而不及其詩。由五代至北宋初年，情況大致相同。直到歐陽脩主持文壇，集合了一批志同道合的友朋與門生，才合力改變了這個局面。歐陽脩既是古文家，也是詩人，他既喜好韓文，又愛好韓詩。在《六一詩話》中，曾自述其對韓詩的欣賞與推崇：

退之筆力無施不可，而嘗以詩為文章末事，故其詩曰：「多情懷酒伴，餘事作詩人」也。然其資談笑、助諧謔、敘人情、狀物態，一寓於詩，而曲盡其妙。此在雄文大手，固不足論，而予獨愛其工於用韻也。蓋其得韻寬，則波瀾橫溢，泛入旁韻，乍還乍離，出入回合，殆不可拘於常格，如〈此日足可惜〉之類是也。得韻窄，則不復旁出，而因難見巧，愈險愈奇，如〈病中贈張十八〉之類是也。余嘗與聖俞論此，以謂譬如善馭馬者，通衢廣陌，縱橫馳逐，惟意所之。至於水曲蟻封，疾徐中節，而不少蹉跌，乃天下之至工也！

雖然歐公稱讚的是韓詩的用韻，但由「天下之至工」一語，也可看出歐公推崇韓詩之情。而由前引〈記舊本韓文後〉等二文可以看出，

53 杜牧《樊川詩集》卷二〈讀韓杜集〉（臺北：中華書局《四部備要》本），頁 8。

歐陽脩之學韓崇韓，是與他數十年辛勤蒐集韓愈的詩文文獻，整理韓愈文集的工作分不開的。也就是在歐陽脩的倡導與推動之下，學習韓愈詩文的風氣逐漸開展興盛，而註解、刊刻印行韓愈詩文的人士也愈來愈多，終於完成了宋詩的典範轉移，宋詩的獨特風貌也於焉形成。

四、結　論

一、宋人特重文獻是普遍風氣，而宋人重視古籍的蒐集、整理、註釋與刊行，也直接影響了宋代文學的發展。宋詩特色的形成，可說與宋代的文獻學風有密切關係。周勛初先生曾指出：

> 總的看來，宋代學者在編纂《太平御覽》等幾部大書時，曾對唐代之前的文獻資料有所整理。在刊刻唐前的各家別集和總集時，則大都因循舊本，少所加工，因而保存了古籍的原貌。唐代距宋代最近，留傳的文獻資料最多，因此宋代學者在總結和發揚唐代文化上貢獻最大，特別是在整理文學典籍方面更是如此。聯繫《文苑英華》中保存的唐人詩文集來看，更能說明這一點。[54]

二、從歐陽脩身上，可以看到個體與群體之間的交互影響。歐陽脩是集政治家、古文家、詩人、詞人於一身的人物，同時他也是

54 〈宋人發揚前代文化的功績〉，頁62-63。

藏書家、文獻學家，是宋代復古運動的領袖。歐陽脩一方面繼承了宋初以來重視文獻的風尚，身體力行的整理韓愈的詩文集。另一方面，他也開創了宋人解經的新觀念、著史的新規律、金石的新學科，也奠定宋詩發展的新方向。[55]於此，歐陽脩在宋代文化史上的關鍵地位，從文獻學的視角，也可以得到相同的結論。

55 參見蔡世明《歐陽脩的生平與學術》（臺北：文史哲出版社 1986 年），頁 223-224。

詩人與類書——以黃庭堅之詩學爲例

一、前　言

類書，簡單的說即是「類事之書」，是一種體裁特殊的工具書，在中國出現的時間相當早，其出現的原因則與文學發展有關。

先秦、西漢的文學，無論散文或詩歌，大多是質樸無文，鍾嶸《詩品・中・序》云：

> 夫屬詞比事，乃為通談。若乃經國文符，應資博古；撰德駁奏，宜窮往烈。至乎吟詠情性，亦何貴乎用事？「思君如流水」既是即目；「高臺多悲風」亦唯所見；「清晨登隴首」羌無故實；「明月照積雪」詎出經史？觀古今勝語，多非補假，皆由直尋。[1]

東漢以後，文風逐漸有所轉變，《文心雕龍・事類》云：

1　《詩品・中》（上海：上海古籍出版社 1996 年曹旭《集注》本），頁 174。

> 觀夫屈、宋屬篇，號依詩人，雖引古事，而莫取舊辭。唯賈誼〈鵩賦〉，始用「鶡冠」之說；相如〈上林〉，撮引李斯之書，此萬分之一會也。及揚雄〈百官箴〉，頗酌於詩書；劉歆〈遂初賦〉，歷敘於紀傳；漸漸綜採矣。至於崔、班、張、蔡，遂捃摭經史，華實布濩，因書立功，皆後人之範式也。[2]

黃季剛先生（1886～1935）《文心雕龍札記》進一步指出：

> 漢、魏以下，文士撰述，必本舊言。始在資於訓詁，繼而引錄成言，終則綜輯故事。爰自齊、梁而後，聲律對偶之文大興，用事采言，尤關能事。其甚者，捃摭細事，爭疏僻典。以一事不知為恥，以字有來歷為高；文勝而質漸以漓，學富而才為之累。[3]

以上所引，都說明上古文學由質變文、由簡趨繁的發展大勢。王夢鷗先生（1907～2002）指出漢魏六朝文學演變，其中一個特徵是「文體的辭賦化」，[4]劉師培（1884～1919）〈論文雜記〉則具體說明其內容是：

---

2 《文心雕龍》（臺北：里仁書局1984年周振甫《注釋》本），頁705。

3 《文心雕龍札記》（上海古籍出版社2000年），頁188。

4 王夢鷗〈漢魏六朝文體變遷之一考察〉（收入《傳統文學論衡》，臺北：時報文化出版公司1987年），頁75。

> 建安之世，七子繼興，凡有撰著，悉以排偶易單行。即有非韻之文，亦用偶文之體，而華靡之作，遂開四六之先，而文體復殊於東漢一也。[5]

這就是「駢儷文學」。

魏、晉駢儷文學的主要表現手法乃是「堆砌詞藻」與「繁用典故」，才氣縱橫的人，固然可以廣蒐博覽，以記憶爲文；一般的文人就只好依賴翻檢類書了。黃先生《文心雕龍札記》又說：

> 夫文章之事，才學相資。才固為學之主，而學亦能使才增益。……淺見者臨文而躊躇，博聞者裕之於平素。天資不足，益以彊記，彊記不足，助以鈔撮。自《呂覽》、《淮南》之書，《虞初》、《百家》之說，要皆採取往書，以資博識。後世《類苑》、《書鈔》則輸資於文士，效用於謏聞。以我搜輯之勤，祛人繙檢之劇，此類書之所以日眾也。[6]

學術界一般都以魏文帝時所編的《皇覽》做爲類書出現的開始。[7]《玉海・藝文》卷五十四說：「類事之書始於《皇覽》。」《三國志・魏志・文帝紀》記載：

---

5 《劉申叔先生遺書》（臺北：華世出版社 1975 年）第二冊，頁 853-854。

6 《文心雕龍札記》，頁 188。

7 類書出現的時代，牽涉到類書定義的問題，此處所採，係文獻學界通常的看法。見《玉海》卷 54（南京：江蘇古籍出版社 1990 年），頁 1025。

> 帝好文學，以著述為務，自所勒成垂百篇。又使諸儒撰集經傳，隨類相從，凡千餘篇，號曰《皇覽》。

曹魏時代之所以開始出現類書，即與當時的文學風尚有密切關係。魏文帝本身就是文學家，與當時的文人集團「建安七子」共同形成駢儷文學的風氣。相沿至於南朝，更形變本加厲。《詩品·序》又云：

> 大明、泰始中，文章殆同書鈔。近任昉、王元長（融）等，詞不貴奇，競須新事。爾來作者，寖以成俗，遂乃句無虛語，語無虛字，拘攣補衲，蠹文已甚！

所謂「殆同書鈔」，正可說明當時詩人創作時依賴類書的嚴重情形。而為了因應前述駢儷文學的兩種表徵手法，當時的類書也可分為兩種類型：一種是專供「堆砌詞藻」的，如張眎《擿句》；王微、張纘《鴻寶》；沈約《珠叢》；庾肩吾《采璧》等。以這種觀念來看，類似《昭明文選》、《文章流別集》這一類書籍，雖然被歸類為「總集」，無妨也可看做是類書的一種；另一種就是「繁用典故」的，如《皇覽》與《華林遍略》等。

應當注意的是：雖然類書的原始目的之一是為了文學的創作，然而自古以來，有不少學者認為：古代帝王下詔編纂類書是另有政治目的，並非學術目的。[8]但是目的是一回事，結果又是另一回事。類書與文學的關係，仍然是不容忽視的。

本文即試圖從詩歌創作的角度，觀察古代類書所具有的作用與意義，提供一個了解文學創作的新方向。

二、宋代的類書

從曹魏時代出現類書，降及宋代，編纂類書的風氣更形普遍。《宋史．藝文志》特別在子部設立「類事類」記錄類書，共收各種類書三百零七種、一萬一千三百九十三卷。[9]又據張滌華的研究，宋代編纂的類書總計七十四種，至於題作出於宋人之手而存疑的更多達九十種。[10]

宋人所編類書中最著名，影響也較大的就是官方編纂的「四大類書」，其中《文苑英華》一千卷，完全是詩賦文章的類集，亦可說是前述「堆砌詞藻」一類類書的繼承。雖然這部書也不免「陳陳相因」、「應有而無，應無而有」的缺點，但是其「主要的意圖，在於爲讀書人和官僚提供考試、作文和辦公應酬的方便，使應用者有所依傍，得以摹倣拼湊」[11]的特點，仍然是身爲類書的必然功能。

---

8 持這種觀點的如：王明清《揮麈後錄》卷一；劉塤《隱居通義》卷十三；戚志芬《中國的類書、政書與叢書》（臺北：臺灣商務印書館 1994 年）；姚瀛艇主編《宋代文化史》（臺北：雲龍出版社 1995 年）等。

9 類書獨立設類，始於《新唐書．藝文志》，《宋史》因之（卷 207）。

10 張滌華《類書流別》（北京：商務印書館 1985 年修訂本），頁 52-58。

11 《文苑英華》（北京：中華書局 1995 年景印本）書前〈出版說明〉。

宋代私人編纂的類書也是種類繁多，數量驚人。茲據張滌華《類書流別》所考，將現存的宋代私人編纂的類書列舉如下：

《事類賦》三十卷　吳淑撰

《文選雙字類要》三卷　蘇易簡撰

《類要》十五卷　晏殊撰

《春秋經傳類對賦》一卷　徐晉卿撰

《書敘指南》二十卷　任廣撰

《海錄碎事》三十三卷　葉廷珪撰

《孔氏六帖》三十卷　孔傳撰

《皇朝事實類苑》二十六卷　江少虞撰

《帝王經世圖譜》十卷　唐仲友撰

《經子法語》二十四卷　洪邁撰

《史記法語》八卷　洪邁撰

《南史精語》十卷　洪邁撰

《諸史提要》十五卷　錢端禮撰

《錦繡萬花谷》四十卷　闕名撰

《左氏摘奇》十三卷　胡元質撰

《璧水群英待問會元選要》八十二卷　劉達可撰

《事文類聚》前集六十卷、後集五十卷、續集二十八卷、別集三十二卷　祝穆撰

《翰墨大全》一百二十五卷　劉應李撰

《記纂淵海》一百卷　潘自牧撰

《玉海》二百卷　王應麟撰

《小學紺珠》十卷　王應麟撰

《源流至論》前集十卷、後集十卷、續集十卷　林駉撰；別集十卷　黃履翁撰

《皇鑒箋要》六十卷　林駉撰

《事林廣記》前集、後集、續集、別集、新集、外集各二卷　陳靚撰，明 鍾景清增補（又有一本題作《新編纂圖增類群書類要事林廣記》四十卷）

《山堂考索》前集六十六卷、後集六十五卷、續集五十六卷、別集二十五卷　章如愚撰（或作《山堂群書考索》、《山堂先生群書考索》）

《雞肋》一卷　趙崇絢撰

《楊氏六帖》二十卷　楊伯嵒撰

《全芳備祖》前集二十七卷、後集三十一卷　陳景沂撰

《古今合璧事類備要》前集六十九卷、後集八十一卷、續集五十六卷、別集九十四卷、外集六十六卷　謝維新撰

《詩學大成》三十卷　毛直方撰

《書言故事》十卷　胡繼忠撰（又有十二卷本，題作《書言故事大全》），陳玩直注

《群書會元截江網》三十五卷　闕名撰

《秘籍新書》十六卷　謝枋得撰（一作《秘笈新書》）

《重廣會史》一百卷　闕名撰

《數類》四十卷　闕名撰

另據各大圖書館善本書目著錄，現存宋人所編類書還有：

《太學分門增廣聖賢事實》存四卷　（中國國圖）

《太學新增合璧聯珠萬卷菁華》存一卷（中國國圖）

《新編婚禮備用月老新書》二十四卷（國圖）

《類編秘府圖書畫一元龜》五卷（臺北故宮）

宋人如此致力於類書的編輯，一方面反映出宋代文學的一個側面，另一方面對於宋代文學的發展，也必然產生相當程度的影響。以下即舉江西詩派的開山祖師黃庭堅（1045～1105）爲例，探討宋代詩人創作時與類書存在何種關係。

三、黃庭堅的詩學與類書之關係

南宋嚴羽《滄浪詩話》卷一〈詩辨〉，曾經歸納宋詩的特色，提出一個很有名的論斷：「近代諸公乃作奇特解會，遂以文字爲詩、以才學爲詩、以議論爲詩。」此外，由於江西詩派的提倡，「以故爲新」也是宋詩特色之一，而這些特點都與古典文獻的閱讀學習是分不開的。[12]

章學誠《文史通義．文理篇》有云：

> 韓退之曰：「記事者必提其要，纂言者必鉤其玄。」……果何物哉？蓋亦不過尋章摘句，以為撰文之資助耳。此等識記，古人當必有之，如左思十稔而賦〈三都〉，門庭藩溷，皆著紙筆，得即書之。今觀其賦，並無奇思妙想，動心駭魄，

12 參見吳小如〈宋詩漫談〉、王水照〈宋代詩歌的藝術特點和教訓〉，收入張高評主編《宋詩綜論叢編》（高雄：麗文文化公司 1993 年），頁 4-10；頁 64-82。

當藉十年苦思力索而成。其所謂得即書者，亦必標書誌義，先掇古人菁英，而後足以供驅遣耳。[13]

章實齋從漢賦的特質，指出詩人在創作時，必須先廣泛吸收古代作品的菁華，以爲己用，這個觀點正和宋代詩人的看法一致。

章實齋引韓愈的話，也提示我們注意到唐代的詩人已經開始自行編纂類書，以備作詩之用。例如《宋史・藝文志》還記載了：「李商隱《金鑰》二卷」，再據相傳「李商隱爲文，多檢閱書冊，左右鱗次，號『獺祭魚』」[14]的傳說來看，可知此一《金鑰》應即是一部類書，證明章實齋的說法，頗爲有據。李商隱的詩就是好用典故，如《對床夜語》卷四：

前輩云：詩家病使事太多，蓋皆取其與題合者類之，如此乃是編事，雖工何益？李商隱〈人日〉詩云：……正如前語。

又《全唐詩話續編》卷上引《蛩溪詩話》：

義山詩好積故實，……一篇中用事者十之七八。

---

13 《文史通義》卷三（臺北：仰哲出版社 1990 年景印詹鍈《校註》本），頁 288。

14 見《楊文公談苑》（周勛初主編《唐人逸事彙編》，上海：上海古籍出版社 1995 年，頁 1232）。宋・文同有〈李堅甫淨居雜題一十三首並序〉詩：「縑緗羅几格，無限有奇書，想在中間坐，渾如獺祭魚。」亦用此典故。

所謂「如此乃是編事」、「好積故實」都與類書脫不了關係。

既然唐代詩人有自編類書的作法，宋代詩人無不以唐人為典範，自然也會繼承了這個傳統。以宋代詩人而言，「江西詩派」與典籍文獻學習、閱讀的關係最密切，反映在詩歌的創作也最明顯。其中黃庭堅的創作理論與作品實踐，最可說明詩人與類書存在的密切關係。

首先，面對唐詩「籠罩百代」的光燄，宋人要能夠獨樹一幟，與唐詩分庭抗禮，只有努力求新求變，開創前人所未有，才可能「不隨人後，自成一家」。宋人嘗試的途徑包括了「會通化成」、「破體出位」、「化俗為雅」、「以故為新」、「詩歌語言的陌生化」等等。[15]這些途徑雖各有重點，卻也有一個共同基礎，就是對於前代各種古典文獻的學習、熟讀、蘊釀。翁方綱曾指出：

> 宋人精詣，全在刻抉入裡，而皆從各自讀書學古中來，所以不蹈襲唐人也。

正是說明宋人為何普遍重視讀書的重要。

其次，黃庭堅本身就是非常強調讀書的，其言論如：

> 讀書浩湖海。（〈贈別李端叔〉）
> 願君借我藏書目，時送一鴟開瓌魚。（〈酬胡朝請〉）

15 參見張高評《宋詩之新變與代雄》（臺北：洪葉文化事業有限公司 1995年），頁 1-7。

身入群經作蠹魚，斷編殘簡伴閒居。（**〈讀書呈幾復〉**）
雖無季子六國印，乞讀田郎萬卷書。[16]（**〈戲簡田子平〉**）

多讀書再加上多學習、揣摩，正是學詩作文的方法：

詞意高勝，要從學問中來爾。後來學詩者，時有妙句，譬如合眼摸象，隨所觸體得一處，非不即似，要且不是。若開眼則全體見之，合古人處不待取證。……作文字須摹古人，百工之技，亦無有不法而成者也。**〈論作詩文〉**

後人對黃山谷的主張讀書也有所發明，如陳善《捫蝨新語》卷一：

山谷云：「學作議論文字，須取蘇明允文字觀之，並熟看董、賈諸文。」又云：「欲作楚辭，追配古人，直須熟讀《楚辭》，觀古人用意曲折處，講習之，然後下筆。」

施潤章《蠖齋詩話》：

山谷言：「近世少年不肯深治經史，徒取助詩，故致遠恐泥。」

---

16 案：田郎指田鈞，宋．江陵人，藏書甚富，山谷嘗書「萬卷堂」以名其室。其父田偉亦為北宋重要藏書家，有「博古堂」藏書，時稱「荊南田氏」。《郡齋讀書志》著錄《田氏書目》六卷。見《藏書紀事詩》卷一（上海古籍出版社 1999 年王欣夫《補正》本），頁 22。

黃庭堅對於詩歌創作技法，最主要的命題是「奪胎換骨」與「點鐵成金」。北宋詩僧惠洪（1071～1128），其《冷齋夜話》卷一記載：

> 山谷云：「詩意無窮，而人之才有限，以有限之才，追無窮之意，雖淵明、少陵不得工也。然不易其意而造其語，謂之『換骨法』；窺入其意而形容之，謂之『奪胎法』。」學者不可不知。[17]

黃山谷「點鐵成金」的說法，見於其〈答洪駒父書〉：

> 老杜作詩，退之作文，無一字無來處。蓋後人讀書少，故謂韓、杜自作此語耳。古之能為文章者，真能陶冶萬物，雖取古人之陳言入於翰墨，如靈丹一粒，點鐵成金也。

闕名著《道山清話》也說：

> 曾紆云：「山谷用樂天語作黔南詩，……紆愛之，每對人誦，謂是點鐵成金也。」

可知「點鐵成金」與「奪胎換骨」也只是用字不同，意思是差不多的。自此以後，凡是論及江西詩派的詩歌，尤其是站在反對立場的

17 傅璇琮編《黃庭堅與江西詩派卷》（高雄：麗文文化事業公司 1993 年）上冊，頁 32。

人，幾乎都以「奪胎換骨」做爲其主要旨趣而痛加批判。

平心而論，黃氏的說法在詩歌創作的過程中是有一定意義的，不全然是所謂「只是向古人集中作賊耳！」（清・馮班《鈍吟雜錄》卷四）。在文藝的創作歷程中，透過對前人作品的學習、摹倣，進而獨創、超越，是必經的途徑。黃庭堅所提出的「點鐵成金」與「奪胎換骨」，只是著重說明學習、摹倣的過程，並不是目的，更不是「唯一目的」！其終極目標仍是自出機杼——「轉古語爲我家物」、「自成一家始逼眞」。

分析黃山谷用於詩歌創作時的方法，有如下幾種：

（一）用典故

如：張邦基《墨齋漫錄》：

> 山谷詩云：「爭名朝市魚千里」，予問諸學士「魚千里」，多云此《齊民要術》載范蠡種魚事，注：「池中做九墩。」心頗疑之。後因讀《尹文子》云：「以盆為沼，以石為島，魚環游之，不知其幾千萬里不窮也。」乃知前輩用事賅博，字皆有來處。

（二）用句式

如：范溫《潛溪詩眼》：

> 昔嘗問山谷：「耕田欲雨刈欲晴，去得順風來者怨。」山谷

云：「不如『千巖無人萬壑靜，十步回頭五步坐。』此句法出《黃庭經》。」

（三）用字詞

如：曾季貍《艇齋詩話》：

山谷〈浯溪〉詩：「凍雨為洗前朝悲」，凍雨，暴雨也，出《楚辭》。

在具體的化用方式上，又可以分成：移置式、借用式、加工式、變化式等四種。黃庭堅的這些技法在詩歌創作上的意義則包括了：以故爲新、啓發靈感、融鑄新意、增加詩之強度等。[18]

最後，論斷黃山谷創作詩歌時利用類書的證明：

（一）直接證據

魏泰《臨漢隱居詩話》：

黃庭堅喜作詩得名，好用南朝人語，專求古人未使之事，又一二奇字，綴葺而成詩。自以為工，其實所見之僻也。故句雖新奇，而氣乏渾厚。

18 張福勛〈於襲故中創新——奪胎換骨辨說〉，收入《宋詩論集》（呼和浩特：內蒙古人民出版社 1997 年），頁 121。

再據《冷齋夜話》卷二：

> 予嘗館州南客邸，見所謂常賣者，破篋中有詩編寫本，字多漫滅，皆晉簡文帝時名公卿，而詩語工甚，有古意。

可知當時確實有許多人以抄撮古詩爲創作之資，黃庭堅必然有類似輯本。清代的翁方綱（1733～1818）甚至看過黃庭堅的手寫稿本，其《復初齋文集》卷二十九有云：

> 黃文節公手錄雜事墨蹟凡一百六十五題，皆漢、晉間事，中間用紅筆塗乙點識，又云某條見前帙，又記其題下之若干若干者，蓋此其中間半冊耳，前後所錄，不知其幾也。

又云：

> 嘗於《永樂大典》中見山谷所為《建章錄》者，散見數十條，正與此冊相類。然後知古人一字一句皆有來處，至於千彙萬狀、左右逢源而無不如志者，非可倖而致也。

另一個更直接的佐證是：

吳曾《能改齋漫錄》云：

> 豫章〈漁父〉詩：「范蠡歸來思狡兔，呂翁何意兆非熊。」又：「巖居大士是龍象，草堂丈人非熊羆。」按《六韜》、

> 《史記》：「非龍非麗 ，非虎非羆」，無熊字，恐豫章別有所本。葉大慶《考古質疑》卷三云：「大慶觀李翰《蒙求》云：『呂望非熊』，徐狀元補注且引《後漢書·裴駰傳》注云：『西伯出獵，卜之曰：所獲非龍非麗 、非熊非羆。』」所謂非熊，蓋本於此。

此處云山谷所據的所謂「李翰《蒙求》」，雖然是一種童蒙讀物，本質上卻也正是一本類書。[19]

（二）間接推測

宋代已經有許多人指出黃庭堅的詩歌喜歡使事用典，而且往往是「僻典」，這些僻典的來源，一方面是自己廣讀群書而後摘錄的，另一方面應該就是依賴類書。如闕名著《南窗紀談》云：

> 至黃魯直，始專集取古人才語以敘事，雖造次間必期於工，遂以名家，士大夫皆效之。

又如許尹〈黃陳詩註序〉：

> 宋興二百年，文章之盛追還三代，而以詩名世者，豫章黃庭

---

19 《蒙求》，唐·李翰編，全書凡 596 句、2384 字。從各種古籍中收集了 592 個典故，包含六百多個歷史人物，做為兒童的啟蒙讀物。此書還流傳到日本，影響深遠。見南寧：廣西教育出版社 1992 年「中國古代教養讀物叢書」本〈前言〉。「呂望非熊」為本書第一段第四句。

> 堅魯直。其用事深密，雜以儒佛，《虞初》、《稗官》之說、《雋永》、《鴻寶》之書，牢籠漁獵，取諸左右，後生晚學此秘未睹者，往往苦其難知。

《南窗紀談》之說雖然並不十分清楚，但許尹則直指黃庭堅的詩作是有秘訣的（此秘未睹），這個「秘訣」即是「雋永鴻寶之書」，也就是運用類書了。

四、結　論

文藝創作要求完全出於作者的獨創，絲毫不得因襲前人，原本就很不容易。古典詩歌的寫作，受到句數、字數、格律的限制，更加困難。從摹倣、承襲中變異生新，是創作時的不二法門。黃庭堅的詩學創作理論，雖然不免落人口實，指責他：「除卻書本子，則更無詩！」（王夫之《夕堂永日緒論》）或者說：「黃魯直離《莊子》、《世說》一步不得。」（《寓簡》卷八）但是其得力於「博極群書」、「轉益多師」而開創了宋詩獨特的風貌，卻也不容否定。劉克莊〈江西詩派小序〉云：

> 國初詩人，如潘朗、魏野，規規晚唐格調，寸步不敢走作；楊、劉則又專為崑體，故優人有撏撦義山之誚。蘇、梅二子，稍變以平淡、豪俊，而和之者尚寡；至六一、坡公，巍然為大家數，學者宗焉，然二公亦各極其天才筆力之所至而已，非必鍛鍊勤苦而成也。豫章稍後出，薈萃百家句律之長，窮

> 極歷代體制之變，搜獵奇書，穿穴異聞，作為古律，自成一家，雖隻字半句不輕出，遂為本朝詩家宗祖。

劉克莊（1187～1269）雖是屬於「江湖詩派」的詩人，其詩歌承繼的榜樣正是黃庭堅，而他自己的創作也是「仿《初學記》，駢儷爲書，左旋右抽，用之不盡。…終身不敢離尺寸」。[20]

從黃庭堅的例子，我們可以明確的看到詩人運用類書做爲捃拾素材的捷徑，以幫助其創作的方式，從而對於傳統類書與文學之間的關係，有更深一層的認識。[21]

---

20 〈宋代詩歌的藝術特點和教訓〉，頁 86。

21 參見唐光榮《唐代類書與文學》（成都：巴蜀書社 2008 年），頁 9-12。

陸游之藏書及其文學

一、前　言

西哲有云：「人的影響短暫而微弱，書的影響則廣泛而深遠」。[1]圖書，是人類文明進步的產物，記載了人類的智慧與經驗。同時因爲圖書的累積與傳播，使得前人的智慧與經驗，在不斷傳承、學習之中，更促進了人類文明繼續向前邁進。另一方面，自從圖書產生以來，就有圖書保存、收藏的事實，也就是藏書活動。圖書的產生與圖書的收藏，這兩者交織而成歷代豐富耀眼的藏書文化。

所謂「藏書文化」，是指古代公、私藏書活動的表現，及其所展示的社會文化意義。其內容包含了藏書主體與藏書客體，藏書主體是指收集保管圖書的人員或私人藏書家；藏書客體指的是圖書與藏書樓。[2]其中藏書主體是推動藏書文化進步的主要因素。藏書文化是歷代整體文化業績的一部分，並且具有重要地位，舉凡學術思想、文學風尚、經濟交流、文獻保存與整理，無不和藏書文化有密

---

1 李廣宇編《書文化大觀》（北京：中國廣播電視出版社 1994 年），頁 408 引普希金（Aleksandr Pushkin，1799～1837）語。

2 周少川《藏書與文化——古代私家藏書文化研究》（北京：北京師範大學出版社 1999 年），頁 11。

切關係。因此，從文化的角度，研究古代藏書活動，便具有深遠的學術意義。

中國藏書文化源遠流長，可以推溯至殷商時代。從現存的甲骨文保存的情況來看，當時已經有分類存放的觀念。甲骨的層疊，也有一定次序。而且商代已經有建全的史官制度，負責甲骨的管理與存藏。[3]可知在殷商時代，藏書文化已經初步建立了。周代以後，宮廷藏書（官府藏書之一）不斷發展，西漢末年劉向父子大規模整理中秘藏書的事，標示了藏書文化的一大進步。

至於私人藏書，淵源也很早。春秋戰國時代，就已經有明確的私人藏書家記載。如《墨子・貴義》：

> 子墨子南遊，使衛、關中，載書甚多。

《莊子・天道》：

> 孔子西藏書於周室。子路謀曰：「由聞周之徵藏史有老聃者，免而歸居。夫子欲藏書，盍試往因焉。」

《韓非子・喻老》：

> 王壽負書而行，見徐馮於周途。馮曰：「智者不藏書，今子

3　任繼愈主編《中國藏書樓》第一冊（瀋陽：遼寧人民出版社 2001 年），頁 336-345。

何獨負之而行？」

等皆是。漢代以後私人藏書家更是代代有之。

藏書文化演進及至宋代，可說是達到前所未有的高峰。宋代藏書文化空前發達的原因主要有以下三個：

（一）重文政策形成文化高度發展

宋太祖立國之初，即有意識的重用文臣，裁抑武將。其目的雖然是爲了「強幹弱枝」，增加中央集權的力量，避免走上五代軍閥割據的老路，但是「重文治，輕武事」的普遍結果，造成了宋代社會整體文化素質的提昇。就地域而言：

> 今吳、越、閩、蜀，家能著書，人知挾冊。

就社會階層而言：

> 家盡弦誦，人識律令，非獨士為然。農工商各教子讀書，雖牧兒饁婦，亦能口誦古人言語。[4]

所以《宋史・藝文志一》總結說：

4　並見張邦煒〈宋代文化的相對普及〉，收入《國際宋代文化研討會論文集》（成都：四川大學出版社 1991 年），頁 77。

> 宋有天下，先後三百餘年，考其治化之隆汙，風氣之離合，雖不足以擬倫三代，然其時君汲汲於道藝，輔治之臣莫不以經術為先務；學士縉紳先生，談道德性命之學，不絕於口，豈不彬彬乎進於周之文哉！[5]

（二）科舉與學校教育增加圖書的需求

宋代培養與重用文人的管道主要有二：一是通過科舉考試，提拔各種人才；另一則是普遍設立學校，增加就學人口。以南宋首都臨安爲例，《都城紀勝》記載：

> 都城內外，自有文武兩學，宗學、京學、縣學之外，其餘鄉校、家塾、舍館、書會，每一里巷須一二所，弦誦之聲，往往相聞。[6]

其結果是《宋史‧選舉志》所說：「學校之設遍天下，而海內文治彬彬。」（卷 157）另外，書院制度的建立，更是重要的文化建設，帶動讀書研究的風氣，也直接促進藏書事業的發達。宋代書院藏書較多的，如應天府書院「聚書千五百卷」；樂林書院聚書千卷；伊川書院「貯書萬卷」；梁山書院藏書兩萬卷；由魏了翁（1178～1237）

---

5 《宋史》卷 202（北京：中華書局 1998 年），頁 5031。

6 〈宋代文化的相對普及〉，頁 76。

創立的鶴山書院藏書更達十萬卷之多！[7]凡此皆可看出書院藏書已成宋代藏書文化重要的一環。

（三）雕版印刷加速圖書的流通與普及

如前述，宋代因教育普及，讀書人增加，因此對於圖書的需求量也增加了，圖書的生產方式勢必也要跟著進步，否則無法供應。此時雕板印刷的便利正符合所需。景德二年（1005），國子監祭酒邢昺（932～1010）曾對宋真宗說到圖書增加的快速：

> 臣少業儒，觀學徒能具經疏者百無一二，蓋傳寫不給。今板本大備，士庶家皆有之，斯乃儒者逢時之幸也！[8]

蘇軾也曾感慨的說：

> 余猶及見老儒先生，自言其少時，欲求《史記》、《漢書》而不可得。幸而得之，皆手自書，日夜誦讀，惟恐不及。近歲，市人轉相摹刻諸子、百家之書，日傳萬紙。學者之於書，多且易致如此。[9]

由於以上三個因素的交互激盪，形成宋人普遍喜好藏書、讀書，並

---

7 《中國藏書樓》第二冊，頁 892。

8 《玉海・藝文部》卷 43（揚州：廣陵書社 2003 年），頁 814。

9 〈李氏山房藏書記〉，收入《蘇東坡全集》前集第 32 卷（臺北：河洛圖書出版社 1975 年），頁 389。

構成豐富的藏書文化。宋代藏書文化又呈現出以下兩種現象：

（一）公藏圖書的豐富

宋初，太祖已開始著重朝廷的藏書情況，太宗、眞宗、仁宗、徽宗都曾下詔求書。《宋史・藝文志》總結了歷朝藏書的情況：

> 嘗歷考之：始太祖、太宗、真宗三朝，三千三百二十七部，三萬九千一百四十二卷；次仁、英兩朝，一千四百七十二部，八千四百四十六卷；次神、哲、徽、欽四朝，一千九百六部，二萬六千二百八十九卷。最其當時之目，為部六千七百有五，為卷七萬三千八百七十有七焉。迨夫靖康之難，而宣和、館閣之儲，蕩然靡遺。高宗移蹕臨安，乃建秘書省於國史院之右，搜訪遺佚。屢優獻書之賞，於是四方之藏稍稍復出，而館閣編輯，日益以富矣。當時類次書目，得四萬四千四百八十六卷。至寧宗時續書目，又得一萬四千九百四十三卷，視《崇文總目》又有加焉。[10]

可見帝王重視藏書的成效。綜觀有宋一代朝廷藏書的處所也比唐代要多，舉其重要者如：崇文院（包含昭文館、史館、集賢院等三館）、秘書省、國子監、譯經院、宮內各殿閣（龍圖閣、天章閣、寶文閣、徽猷閣、煥章閣等）。

10 《宋史》卷 202，頁 1304。

（二）私人藏書空前發達

宋代藏書之風在民間的興盛，更超越宮廷，許多藏書家的收藏量甚至比國家藏書還多。如宋綬（991～1040），字公垂，仁宗時參知政事，諡宣獻。其藏書：

> 兼有畢文簡（士安）、楊文莊（徽之）兩家之書，其富蓋有王府不及者。
>
> 宋宣獻家藏書過於秘府。章獻明肅太后稱制，未有故實，於其家討論，盡得之。[11]

又如李淑（1002～1059），字獻臣，編有《邯鄲圖書志》十卷，藏書數量據《郡齋讀書志》統計有二萬三千一百八十六卷。以上兩家，陸游曾撰文述及：

> 本朝藏書之家，獨稱李邯鄲公、宋常山公，所蓄皆不減三萬卷。而《宋書》校讎，尤為精詳。（**〈跋京本家語〉**）

據現代學者的研究統計，宋代兩百多年間，藏書家輩出，至少超過六百人，藏書總數達萬卷以上的藏書家也有兩百一十四人，這在中國藏書史上確是空前的。[12]

---

11 范鳳書《中國私家藏書史》（鄭州：大象出版社 2001 年），頁 86。

12 《中國私家藏書史》，頁 82。

在宋代衆多的藏書家中，有許多人同時是文學家或詩人，這是藏書史與文學史上一個值得探討的現象。舉例來說，北宋著名文學家如：晏殊（991～1055），是重要的詞人，家富藏書，曾手校《世說新語》，世傳爲善本。其子晏幾道（約 1030～1106），也好聚書。又如歐陽脩（1007～1072），既是詩人、古文家，也是經學家，整理過許多古代文獻。同時歐公也是重要藏書家，他自號「六一居士」，就包含了藏書一萬卷、金石文字一千卷。北宋末年趙明誠（1081～1129）、李清照（1084～1151）夫婦的故事，尤爲大家所熟知。[13] 到了南宋，文學家兼藏書家者仍然衆多，其中又以陸游（放翁）最具代表性。本文即嘗試以陸游爲例，探討藏書文化與文學創作之間的關係。

二、陸游之藏書

陸游（1125～1210），字務觀，號放翁，又號笠澤漁隱、龜堂老人等，南宋越州山陰人，是宋代著名的詩人，與尤袤（1127～1194）、楊萬里（1127～1206）、范成大（1126～1193）並稱「南宋四大家」。衆所週知，在中國文學史上，陸游是以他豐富多產的詩歌創作以及貫徹其間的愛國精神著稱的，但是在另一方面，陸游

13　李清照〈金石錄後序〉曾詳細描述了其夫妻共同收集圖書金石的樂趣，是藏書史上著名的佳話。見《藏書紀事詩》卷一（上海：上海古籍出版社 1999 年），頁 39-41。

也是南宋的一大藏書家，卻很少有文學史提及。[14]

陸游的藏書，其實有其家族傳統。據《嘉泰會稽志》記載，在南、北宋之交，越州（即紹興）有三大藏書家族——陸氏、石氏、諸葛氏。[15]其中陸氏家族的藏書淵源可以追溯到北宋中葉。

陸琮（1016～1082），字寶之，陸游的叔祖，歷知壽春、上元，入朝爲奉朝大夫、輕車督尉。爲人尚氣節，工詩文，以俸祿之餘廣蒐圖籍，自言：「吾以此終身，亦以此遺子孫可矣。」

陸游的祖父陸佃（1042～1102），字農師，號陶山。早年受經於王安石，熙寧三年（1070）進士，徽宗朝官至吏部尚書。陸佃同時也是一位學者，著有《禮記新義》、《春秋後傳》、《爾雅新義》、《埤雅》、《鶡冠子注》、《陶山集》等。

陸佃長子陸寘，字元法，歷知明州、淮南、江浙、荊湖發運判官。工於書法，手抄經史百家之書數十百卷，皆親加箋校。陸游曾追述其事云：

> 伯父自幼被疾，以左手書，然筆力清健，平生抄書至數十百卷。

又云：

---

14 以筆者檢閱所及，似乎還沒有任何一本文學史著作曾經提到陸游是藏書家。反而是藏書史研究的著作，常會記載陸游的藏書。

15 石氏是石公弼的「博古堂」；諸葛氏是進士諸葛行仁。見《嘉泰會稽志》卷十六；業師 潘美月先生《宋代藏書家考》（臺北：學海出版社 1980 年），頁 134。

> 世父大夫公自幼得末疾，以左手作字。性喜抄書，嘗鈔王岐公《華陽集》百卷，筆筆無卷意。豈特其書可貴重哉？亦可見其為人矣。[16]

《老學庵筆記》卷二亦云：

> 伯父通直公，字元長，病右臂，以左手作字，而字法勁健過人。

陸佃次子即陸游的父親陸宰（1088～1148），字元鈞，北宋末官朝請大夫、直秘閣，京西路轉運副使。高宗紹興十三年（1143），恢復秘書省，下詔徵求民間藏書，詔書中指名向陸宰家求書，當時陸家獻上的圖書有一萬三千多卷，陸氏藏書之富，可想而知。

陸游繼承了父、祖的藏書遺傳，自幼就非常喜歡聚書，他曾在詩中這樣說：「我生學語即耽書，萬卷縱橫眼欲枯。」[17]又說：「平生喜藏書，拱璧未爲寶」。[18]陸游有一篇題爲〈書巢記〉[19]的散文，記載了他藏書的狀況：

> 陸子既老且病，猶不置讀書，名其室曰「書巢」。客有問曰：

---

16 〈跋世父大夫詩稿〉，《渭南文集》卷30，收入《陸放翁全集》（北京：中國書店1995年。以下引陸游詩文之版本皆同此）。

17 〈解嘲〉（《劍南詩稿》卷26）。

18 〈冬夜讀書〉（《劍南詩稿》卷15）。

19 《渭南文集》卷18。

「……今子幸有屋以居，牖戶牆垣，猶之比屋也，而謂之巢，何也？」陸子曰：「子之辭辯矣，顧未入吾室。吾室之內，或栖於櫝，或陳於前，或枕藉於床，俯仰四顧，無非書者。吾飲食起居、疾痛呻吟、悲憤憂嘆，未嘗不與書俱。賓客不至，妻子不覿，而風雨雷雹之變，有不知也。間有意欲起，而亂書圍之，如積槁枝，或至不得行。則輒自笑曰：此非吾所謂巢者耶？」乃引客就觀之，客始不能入，既入又不能出。乃亦大笑曰：「信乎其似巢也！」

從其「俯仰四顧，無非書者」來看，可以想見陸游藏書的繁富。

陸游藏書的處所還有名爲「老學庵」者，並輯有《老學庵筆記》一書。[20]又有「雙清堂」、「玉笈齋」、「可齋」、「玉華樓」、「酴醿庵」、「龜堂」等名，均見於放翁所撰之藏書題跋。[21]

從《渭南文集》所收錄的題跋來分析，陸游的藏書內容約有以下幾個特點：

---

20 「老學庵」取義於《說苑·建本》：「師曠曰：臣聞之，少而好學，如日出之陽；壯而好學，如日中之光；老而好學，如炳燭之明。炳燭之明，孰與昧行乎？」見趙善詒撰《說苑疏證》卷三（上海：華東師範大學出版社1985年），頁73。

21 署「老學庵」者，如：〈跋胡少汲小集〉；署「雙清堂」者，如：〈跋京本家語〉；署「玉笈齋」者，如：〈跋老子道德古文〉；署「可齋」者，如：〈跋后山居士詩話〉；署「玉華樓」者，如：〈跋司馬子微餌松菊法〉；署「酴醿庵」者，如：〈跋彩選〉；署「龜堂」者，如：〈跋淵明集〉。

（一）唐人詩文集

唐詩是中國文學的珪寶，聲光籠罩百代，人所共知。宋人生於唐後，爲唐詩所限，要能「新變代雄，自成一家」，自非學唐、變唐不可。因此宋代詩人無不學唐，成敗的關鍵在於是否入而能出。陸游是南宋一大詩家，也是宋詩中的佼佼者，其學詩過程是從江西詩派入手，而江西詩派又是主張勤學唐人的，當然陸游與唐詩的關係是很密切的。從陸游的題跋可以看出其收藏的唐人詩文集非常豐富，列舉如下：

《劉隨州集》、《唐御覽詩》、《岑嘉州詩集》、《溫庭筠詩集》、《中興間氣集》、《柳柳州集》、《金奩集》、《許用晦丁卯集》、《盧肇集》、《皇甫先生文集》、《王右丞集》、《樊川集》、《宗元先生文集》、《孟浩然詩集》、《李衛公集》、《李太白詩集》、《松陵唱和集》。

其中值得注意的是有些唐人詩文世不易見，陸游的題跋具有參考的作用。如〈跋宗元先生文集〉云：

> 宗元先生吳貞節，唐史有傳，以歌詩名天寶中，此一卷，蓋見雲章寶室云。

宗元先生即吳筠（？～778），字貞節，唐開元、天寶間道士，其弟子私謚爲「宗玄先生」。放翁題作「宗元」者，元字乃宋人避趙氏始祖趙玄朗之諱而改。其文集世無單行本，僅《道藏》中保留有數篇。

又如〈跋唐盧肇詩〉云：

> 前輩謂印本之害，一誤之後，遂無別本可證，真知言哉！〈病馬〉詩云：「塵土臥多毛已暗，風霜受盡眼猶明」，足為當時佳句。此本乃以「已」為「色」，以「猶」為「光」，壞盡一篇語意，未必非妄校者之罪也。

盧肇文集[22]傳世甚稀，《郡齋讀書志》載有《文標集》三卷，《皕宋樓藏書志》著錄舊抄本，源自南宋童說紹興庚辰（1160）刊本，則放翁所批評者或即此本。[23]

（二）名人書跡

陸游不但勤於藏書，也勤於蒐集前代與當代名人的手札、碑刻、簡帖等，或應其後人之請撰述題跋，其中不少具有史料參考價值。如〈跋東坡帖〉：

> 成都西樓下，有汪聖錫所刻《東坡帖》三十卷，其間〈與呂

---

22 盧肇（818～882），字子發，唐．江西宜春文標鄉人。會昌三年（843）狀元及第，歷宣、池、吉等州刺史，所至有善聲。善書畫，精小學，著有《文標集》、《廟堂龜鑑》、《盧子史錄》、《逸史》、《愈風集》、《大統賦注》等百數十卷。其生平元．辛文房《唐才子傳》亦未著錄，參見周勛初主編《唐人逸事彙編》卷23（上海：上海古籍出版社1995年），頁1305-1307。

23 萬曼《唐集敘錄》（臺北：明文書局1988年），頁293。

給事陶〉一帖，大略與此帖同。是時時事已可知矣，公不以一身禍福易其憂國之心，千載以下，生氣凜然！忠臣烈士，所當取法。

又如〈跋李虞部與范忠宣公啓〉：

某家藏先大父遺書，其牘背多當時士大夫牋啟。刺字不過曰「尚書左丞」，或曰「左丞中大」而已，數十百人無一異者。此建中靖國之元也，上距元祐又十餘年，風俗之淳厚可知。

〈跋謝師厚書〉：

謝師厚早歲與歐陽兗公、王荊公、梅直講、江記注諸人遊，名甚盛。晚則蹭蹬，居穰下二十餘年，學愈進，文章愈成。獨後諸公死。子愔、悰，甥黃魯直，皆知名天下。然年運而往，士大夫鮮能知師厚者。今觀吾友傅漢孺所藏其上世摹刻，實師厚遺文。至〈送行詩〉，雜之宛陵詩中，殆不可辨。字則宋宣獻父子之流亞也。

其他如〈跋林和靖帖〉、〈跋周侍郎奏稿〉、〈跋雲丘詩集後〉等，亦均有史料價值。

（三）道教經典

宋代初年，朝廷對於道教就非常禮遇，太宗、眞宗、徽宗三朝尤其篤信、獎勵道教，宋眞宗時甚至建立文官「提舉宮觀」的制度。[24]在這種環境裡，士大夫家族與道教關係密切的很多。陸游的曾祖父陸軫，傳說自幼得到仙人指點，後來又曾學習煉丹術，自號「朝隱子」，有「道帽羽服」的圖像流傳，[25]可說是兼具有道士的身份。陸游自己曾經先後五次「提舉宮觀」，[26]游宦各地時又經常和道士交往。晚年曾製作道帽、道衣，頗有效法乃祖之意。[27]其所藏道教典籍，有先世遺留的，也有自各地道觀傳錄而來的。如〈跋家藏造化權輿〉：

> 右《造化權輿》六卷，先楚公舊藏，有九伯父大觀中提字。淳熙壬寅（1128），得之故第廢紙中，用別本讎校，而闕其不可知者。兩本俱通者，亦具疏其下。

---

24 「提舉宮觀」即是「祠祿官」，又名「宮觀使」，是宋代優遇士大夫的一種制度。始於真宗朝，大中祥符五年（1012）以宰相王旦為玉清昭應宮使。參見卿希泰主編《中國道教史》第二卷（成都：四川人民出版社 1996 年），頁 567；郭聲波《宋代官方文化機構研究》（成都：天地出版社 2000 年），頁 12；黃惠賢主編《中國俸祿制度史》（武昌：武漢大學出版社 2005 年），頁 285。

25 〈題先太傅遺像〉（《渭南文集》卷 27 ）。

26 這五次是：孝宗淳熙三年（1176），主管台州崇道觀；淳熙九年（1182），主管成都府玉局觀；光宗紹熙二年（1191），提舉建寧武夷山沖佑觀；寧宗嘉泰二年（1202），提舉佑神觀；嘉泰三年（1203），提舉江州太平興國宮。

27 〈新裁道帽示帽工〉、〈新製道衣示衣工〉（《劍南詩稿》卷 39 ）。

又如〈跋坐忘論〉：

> 司馬子微師體玄先生潘師正，體玄師昇玄先生王遠知，昇玄師貞白先生華陽隱居陶宏景。故體玄語子微曰：「吾得陶隱居正一法，逮汝四世矣。」乾道二年天慶節，借玉隆藏室本傳。

案：乾道二年（1166），陸游通判隆興軍府事，治在江西南昌，當地有「玉隆萬壽宮」，陸游從其中傳抄道書甚多。〈跋老子道德古文〉有云：「玉笈齋藏道書二千卷，以此為首。」可見陸游收藏道教典籍之豐。[28]

陸游不但極力蒐藏圖書，遇到珍貴罕見的書籍，甚至出資刊印，以廣流傳。例如《岑參詩集》，陸游有跋云：

> 予自少時，絕好岑嘉州詩。往在山中，每醉歸，倚胡床睡，輒令兒曹誦之，至酒醒或睡熟乃已。嘗以為太白、子美之後一人而已。今年自唐安別駕來攝犍為，既畫公像齋壁，又雜取世所傳公遺詩八十餘篇刻之，以傳知詩律者。不獨備此邦故事，亦平生素意也。

又如《陸氏續集驗方》，陸游跋云：

---

28 案：陸游藏書之處有取名為「玉笈齋」者，亦當是取自道教的神仙之說，如《漢武帝內傳》：「侍女還，捧五色玉笈鳳文之蘊，以出六甲之文。」

> 予家自唐丞相宣公（陸贄）在忠州時，著《陸氏集驗方》，故家世喜方書。予宦遊四方，所獲亦以百計。擇其尤可傳者，號《陸氏續集驗方》，刻之江西倉司民為心齋。

此外還有《南史》、《世說新語》、《劉賓客集》、《江諫議奏議》、《修心鑑》等。

陸游的幼子子聿（一作子遹），繼承放翁的餘緒，也喜藏書。〈跋子聿所藏國史補〉云：「子聿喜蓄書，至輟衣食，不少吝也。吾世其有興者乎？」可知其藏書之志不亞於放翁。

三、陸游藏書對其詩文創作的影響

陸游的豐富藏書，不僅是一個嗜好而已，同時也充實了他的學問，甚至影響了其詩文創作。

首先，陸游寫了許多藏書題跋，其中不少是可讀性很高的散文。如〈跋吳夢予詩篇〉：

> 山澤之氣為雲，降而為雨，勾者伸，秀者實，此雲之見於用者也。子嘗見旱歲之雲乎？嵯峨突兀，起為奇峰，足以悅人之目而不見於用，此雲之不幸也。君子之學，蓋將堯舜其君民，若乃放逐憔悴，娛悲舒憂，為風為騷，亦文之不幸也。吾友吳夢予，橐其歌詩數百篇於天下名卿賢大夫之主斯文盟者，皆翕然歎譽之。末以示余，余愀然曰：「子之文，其工

> 可悲，其不幸可弔。」年益老，身益窮，後世將曰：「是窮人之工於詩歌者。」計吾吳君之情，亦豈樂受此名哉？余請廣其志曰：「窮當益堅，老當益壯，丈夫蓋棺事始定。君子之學，堯舜其君民，余之所望於朋友也；娛悲舒憂，為風為騷而已，豈余之所望於朋友哉！」

這篇文章藉由對吳夢予詩篇的評議，反映出陸游的文學觀念：讀書人不能只做騷人墨客，要能「堯舜其君民」，也就是經世濟民。陸游自己是不爲文學所限的，其〈喜譚德稱歸〉詩云：「少鄙章句學，所慕在經世，諸公薦文章，頗恨非素志。」正與此文之意相同。

又如〈跋晁百谷字敘〉：

> 名者士之所願也，而或懼太早，何哉？吾測之審矣。少而得名，我不能不矜，人不能不忌。以滿假之心，來讒慝之口，幾何其不躓也！吾元歸年甫二十，筆力扛鼎，不患無名，患太早耳。雖然洪道方力張其名，而吾獨欲其退避揜覆。元歸未必樂也，異時出入朝廷，更歷世故，會當思吾言也。

晁百谷，名元歸，北宋晁迥（948～1031）後人。此文表面上是諄諄告誡後生不要太得意成名早，其實也寓有自傷的成份。陸游自己也是少年成名，十七、八歲時就以詩文受知於曾茶山（曾幾，1084～1166），十九歲應進士舉，未成。直到紹興二十三年（1153）二十九歲，才又應浙漕鎖廳試，本爲第一，卻因爲秦檜的孫子秦塤也來應試，因而得罪秦檜，在廷試時被黜落。直到紹興三十年，秦檜死，才有機會初任福州寧德縣主簿。[29]放翁可謂深知成名太早之苦的。

其次，陸游在許多詩歌中，反映了他嗜書、好書的心情，足以令後人仰慕、學習。如〈到嚴十五晦朔郡釀不佳求於都下既不時至欲借書讀之而寓公多秘不肯出無以度日殊惘惘也〉：

> 桐君故隱兩經秋，小院孤燈夜夜愁，名酒過於求趙璧，異書渾似借荊州！溪山勝處身難到，風月佳時事不休。安得連車載郫釀，金鞭重作浣花遊。

〈抄書〉：

> 書生習氣重，見書喜欲狂！擣蘗潰剡藤，辛苦補散亡，且作短檠伴，未暇名山藏。故家借籤帙，舊友餉朱黃（原注：借書于王、韓、晁、曾諸家，而呂周輔、宇文之子友近寄朱黃墨）。皇墳探八索，奇字窮三蒼。儲積山崇崇，探求海茫茫。一笑語兒子，此是卻老方。

〈居室甚隘而藏書頗富率終日不出〉：

> 掩關小室動經旬，蠹簡如山伴此身，百億須彌藏粒芥，大千經卷寓微塵！危機已過猶驚顧，惡夢初回一欠伸，此段神通君會否？聽風雪聲待新春。

---

29 見《宋史》卷 395〈儒林傳〉。

〈秋夜讀書有感〉：

> 鬢毛焦禿齒牙疏，老病燈前未廢書。卷裏光陰能屬我，人間聲利久忘渠；窮山藏拙猶嫌淺，糲飯支羸不願餘。雨露安能澤枯朽，故人枉是費吹噓。

〈讀書示子遹〉：

> 我性苦愛讀，未始去几案，生雖後三代，意尚卑兩漢！世衰道術裂，年往朋友散，澤居貧民骨，霜冷衣露骭。獨能樂其樂，肯發窮苦歎！爾來更可笑：身羅兒吹爨，一飽輒欣然，弦誦等雝泮。望古雖天淵，視俗亦冰炭。阿遹可憐生，相守忘夜旦。孤學當世傳：歲月不可翫！

〈讀書至夜分感歎有賦〉：

> 老人世間百念衰，惟好古書心未移，斷碑殘刻亦在櫝，時時取玩忘朝飢。

從以上數詩可知：放翁不但好聚書，更好讀書，至老不衰，無愧於「老學庵」之名。而他的名句：「人生百病有已時，惟有書癖不可醫！」（〈示子聿〉）更已成爲千載藏書家共同的心聲。

有時候，單從詩題中也能看出放翁好書、惜書之情，如：〈累日多事不復能觀書感歎作此詩〉、〈鼠屢敗吾書偶得貍奴捕殺無虛日鼠幾空爲賦此詩〉等。

陸游一生創作力極強，自稱「六十年間詩萬首」。尤其晚年悠遊林下之時，幾乎是以寫詩爲日記，到了「無詩三日卻堪憂」的地步。據當代學者統計，放翁一生創作的詩歌數量大約有兩萬首，平均每天要作一首。除去自刪、失傳的，現存的詩歌也有 9138 首。[30]筆者曾大略統計了一下，在《劍南詩稿》裡，與讀書、藏書有關的詩篇至少有兩百四十多首，古今詩人大概也無出其右者。

陸游的好聚書、好讀書，也影響了他的詩歌風格與寫作技巧。陸游的創作歷程，經過了幾個階段：放翁晚年曾作〈示子遹〉詩，追述學詩的經過，有云：

> 我初學詩日，但欲工藻繪，中年始少悟，漸若窺宏大。[31]

說明陸游最初是受到「西崑體」的影響，專走「雕章麗句」的路子。其實這應該是爲了應付科舉考試，不得不然。自紹興十二年（1142）起，與曾幾遊，詩風開始有所轉變。曾幾（1084～1166）字吉甫，號茶山，其詩學出於江西詩派，與呂本中交誼很深，又極爲推崇杜、黃，[32]所以陸游也受其影響，〈示子遹〉所說：「怪奇亦間出，如石漱湍瀨」即指此。

30 歐小牧《陸游年譜》附〈陸放翁詩系年統計表〉（成都：天地出版社 1998 年），頁 214。

31 〈示子遹〉（《劍南詩稿》卷 78）。此詩作於嘉定元年（1208），參見《陸游年譜》頁 170。

32 程千帆《兩宋文學史》（上海：上海古籍出版社 1998 年），頁 296。

江西詩派的創作技巧，主張「無一字無來歷」，進一步提出「點鐵成金」、「奪胎換骨」等手法，因此勤於習古學唐，也注意變化生新。翁方綱曾指出：「宋人精詣，全在刻抉入裡，而皆從各自讀書學古中來，所以不蹈襲唐人也。」所謂「讀書學古」，自然是指深厚學養的基礎。陸游喜好藏書，對於其詩歌創作自然會有正面影響。

陸游也深愛閱讀唐詩，其中又以王維、岑參、杜甫等爲最。沈德潛《說詩晬語》卷下說：

> 《劍南集》原本老杜，而殊有獨造境地。[33]

陸游自己也屢屢提到喜讀唐詩之情，如〈跋王右丞集〉云：

> 余年十七、八時，讀摩詰詩最熟，後遂置之者近六十年。今年七十七，永晝無事，再取讀之，如見舊詩友，恨間闊之久也。

〈跋岑嘉州詩集〉云：

> 予自少時，絕好岑嘉州詩。往在山中，每醉歸，倚胡床睡，輒令兒曹誦之，至酒醒或睡熟乃已。嘗以為太白、子美之後一人而已。

---

33 《說詩晬語》卷 2（臺北：明倫出版社 1971 年景印《清詩話》本），頁 544。

但是江西詩派的作風，畢竟與陸游的性情不甚相合，而且陸游也不因此而滿足，他還是要做第三度的轉變。唐代詩人已經不能使他滿意了，〈示子遹〉詩又說：「數仞李、杜牆，常恨欠領會。元、白才倚門，溫、李真『自鄶』！」那麼陸游的轉變是什麼？有一首〈九月一日夜讀詩稿有感走筆作歌〉詩，自述其學詩的經驗，以及領悟到的「詩中三昧」，非常重要，詳舉如下：

> 我昔學詩未有得，殘餘未免從人乞，力孱氣餒心自知，妄取虛名有慚色。四十從戎駐南鄭，酣宴軍中夜連日，打毬築場一千步，閱馬列廄三萬疋。華燈縱博聲滿樓，寶釵艷舞光照席，琵琶絃急冰雹亂，羯鼓手勻風雨疾。詩家三昧忽見前，屈賈在眼元歷歷！天機雲錦用在我，翦裁妙處非刀尺。世間才傑固不乏，秋毫未合天地隔，放翁老死何足論，廣陵散絕還堪惜！

這首詩作於紹熙三年（1192），陸游已經六十八歲了，回想中年時代曾經短暫的身處國防前線，並且參與軍旅生活，卻帶給陸游完全不同的人生體驗，也改變了他的詩風。[34]從此，他由唐詩的李、杜、

---

34 放翁於乾道六年（1170）入蜀，任夔州通判；八年二月，入四川宣撫使王炎幕，為陳進取之策。此時宣撫使治所已遷至南鄭（陝西漢中），正是抗金的最前線。十一月，王炎被召還，放翁也改除成都府安撫使參議官，前後在軍中十個月。後來陸游的詩歌中對這段經歷津津樂道，也一再藉此紓發其恢復中原的壯志豪情。參見邱鳴皋《陸游評傳》（南京：南京大學出版社 2002 年），頁 141-147。

元、白中脫離出來，上探「屈、賈」的藩籬（「詩家三昧忽見前，屈賈在眼元歷歷！」）。〈答鄭虞任檢法見贈〉詩中說：

> 文章要須到屈宋，萬仞青霄下鸞鳳，區區圓美非絕論，彈丸之評方誤人！

所謂「圓美、彈丸」之論，乃出於謝朓答沈約語，宋人常引來強調「活法」的重要。[35]由此詩可知，陸游反對一味在技巧上鑽研，忽略詩歌的內容。陸游的風格從江西入而不從江西出，應是得力於他的「飽以五車書，勞以萬里行。」（〈感興〉）；在思想內容上，陸游一生創作了許多志在恢復中原的「愛國詩」，卻不是只為一家一姓呼喊，而是放眼於全中國，不能不說是受到屈原、賈誼愛國精神的鼓舞！[36]

四、結　論

就詩歌藝術而言，陸游詩的主要風格表現為雄渾奔放、氣象開闊，而不失曉暢平易、清新自然。陸游可說是一位「轉益多師」的詩人，其豪邁處似李白，沉鬱處似杜甫，平易如白居易，瑰奇如岑參。再就詩歌體裁而言，陸游的詩無體不備。其七古長於用短，富於文采而清新流暢；七絕佳作累累，與王安石、楊萬里、范成大、

---

35 《南史・王筠傳》：「謝朓常見語云：『好詩圓美流轉如彈丸。』」

36 《陸游評傳》，頁 390-391。

姜夔同爲宋詩絕句之大宗；五律亦不乏精工婉暢之作。[37]而七律一體成就尤爲突出，趙翼（1727～1814）曾稱讚說：

> 放翁以律體見長，名章俊句，層見疊出，令人應接不暇。使事必切，屬對必工；無意不搜而不落纖巧，無語不新而不事塗澤。實古來詩家所未見也！[38]

正如前文的分析，這些文學成就與他藏書的豐富、研讀的勤苦是分不開的。

吳晗在《江蘇藏書家史略》的序言中說：

> 士大夫藏書之風氣，千數年來愈接愈盛，其精讎密勘，著意丹黃；秘冊借鈔，奇書互賞，往往能保存舊籍，是正舛譌。發潛德，表幽光，其有功於社會文化者亦至鉅。藏書之風氣盛，讀書之風氣亦因之而興，好學敏求之士，往往跋涉千里，登門借讀；或則輾轉請託，迻錄副本。版本既多，校讎之學因盛，績學方聞之士，多能掃去魚豕，一意補殘正缺，古書因之可讀。而自來所不能通釋之典籍，亦因之而復顯於人間。甚或比勘異文，發現前人誤失，造成學術上疑古求真之風氣。[39]

---

37 趙義山、李修生主編《中國分體文學史——詩歌卷》（上海古籍出版社2001年），頁145。

38 《甌北詩話》卷六（臺北：廣文書局1971年《古今詩話叢編》本）。

39 《江浙藏書家史略》（臺北：文史哲出版社1982年），頁117-118。

這是指出藏書影響到學術發展，而從陸放翁身上，我們可以很明顯的看出：藏書風氣不但影響學術，也影響文學創作，兩者的互動關聯，得到一個很好的印證。

前人評論宋詩特色，往往以南宋嚴羽《滄浪詩話》所提出的論斷：「以文字爲詩，以議論爲詩，以才學爲詩」，作爲討論基礎。然而對於宋詩爲何具有這些特色，卻未能充分說明。近代學術界對於宋詩的各種問題，已經有豐碩的研究成果，而宋詩特色的討論，也有超越前人的深入論證以及比較研究。[40]在宋代文化方面，學界研究也已經論定：宋代文化是以「知性反省」爲其特徵。[41]宋人普遍重視文獻的蒐集與整理，正是知性文化的表徵。因此，宋詩與宋代文獻之間的關係，頗值得探討。筆者近年來的研究，即嘗試從文獻學角度，探討宋詩的發展及其特色之形成，本文也是其中成果之一，今後筆者將賡續完成這一系列的研究計畫。

40 相關研究成果，可參見張高評主編：《宋詩論文選輯》（高雄：復文圖書公司 1988 年）；《宋詩綜論叢編》（高雄：麗文文化事業公司 1993 年）。

41 龔鵬程〈知性的反省——宋詩的基本風貌〉（收入《宋詩論文選輯》，高雄：復文圖書公司 1988 年），頁 134-187。

葉昌熾與清代宋詩風尚——論《藏書紀事詩》的文學意義

一、前　言

葉昌熾（1849～1917），字頌魯，號鞠裳、緣督廬主人，清・江蘇長洲人。光緒十五年（1889）進士，授翰林院庶吉士，官至甘肅學政。民國建立後，以遺老身份，隱居家鄉，著述以終。葉氏頗好藏書，數量雖不云甚富，亦有可觀之處。[1]其藏書之所名為「治廧室」、「奇觚庼」等，又極力蒐訪金石拓本，其「五百經幢館」所藏金石碑版，達八千餘通，僅次於繆荃孫之「雲自在龕」。[2]著

1 《緣督廬日記鈔》卷十四「宣統二年重陽日」葉氏自記所藏：「位置箱架，整理籤題。新舊本都三十三箱；湖海投贈、坊肆雕造、並不全之本三架；又臥室精本一架，與舊拓裝冊本，分上下而居之；拓片九箱。」（臺北：臺灣學生書局 1964 年），頁 487。

2 蘇精《近代藏書三十家》（臺北：傳記文學出版社 1983 年），頁 13。

有《語石》、《邠州石室錄》、《緣督廬日記鈔》、[3]《奇觚廎文集》等。

葉氏的著作中，還有極爲重要也是相當有名的一部，即是《藏書紀事詩》。就性質而言，此書是第一部全面記載古代藏書家事蹟的書，可說是近代研究中國古代藏書史的開山之作。葉氏此書問世之後，對後來研究藏書史及圖書文獻的學者啓示甚大。葉氏曾自信的說：

> 發隱闡幽，足為羽陵宛委之功臣也。[4]

吳郁生也稱讚此書：

> 獨君之《藏書紀事詩》、《語石》二編，乃二百數十年間無人薈萃之創作，文字一日不滅，此書必永存天壤。[5]

《藏書紀事詩》初創於光緒十年（1884），當時正在潘祖蔭家[6]爲西席，教導其弟潘祖年。昌熾有感於以往歷朝正史中，皆未替藏書家

3 本文依據的是民國己未（8 年，1919）王季烈節鈔本，臺灣學生書局 1964 年景印民國二十二年上海蟫隱廬石印本。南京：江蘇古籍出版社則已於 2002 年出版較完整的《緣督廬日記》，凡 12 冊。

4 《緣督廬日記鈔》卷四光緒十三年九月初五日，頁 141。

5 《緣督廬日記鈔》，卷首。

6 潘祖蔭（1830～1890），字伯寅，號鄭庵，江蘇吳縣人。咸豐二年（1852）進士，官至工部尚書、軍機大臣，謚文勤。家有「滂喜齋」、「八求精舍」

立傳；而私人收藏，旋聚旋散，藏書家生平行事，也不易長遠流傳於眾人之口，於是年遠世邈，往往流於草萊。王頌蔚〈藏書紀事詩序〉云：

> 葉子自恨家貧力薄，不能多得異書；又嘆自來藏書家節食縮衣，勼集善本，曾不再傳。遺書星散，有名姓翳如之感。因網羅前文，集摭逸事，竭八九年之力，由宋元迄今，得詩二百餘首。[7]

葉氏書前〈自序〉則云：

> 昌熾弱冠即喜為流略之學，顧家貧不能得宋元槧，視藏家書目輒有望洋之嘆。因念古人愛書如命，山澤之臞，槁首黃馘，縹緗既散，蒿萊寂然，可為隕涕。顧澗蘋先生（案：即顧廣圻）嘗欲舉藏弆源流，彙所見聞，述為一編，稍傳文獻之信。[8]

等藏書之所，所藏金石圖書，甲於吳中。葉昌熾嘗助其編纂《滂喜齋藏書記》二卷，其中以宋刻《金石錄》十卷為最著。

7 王頌蔚（1848～1895），字芾卿，號嵩隱，長洲人。咸豐六年（1856）庠生，與葉昌熾等同撰《蘇州府志》，負責藝文、古跡諸門，又為常熟瞿氏校定《鐵琴銅劍樓書目》。光緒六年（1880）進士，選庶吉士，官戶部郎中。十三年，補軍機章京。藏書之所名「寫禮廎」，著有《古書經眼錄》、《明史考證捃逸》、《隋書經籍志韻編》等。

8 案：黃丕烈〈百宋一廛賦注〉：「予嘗欲搜訪藏書家（生平），起元明之交，終於所聞見，各撰小傳，合為一集。然後如叔榮者，或不致有名氏翳如之歎。」（臺北：世界書局1980年）可知蓄有此志者非僅顧千里一人。

> 竊不自揆，肄業所及，自正史以逮稗乘方志、官私簿錄、古今文集，見有藏家故實，即裒而錄之。初欲人為一傳，自維才識譾漏，絲麻菅蒯，始終條理之不易。乃援厲樊榭〈南宋雜事詩〉、施北研〈金源紀事詩〉之例，各為一詩，條舉事實，詳注於下。

言其創作動機及經過較詳。案：厲樊榭即厲鶚（1692～1752），著有《樊榭山房文集》；施北研即施國祁（1750～1824），字非熊，浙江烏程人，著有《禮耕堂文集》。[9]

《紀事詩》卷六「程世銓叔平」條下云：

> 此書自甲申（光緒十年）屬稿，迄今七載，粗可寫定。時光緒庚寅，客都門記。

可知此書自光緒十年（1884）起草，至光緒十六年（1890）寫定，是爲初稿。然而據《緣督廬日記鈔》卷四光緒十三年（1887）九月初五日，有「余蒐輯藏書人姓名約三百人」及「余於藏書絕句亦列二譚一首」等語，可知初稿完成時還沒有「藏書紀事詩」之名；又據卷七光緒二十三年（1897）三月十八日所記，至此日方編定目錄。

---

9 袁行雲《清人詩集敘錄》卷44，中冊（北京：文化藝術出版社1994年，頁 1525），著錄施國祁《吉貝居暇唱》一卷，並著錄《金源雜興詩》七絕百二十首，云：「亦宜謀刻之。」則施氏之作當是未刊稿，葉昌熾可能只聞其名，借鏡其意而已。

可見葉氏對此書之編著甚爲謹愼，中間陸續有所增訂。目錄後附〈自序〉又云：

> 右《藏書紀事詩》七卷，原稿六卷，尚為未定之本，及門江建霞太史（標）校士湘中，[10]錄副出都，遽鋟諸木，今《靈鶼閣叢書》本是也。其間引書繁仍，舉例踳駁，……寫生迻錄，亥豕之訛亦多沿而為削。客春（即宣統元年，1909）刊《語石》既畢，遂取舊稿，手自釐定。舊例不錄生存，斷自蔣香生太守（鳳藻）為止。今以續得九首，移原稿附錄諸詩別編為一卷，都七卷。正史有傳者，據史為次；有科名者以釋褐先後為次，無者以其同時人序跋贈答，參稽而互定之。

則對其書之刊刻過程及體例，有所說明。

《藏書紀事詩》全書凡收七言絕句 416 首，涉及的藏書家 739 人。[11]

《藏書紀事詩》雖然記述的是藏書家的故實，但是其採用的體裁是詩——七言絕句，所以它也兼有文學作品的性質，這一點以往很少有學者論及，但卻值得深入探討。

---

10 江標（1860～1899），字建霞，號萱圃，元和人。光緒十五年（1889）進士，授編修。官湖南學政，助陳寶箴創設「時務學堂」，辦時務報，鼓吹變法。精於版本目錄之學，嗜藏書，藏書之所名靈鶼閣。又輯刊《靈鶼閣叢書》、《唐賢小集五十家》等。

11 以現行的七卷本為準，參見拙作〈藏書紀事詩相關問題考述〉，收入《圖書文獻學考論》（臺北：里仁書局 2005 年），頁 173-174。

首先，從源流上看，《藏書紀事詩》的體裁，可推源於《詩經》以來的敘事詩傳統。「敘事詩」是以記敘人物事件爲主的一種詩體，它兼有小說與抒情詩的特點，《詩經》中的〈氓〉、〈七月〉、〈生民〉等作品，即是最早的敘事詩。到了兩漢、南北朝，敘事詩有了長足進步，〈陌上桑〉、〈東門行〉、〈孔雀東南飛〉、〈木蘭詩〉等，都是傳誦千古的名作。唐代的敘事詩可以杜甫（三吏、三別）、白居易（長恨歌、琵琶行）等大家爲代表，兼有「詩史」的功能，敘事詩已成爲詩歌創作的主流之一。[12]宋代敘事詩的成就更爲普遍，幾乎重要的詩人都有敘事詩的創作，「敘事兼議論」正是宋詩的特色。而《藏書紀事詩》既以「紀事」爲名，也正說明其與「敘事詩」的關係。

詠史詩則是《藏書紀事詩》的第二個淵源。「詠史詩」是直接以歷史人物、歷史事件爲歌詠題材，寄託作者的思想情感，表達某種議論或見解。東漢的班固，開始建立詠史詩的傳統；南北朝詩人大量創作以「詠史」爲題的詩歌，《文選》中特立「詠史」一門，收錄王粲、曹植、左思等九家二十一篇作品。唐代詩人對於詠史詩有新的認識，他們一方面取法左思，將「詠史」與「詠懷」緊密結合，一方面借鑑前代，取材不再局限於史籍，還開拓了「懷古」、「述古」、「覽古」、「詠懷古跡」等新的領域。晚唐詩人胡曾，更有《詠史詩》三卷，今存一百五十首；周曇有《詠史詩》八卷，今存一百九十七首，將詠史詩推向高峰。宋代的詠史詩一如敘事詩，仍是詩人喜愛的體式，王安石是其中的佼佼者，在作品中呈現

12　路南孚《中國歷代敘事詩歌》（濟南：山東文藝出版社 1987 年），頁 3。

「議論高奇」與「博辨」的特色。[13]「藏書紀事詩」以藏書家爲對象，敘述其藏書志業，又時時寄託作者的感慨，明顯的是受敘事詩與詠史詩的影響。

《藏書紀事詩》之以詩歌的形式評論藏書家，還有一個啓發，就是源出於「論詩絕句」之類的作品。我國詩人自從杜甫的〈戲爲六絕句〉，首開以詩論詩之風，到元遺山的《論詩絕句》三十二首，可謂登峰造極。其後效颦者雖多，已不足觀。清人別開生面，將此一方法轉用在其他方面，如論詞、論曲、論書、論印、論畫等，[14]《藏書紀事詩》實在也可以看作是此一風氣中題材拓展成功的最佳例證。

二、葉氏與清代宋詩運動之關係

如果再以詩歌創作的風格與特質分析，可以看出：「藏書紀事詩」這種體裁無寧是直接繼承宋詩風格的。

自明人開始論述唐、宋詩之優劣，沿至清代，崇唐揚宋，各不乏其人。崇唐者，明代如前後七子；清代如王夫之、顧炎武、朱彝尊、馮班、賀裳、吳喬、沈德潛、張之洞、王闓運、章炳麟等。揚宋者，明代有宋濂、楊慎、公安三袁；清代有黃宗羲、呂留良、吳之振、葉燮、桐城詩派、同光詩人等。[15]唐宋詩之爭，綿延數百年，

13 《古詩類選——詠史詩》（北京：人民文學出版社 1988 年），頁 2-5。

14 參見周益忠《論詩絕句》（臺北：金楓出版有限公司 1987 年），頁 280-298。

15 張高評〈宋詩在文學史上的價值〉（《宋詩綜論叢編・代序》，高雄：麗文文化公司 1993 年），頁 1。

至當代學者，已經有較爲持平的看法，錢鍾書先生（1910～1998）指出：

> 唐詩宋詩，非僅朝代之別，乃體態性分之殊。天下有兩種人，斯分兩種詩。[16]

吳小如指出：

> 總的說來，在唐詩之後，能在中國詩歌史上獨樹一幟的，只有宋詩；能有資格與唐詩相頡頏，基本上可以分庭抗禮的，也只有宋詩；對於後世，除了唐詩，能給予詩歌以重大影響的，也只有宋詩。[17]

再從清代詩史的發展與葉昌熾的學詩歷程來觀察，也可以發現他和清代宋詩風尚的關聯。

清初詩壇首推「江左三大家」：錢謙益（牧齋，1582～1664）、吳偉業（梅村，1609～1671）、龔鼎孳（芝麓，1615～1673），其中錢牧齋極力提倡宋詩，掊擊前後七子「詩必盛唐」之說，影響甚大。如：《初學集》卷三十二〈黃子羽詩序〉中，牧齋以「別裁僞體」爲旨，反覆申斥明代俗學，尤對「哆口稱漢魏、稱盛唐者」痛

16 錢鍾書《談藝錄》〈詩分唐宋乃風格性分之殊非朝代之別〉條（上海：開明書店 1948 年），頁 2。

17 吳小如〈宋詩漫談〉，收入《宋詩綜論叢編》（高雄：麗文文化公司 1993 年），頁 3。

加針砭。在〈徐元嘆詩序〉中更直接將嚴滄浪之說咎爲「僞體」之嚆矢：

> 自羽卿之說行，本朝奉以為律令，談詩者必學杜，必漢魏、盛唐，而詩道之榛蕪彌甚。羽卿之言，二百年來遂若塗鼓之毒藥。甚矣！偽體之多，而別裁之不可以易也。嗚呼！詩難言也。不識古學之從來，不知古人之用心，狗人封已，而矜其所知，此所謂以大海內於牛跡者也。

牧齋挑戰「獨尊盛唐」的強勢理論，爲提昇宋詩的價値作了有力的開拓。

自牧齋提倡宋詩之說，首先有吳之振（1640～1717）、呂留良（1629～1683）等編《宋詩鈔》以爲響應，後來宋犖（1634～1713）、查愼行（1650～1727）、厲鶚（1692～1752）等繼起，「宗宋派」乃成爲清代詩史中的主流之一。

乾、嘉以後，因袁枚「性靈說」、沈德潛「格調說」的盛行，宋詩風尙稍稍衰弱。到了晚清，宗宋詩風又有復興之勢，「同光體」[18]出現於前，黃遵憲的《人境廬詩草》[19]殿軍於後，劃下清詩的完美句

18　「同光體」之名為陳衍所創，主要指活動於同治末至光緒年間的詩人群，代表人物有陳三立、鄭孝胥、陳衍、沈曾植等。

19　黃遵憲（1848～1905），字公度，廣東嘉應人。歷任各外館參贊、領事等，嘗助湖南巡撫陳寶箴推行新政。著有《人境廬詩草》十一卷、《日本雜事詩》二卷，為清末「詩界革命」之領袖。

點。[20]在這樣的詩史氛圍裡，「藏書紀事詩」的形成無寧是極其自然的。

葉氏書前自序云：

> 昌熾弱冠即喜為流略之學，……乃援厲樊榭〈南宋雜事詩〉、施北研〈金源紀事詩〉之例，各為一詩，條舉事實，詳注於下。

可知葉氏自認爲是受到厲、施兩家的啓發。

厲樊榭即厲鶚（1692～1752），字太鴻，浙江錢塘人。是清代著名的詩人、詞人、駢文家，同時也是宗宋詩派的主力，編有《宋詩紀事》一百卷。施北研即施國祁（1750～1824），字非熊，號北研，浙江歸安人。家貧，早年在外經商，曾任布店掌櫃。後爲諸生，與邢典、楊鳳苞合稱「南潯三先生」。好學不倦，讀《金史》十餘遍，撰成《金史詳校》10卷。另著有《禮耕館詩文集》、《外集》、《叢說》、《金源劄記》3卷、《元遺山集箋注》14卷、《金源雜興詩》1卷。

葉昌熾最初讀到厲鶚的作品，還是在青年時期。《緣督廬日記鈔》卷一同治甲戌（十三年、1874）仲春：「初二日，觀《南宋雜事詩》。」昌熾時年二十六歲。中年以後，仍不廢其書，如卷六光

20　本段主要參考嚴迪昌《清詩史》（臺北：五南圖書出版公司 1998 年）；劉世南《清詩流派史》（臺北：文津出版社 1995 年）；蕭華榮《中國詩學思想史》（上海：華東師範大學出版社 1996 年）。

緒十六年（1890）七月二十三日又記載：「夜讀《南宋雜事詩》」，這時葉氏已是四十二歲了。由此可見葉氏對此書寖饋之深。《南宋雜事詩》並非一人所作，而是沈嘉轍等七人合著。[21]葉氏獨舉厲樊榭之名，應該是因爲其名氣較大，但是也可以此看出葉氏對厲樊榭的重視。

葉氏通籍以後，入京供職，交遊更廣，不但治學的眼界日寬，與當時宋詩派的健將也有接觸的機會。例如代表「同光體」的著名詩人陳三立，[22]與葉氏是光緒十五年己丑科（1889）同年；另一位健將沈子培（沈曾植）與葉氏的交誼尤深。[23]《緣督廬日記鈔》裡常常記載葉、沈兩位的來往情況，如光緒十五年會試前後，常與沈子培、子封兄弟聚會茗飲；登第後，子培經常郵贈碑刻拓本等。此外，葉氏對錢牧齋也頗爲心儀，《日記鈔》卷四光緒二十二年（1896）四月十五云：

---

21 《南宋雜事詩》有臺北：文海出版社 1981 年《宋史資料粹編第三輯》景印同治十一年（1872）淮南書局本。作者七人，人各一卷，詩各作一百首。七人是：沈嘉轍、吳焯、陳芝、符曾、趙昱、厲鶚、趙信。

22 陳三立（1852～1937），字伯嚴，號散原，江西義寧人。湖南巡撫陳寶箴之子，著有《散原精舍詩》。近代史學巨擘陳寅恪先生（1890～1969）即其三子，而陳先生對於宋代文化亦是讚譽有加，嘗云：「華夏民族之文化，歷數千年之演進，造極於兩宋之世。」亦可見清代宗宋詩風之重要影響。

23 沈子培（1850～1922），名曾植，號乙盦、寐叟，浙江嘉興人。光緒六年（1880）進士，授刑部主事，官至安徽提學使，著有《海日樓集》。詩學黃庭堅，艱深澀奧，為「同光體」開山。

在平陽處見舊鈔《初學集》，此等書皆插架不可少之物，既苦囊空，又遭高價，付之一嘆而已。

再觀《藏書紀事詩》中又屢屢徵引錢牧齋所作文字，如：卷二「趙文敏孟頫」條，引「錢受之跋」共四次；卷三「蔣之翹至樨」條，詩中引錢牧齋之事爲典故；卷四「張拱端孟恭」條、「顧苓云美」條皆引用牧齋《初學集》中之碑銘。又全書在介紹藏書家生平時，徵引錢謙益所編之《列朝詩集小傳》達 29 次之多。甚至於在卷三「譚應明公亮應徵公度」條引「錢受之眞誥跋」之後案語云：

余搜采藏書家故實，於姓字將湮者，雖記載寥寥，亦必表而出之，猶東澗翁意也。（案：錢謙益又號東澗老人）

凡此，皆可見葉氏直接、間接所受宋詩風尚的影響。

潘景鄭先生[24]曾據此論葉氏之書云：

紀事有詩，壹皆掇拾歷史、地理、風土、人物，廣搜博採，以補傳記之不及，可備後人之參稽，徵文考獻，有足稱者。[25]

---

24 潘承弼（1907～2000），字良甫，號景鄭，蘇州人。為潘祖蔭後人，與其兄潘承厚（1904～1943）同創「寶山樓」藏書，稱近代藏書大家。著有《著硯樓書跋》、《明代版本圖錄》等。1949 年後，其家傳藏書及金石拓本，大多捐贈上海博物館、上海圖書館、南京博物館等。

25 《上海近代藏書紀事詩・序》（上海：華東師範大學出版社 1993 年），頁 5。

三、葉氏之詩風析論——以《藏書紀事詩》為例

葉昌熾之詩作，其《奇觚廎文集》未收，唯《緣督廬日記》中頗有著錄，民國 15 年門弟子曾輯有《奇觚廎詩集》三卷，流傳不廣。袁行雲《清人詩集敘錄》評云：

> 詩集印數不多，前集今罕見。以內容質實，較文集尤珍貴。……凡山川城鎮、方言地紀、職官考試、碑刻梵卷，無不入詩。……金石題尾、版刻考證之詩，亦頗淵富。同時學者詩集亦未之逮也。蓋本不欲以詩傳，門弟子踵事增華，使有價文獻晦而復顯，宜乎此集為學者寶愛也。[26]

是以要探討葉氏之詩歌風格，自以《藏書紀事詩》爲最佳參照。

宋代嚴羽《滄浪詩話》中曾經歸納宋詩的特色是：「近代諸公乃作奇特解會，遂以文字爲詩、以才學爲詩、以議論爲詩。」幾已成爲宋詩特色的定論，當代學者又加上「化俗爲雅」、「以故爲新」等。[27]本節即以《藏書紀事詩》爲例，依據上述宋詩之特色，分析葉昌熾詩歌風格。

26　袁行雲《清人詩集敘錄》卷 79，下冊，頁 2734。

27　參見張高評《宋詩之傳承與開拓》（臺北：文史哲出版社 1990 年）；《宋詩之新變與代雄》（臺北：洪葉文化事業有限公司 1995 年）等。

（一）以文為詩

所謂「以文爲詩」，是指「以散文的筆法應用於詩歌創作」，簡單的說就是詩歌中有散文化的句法。唐代的杜甫、韓愈，已經出現這種手法，但到了宋人，開始自覺且大量用於詩歌創作。[28]以下列舉數例：

> 墨莊兩字濫觴誰？最錄遺文一考之。公是公非家集外，鄂州詩與考亭詩。（**卷一「劉式叔度」**）
>
> 維宋元祐年月日，具官臣某瀆天威。籯金可析書休析，伏乞朝廷降指揮。（**卷一「濡須秦氏」**）
>
> 上堂學參臨濟禪，登山喜拍洪崖肩，仙耶佛耶抑儒耳，抱書獨上南山顛。（**卷四「錢陸燦爾弢」**）
>
> 坊南花竹秀而野，插架青紅屋高下，夢中昨見古衣冠，或立而盱或拜者。（**卷四「顧嗣立俠君」**）
>
> 藏書四千七百種，著錄三十九萬言，江左俊游賓從美，翛翛天半若霞軒。（**卷五「李筠嘉修林」**）
>
> 關西夫子何為者，六經黥刖無完膚，天下靡然嚮風矣，一家偏好詅癡符。（**卷六「路慎莊子端」**）

案：上舉第一、三、四、六首，詩中皆有散文化句法，至於第二首，幾全由散文（公文）句式裁截而成，第五首之前二句亦同。然而此

---

28 王水照〈宋代詩歌的藝術特點和教訓〉（收入《宋詩綜論叢編》，頁65。）

類詩作應屬較爲生硬之套用，讀來淡乎寡味，也是「以文爲詩」常爲人詬病的原因。

（二）以議論為詩

所謂「以議論爲詩」，是指詩歌中加入議論的部分。宋人因重理性思辨，詩歌中普遍具有推理、議論的特色。雖然有人認爲這對詩歌的藝術價值而言是不利的，但是如能做到「寓形象於議論之中，以形象描繪爲基礎而展開議論，或議論與抒情融爲一體，或議論與敘事做有機的結合。」則宋詩確有此特徵，也是不爭的事實。以下列舉數例：

> 不善刻書書一厄，永興面目歎全非，舊鈔莫怪如星鳳，三館已聞傳本希。（**卷一「趙文定安仁」**）
>
> 熨斗親舒紙凸凹，官文書可給傳鈔，臨川世說留佳本，不似王原叔本殺。（**卷一「晏元獻殊」**）
>
> 一騎傳宣至北平，叩頭伏地頌神明，傳家忠孝空言耳，但解從橫效蒯生。（**卷二「袁忠徹靜思」**）
>
> 一月何能付棗梨，新城讕語太無稽，館甥亦有驚人祕，紙是澄心墨是奚。（**卷二「王文恪鏊」**）
>
> 童子敲門送赫蹄，篝燈未罷已鳴雞，巫陽忽下申生駕，自古厲階煽豔妻。（**卷四「葉奕林宗」**）

案：第一首是評明人刻書之失；第二首是讚揚晏殊整理《世說新語》的功績；第三首是諷刺袁珙以相人術取富貴於永樂朝，辜負「忠孝世家」之名；第四首是辨正王士禎《池北偶談》所說王延喆一個月內覆刻《史記》之謬；第五首則是引《左傳・僖公五年》「晉侯殺其世子申生」的典故，慨嘆葉林宗因娶後妻而使二子憂死。在以記述藏書家故實爲主的詩作中，有這些與主題不甚相合的議論，也展現出宋詩風格的多樣性與融合性。

（三）以才學為詩

所謂「以才學爲詩」就是在詩中大量引用罕見的字詞或典故，以呈現作者的學問，前人或謂之「資書以爲詩」。所謂「詩詞高勝，要從學問中來」；「舖張學問以爲富，點化陳腐以爲新」，皆是此意。以下列舉數例：

> 高臥林皋四十年，綠蘋霾靡桂連蜷，清溪不與麻沙近，空賦淮南招隱篇。（**卷一「張舉子厚」**）
>
> 湖峽舟輕灩澦堆，黃牛灘畔載書回，十家何惜中人產，一擲蹲鴟沃野財。（**卷二「蜀帥紐鄰之孫」**）
>
> 牧馬真能除害馬，車船來往載書隨，里中但祝庚桑楚，未有桐鄉朱邑祠。（**卷二「周文襄忱」**）
>
> 東澗方羊如海若，述古猶能得什三，群從翩翩雖嗜古，執圭使許視諸男。（**卷四「錢謙貞履之」**）

案：此數首詩中皆運用了許多典故，前人曾評葉氏之文云：「昌熾爲文，喜綴儷語，蓋精研樸學之餘，復能沈思翰藻，與並世學人風趣稍殊也。」[29]在《緣督廬日記》中，葉氏也自記從年輕時就喜作駢文，對於其詩歌之好用典故，自當有一定影響。

（四）化俗為雅

所謂「化俗爲雅」，是指將俗語、俚語或熟語化入詩句，形成「陌生化」的效果。此即黃山谷所謂之「點鐵成金」。以下列舉數例：

> 華亭仙客和花賣，空有遺詩奈爾何，參透子西茶具說，不留些子著心窩。（**卷一「周煇昭禮」**）
>
> 不沾學究頭巾氣，不墮支那文字禪，辛苦奚囊遍南北，饞魚更上海東船。（**卷四「黃宗羲太沖」**）
>
> 這箇幾時近飯喫，那箇幾時近飯喫，磊磊落落囊中物，不覺絕倒座上客。（**卷七「換書士人」**）
>
> 光澤系出自遼府，高唐系出自衡府，廬江系出自鄭府，與徽府書共千古。（**卷二「光澤榮端王寵瀼」**）
>
> 新城令君之才子，汲古季子之婦翁，東澗老人之高足，其友則大馮小馮。（**卷三「陸貽典敕先」**）

案：前三首皆有引用口語、俚語，尚屬可以接受，四、五兩首則完全只是介紹傳主的家世或交友，平淡寡味，應屬不佳之作品。聊舉之以示《藏書紀事詩》中亦非全無瑕纇。

---

29 張舜徽《清人文集別錄》（武漢：華中師範大學出版社 2004 年），頁 545。

（五）以故為新

所謂「以故爲新」，就是在詩中化用前人之成句，或賦以新意，或用爲典故。此蓋即宋代黃庭堅所主張之「奪胎換骨」。以下列舉數例：

> 花霧氛氳散綺窗，山猿悲嘯谷泉淙，主人被甲長征去，不及岐亭監酒艭。（**卷一「犍為王氏、胡定之」**）
>
> 遠上寒山石徑青，神仙眷屬草堂靈，悉曇經典歸何處，憔悴中郎曙後星。（**卷一「趙宧光凡夫」**）**瞻膽**
>
> 連屋書囊當韂，碧雲窗外繞疏櫓，平生燕越皆桑梓，此意蕘翁未解拈。（**卷四「胡介祉循齋」**）
>
> 比似王筠愧未工，屠龍餘技到雕蟲，白頭那得兒曹健，且割烏雞療病風。（**卷四「查慎行悔餘」**）
>
> 羽陵姓字九重聞，闕史題詩帝右文，正是夕陽無限好，白頭攜杖拜卿雲。（**卷五「鮑廷博以文」**）
>
> 山外風煙蟬蚓鳴，山中金壁光瑩瑩，百楹樓屋容登未，八月洞庭湖水平。（**卷六「劉康春禧、袁芳瑛漱六」**）

案：第一首之首二句，乃化用蘇東坡〈犍爲王氏書樓〉詩：「江邊日出紅霧散，綺窗畫閣青氛氳。山猿悲嘯谷泉響，野鳥嘸嘎巖花春」之句。第二首之首句，顯然化自唐・杜牧〈山行〉「遠上寒山石徑斜」之句。第三首之首句係直接引用徐昂發〈題胡茨村畫像〉詩之次句，一字未改。第四首整首脫胎自查慎行〈輓呂晚村〉、〈鈔書三首〉之三等。第五首之第三句，亦顯然化自唐・李商隱〈樂遊原〉「夕陽無限好，只是近黃昏」之句。第六首之末句則化自唐・孟浩然〈望洞庭湖贈張丞相〉「八月湖水平」之句。

前人曾指責宋人的「點鐵成金」、「奪胎換骨」之說是「特剽竊之黠者耳」，由《藏書紀事詩》中的這些例子來看，的確難以避免落人口實。這也是觀察宋詩風尚時，若其一味摹仿前人，不可不特別指出的。

四、結　論

《藏書紀事詩》做爲中國第一部藏書史的專著，卻是以詩歌形式呈現於世，不能不令人思考其文學意義。即如前人對於《藏書紀事詩》的肯定，雖然多集中於其藏書家史實的提供，卻也不是從沒有人注意到其文學價值，如胡道靜先生（1913～2003）曾指出：

> 它把古今藏書家的珍聞逸事搜集在一起，分別敘事，並各系以絕句一首，寫得那麼清新、親切，這個創造，前無古人。無論在內容或體裁上，都鑄出了一種新的格局。……要不要承認這是文學或歷史中的一個流派都無關緊要，這朵花總是有人欣賞，有人栽培的。[30]

王同愈《栩緣隨筆》曾稱讚《藏書紀事詩》云：

30　《上海近代藏書詩・序二》（上海：華東師範大學出版社 1993 年），卷首。

> 讀之令人生寶愛典籍之心，勉人為讀書種子，有功於往古，有惠於來學，至深且巨。

又云：

> 讀此書如日對與古人相接，風流文采，暉映周旋。又如遊宛委嫏嬛，引人入勝。雖素無書癖者，亦不能無動於中，且知藏書實非細故。[31]

本文即是在前人對其文學表現之肯定基礎上，進一步結合文學史之資料，嘗試闡明其文學意義。

其次，《藏書紀事詩》的影響之大，可以從其後繼摹倣續作者之多看得出來，重要者如：《辛亥以來藏書紀事詩》，倫明（1875～1944）撰；《續補藏書紀事詩》，王謇（1888～1969）撰；《廣東藏書紀事詩》，徐紹棨（1879～1948）撰；《續藏書紀事詩》，吳則虞（1913～1977）撰；《上海近代藏書紀事詩》，周退密、宋路霞合撰。以上六種有傳本存世。又有：《續藏書紀事詩》，劉聲木撰；《藏書紀事詩補續》，莫伯驥撰；《續藏書紀事詩》，馮雄撰；《齊魯藏書紀事詩》，王獻唐撰等，則未見傳本。[32]我人推測「藏書紀事詩」這種體裁，之所以受到許多學者的喜愛，而有如是多的續作、補作產生的原因，一方面是景仰葉昌熾蓽路藍縷、開創

---

31 《文獻家通考》（北京：中華書局 1999 年）第三冊，頁 1183 引。

32 參見本書：〈二十世紀中國藏書史之研究與著作述評〉。

新體的功績，有意踵武前賢，以承先啓後。另一方面，實在是因爲以紀事而爲詩，能夠使意逞才，充分表現個人的學識與文采，非一般人所能率爾操觚。種種事實也反映出「藏書紀事詩」這一個體裁在文學史、詩歌史上確有自成一體的價值。

第三章

文獻學與經典詮釋研究

全祖望「以目錄詮釋《易》學」考論——目錄與經典詮釋

一、前　言

目錄學是中國古典文獻學中相當重要的一個組成學科，目錄學在傳統學術史中一向被賦予「辨彰學術，考鏡源流」的功用，也就意謂著「目錄」的本身就代表某種觀念或想法。章學誠在《校讎通義・敘》中說：

> 劉向父子部次條別，將以辨彰學術，考鏡源流，非深明於道術精微，群言得失之故者，不足以語此。[1]

強調編纂目錄必須有堅實的學術基礎，不是隨便可以做到的。在此章實齋的意思是說：「目錄」本身並不等於學術史，目錄的學術史意義是透過「道術精微，群言得失」來得到的，這裡的「深明於道

1　《文史通義校注》下冊（臺北：里仁書局 1984 年），頁 945。

術精微，群言得失之故」也就是指「對典籍記載之學術思想進行詮釋」而言。

余嘉錫（1884～1955）進一步申論說：

> 目錄者，學術之史也。綜其體例，大要有三：一曰篇目，所以考一書之源流；二曰敘錄，所以考一人之源流；三曰小序，所以考一家之源流。三者亦相為出入，要之皆辨彰學術也。[2]

具體說明通過目錄以呈顯學術史內涵的不同形式。

目錄的主要功能是通過「分類」對圖書進行記錄與管理，進而便於尋書以治學。如何「分類」、分類的依據爲何，也就反映了分類者的觀念或想法。宋代鄭樵（1104～1162）云：

> 類例既分，學術自明，以其先後本末具在。觀圖譜者，可以知圖譜之所始，觀名數者，可以知名數之相承。讖緯之學，盛於東都；音韻之學，傳於江左。傳注起於漢魏，義疏盛於隋唐。觀其書，可以知其學之源流。

其次，目錄體制中的「類序」與「解題」（敘錄）正是用以「條別學術的源流與得失」以及「考述作者的行事，與論析一書的大旨及

2　《目錄學發微》（臺北：盤庚出版社 1979 年），頁 26。

其得失」，也就是前述「辨彰學術，考鏡源流」的具體呈現。[3]從這個角度看，目錄學即可以說是「一種詮釋經典的方式」。

其次，《周易》做爲「六經之首」，自古以來就是文人學者研究的重心，對其進行注解、詮釋的著作在各種儒家經典中也是獨佔鰲頭的。1976 年嚴靈峰先生（1903～1999）主編的《無求備齋易經集成》，共收錄歷代易學著作達 362 種，1614 卷，並分爲十五類：（一）周易正文、（二）傳注、（三）通說、（四）劄記、（五）答問、（六）音義、（七）圖說、（八）略例、（九）占筮、（十）雜著、（十一）緯書、（十二）校勘、（十三）輯佚、（十四）匯考、（十五）論辨。這部叢書的問世，正足以說明《周易》研究的盛況。

再從易學史的角度看，中國易學發展至清代，是易學的一個高峰，但也帶來許多變革。大致而言，清代易學的發展主軸，可分爲以下幾項，加以敘述：[4]

（一）清初學人對漢易象數學與宋易圖書學的批判

顧炎武首先以「凡文不關乎六經之旨，當世之務者，一切不爲。」

3 昌彼得先生·潘美月先生《中國目錄學》（臺北：文史哲出版社 1986 年），頁 41、47。

4 本節參考朱伯崑《易學哲學史》第四冊（臺北：藍燈文化事業有限公司 1991 年），頁 2-4；廖名春主編《周易研究史》（長沙：湖南出版社 1991 年），頁 331-350；潘雨廷《讀易提要·易學史簡介》（上海：上海古籍出版社 2006 年），頁 16-17；汪學群《清初易學》（北京：商務印書館 2004 年），頁 9-14。

的精神，反對用象數、圖書來解《易》，而應回歸義理易。他說：

> 愚嘗勸人以學《易》之方，必先之以詩書執禮。而《易》之為用，存乎其中。然後觀其象、玩其辭，則道不虛行，而聖人之意可識矣。

又說：

> 物之不齊，物之情也。六十四卦豈得一一齊同？《易》不可為典要，唯變所適。

其後，黃宗羲著《易學象數論》，指出宋人的河圖、洛書乃出自道家，非先秦舊物；黃宗炎著《易圖辨惑》，進一步論定周敦頤的〈太極圖〉是出自道教，並非《易》之太極；胡渭著《易圖明辨》，析論河圖、洛書、先天、後天等說皆出自陳摶、邵雍，與《周易》無涉。至於王夫之撰《周易稗疏》、《周易外傳》、《周易大象解》、《周易內傳發例》等，雖然有時雜取漢易之說，但仍然認爲「讀《易》者以不用先天說爲正，以其雜用京房、魏伯陽、陳摶之說也。」基本上是反對象數之學的。清初學人對「義理易」的提倡，爲以後延展易學走向科學性的研究，建立良好的基礎。

（二）考據學家對《周易》經傳文字訓詁與異文的考釋

宋儒雖然重視《周易》義理的研究，但由於對於文字訓詁不夠重視，以致望文生義的缺失亦所在多有。清代考據學家對所有先秦古籍幾乎都做了校勘訓詁的研究，對《周易》的訓詁考釋自然不會輕忽。例如王引之《經義述聞》卷一、卷二就是校釋《周易》的，凡一百零六條。其首條辨乾初九「潛龍勿用」之「勿用」，廣引各種文獻證據，證明此處的「勿用」當作「無所施行」解，並駁正惠棟《周易述》引荀爽「大衍之數，虛一而不用」的說法。[5]其他對《周易》經傳文字訓詁提出見解的，還有錢大昕《潛研堂文集》、阮元《揅經室集》、段玉裁《說文解字注》、洪頤煊《讀書叢錄》、陳澧《東塾讀書記》、俞樾《群經平議》等。至於對《周易》異文研究卓有貢獻的，則有宋翔鳳《周易考異》、李富孫《周易異文釋》、阮元《周易校勘記》、馮登府《漢石經考異》等。

（三）乾、嘉之後，恢復漢代易學的研究

乾嘉考據學的興盛，其基本精神是「復古」。對於易學研究的影響，一方面在前述的文字訓詁與考釋；但在另一方面，則因爲復古的要求，而開始逐漸恢復漢易研究。最早是惠棟（1697～1758），所作《周易述》、《易漢學》等，極力發揮、推演虞翻、荀爽、鄭玄、干寶等人的象數易學。其後張惠言（1761～1802）作《周易虞氏義》、《周易虞氏消息》等，專主虞翻之說，以爲虞氏易出自孟喜，孟喜乃孔子易學之眞傳。到了焦循（1763～1820）更是提倡漢易的主力，著有《易圖略》、《易章句》、《易通釋》三書，將虞氏易發揮至極，創「旁通、相錯、時行」等「三事」，認爲《周易》經傳的每個字都有其內在根據，可以左右縱橫，交錯聯繫。

5　王引之《經義述聞》卷一（南京：江蘇古籍出版社 2000 年），頁 3。

（四）部分治易學者對於「易例」的整理與發揚

所謂「易例」是指《易經》之卦爻辭某些內在的規律，含有一定的意義，如「二多譽，四多懼；三多凶，五多功」等。[6]晉代王弼作《周易略例》已經開其端緒，清人所論更形周密。著名者如陳啓彰《易通例》、成蓉鏡《周易釋爻例》、吳翊寅《易爻例》、李銳《周易虞氏略例》、端木國瑚《易例》、龐大堃《易例輯略》等。

總的來說，清人研究易學的成績，主要在於對歷代的成果進行總結，尤其在文獻整理與文字訓詁方面，有其重要貢獻。

如果將《周易》研究放在整個清代經學研究的脈絡中來看，《周易》可說始終都是學者研究的重點。目前留存於世的清代易學著作超過一百種，清代重要的學者幾乎都有易學方面的著作，即使沒有專門著作，也多少都曾留下一些論《易》的文字。本文所要探討的全祖望，即是其中之一。筆者數年前曾經撰寫過一篇〈全祖望之藏書及其文獻學〉的論文，[7]當時就注意到全祖望的《讀易別錄》及其他論易文字，覺得頗具特色，有一探究竟的必要與價值。因此撰成此文，就教於易學研究的方家先進。

二、全祖望易學著作解題

全祖望（1705～1755），字紹衣，號謝山，浙江鄞縣人。乾隆

---

6 見《周易》卷八〈繫辭傳・下〉（臺北：藝文印書館 1979 年景印十三經注疏本），頁 175。

7 收入拙作《圖書文獻學考論》（臺北：里仁書局 2005 年），頁 107-127。

元年（1736）進士，授翰林院庶吉士，次年散館，歸班以知縣用，遂辭歸故里。先後主講蕺山書院、端溪書院，與當世著名學者厲鶚、杭世駿、方苞、丁敬、趙一清等，皆有深厚交誼。

謝山在清代學人之中，向以經學、史學與文學見稱。《清史稿・儒林傳》云：

> 祖望為學，淵博無涯涘，於書靡不貫串。……儀徵阮元嘗謂：經學、史才、詞科，三者得一足傳，而祖望兼之。[8]

謝山之史學，服膺黃黎洲宗羲之餘緒，以表彰忠義爲職志。至於經學方面，謝山嘗自謂：「愚生平解經，未嘗敢主一家之說，以啟口舌之爭，但求其是而已。」將史學的「求眞」精神貫注於治經之中。

全祖望並無研究易學之專書著作，只有《讀易序錄》、《讀易別錄》、《經史問答・易問目》等篇章，直接反映其易學思想，其他與論易有關文字則散見於各種題跋中。現將謝山之易學著述，依文集次序略作解題如下：[9]

1、〈周易義序〉

見《鮚埼亭集外編》卷二十三。

案：《周易義》六卷，一名《周易口訣義》，唐・史徵撰。此書乃謝山自《永樂大典》抄出，後收入《四庫全書》，

8 《清史稿》卷 481（臺北：洪氏出版社 1982 年），頁 13187。

9 本文所採全祖望著述之版本為《全祖望集彙校集注》（上海：上海古籍出版社 2000 年），以下均同。

《四庫全書總目提要》云：「唐・史徵撰。《崇文總目》曰：『河南史徵，不詳何代人。』晁公武《讀書志》曰：『田氏以爲魏鄭公撰，誤。』陳振孫《書錄解題》曰：『五朝史志有其書，非唐則五代人，避諱作證字。』《宋史・藝文志》又作史文徽，蓋以徽、徵二字相近而訛。別本作史之徵，則又以之、文二字相近而訛耳。今定爲史徵，從《永樂大典》；定爲唐人，從朱彝尊《經義考》也。」

2、〈甘棠正義序〉

見《鮚埼亭集外編》卷二十三。

案：《甘棠正義》三十卷，謝山以爲「撰自梁・陝州大都督府左司馬任正一」。其〈序〉云：「其書凡三十卷，孔氏《正義》以爲藍本，推演其說，《崇文總目》尚載之，則宋時其書未亡，故樂平馬氏亦述焉。」樂平馬氏指馬端臨（1254～1323），其《文獻通考・經籍考》著錄此書。

3、〈田氏學易蹊徑題詞〉

見《鮚埼亭集外編》卷二十三。

案：田疇，號興齋，南宋華亭人。其易學源於沈該，南宋嘉定年間，嘗設講席於國學。其《學易蹊徑》二十卷，每卦爲一圖，暢言「互體」之說。謝山以爲「興齋則每卦列焉，竟欲以之定互體之說，竊以爲未安。若其餘甚有佳者，嘉定以後經師如此，不易得也。」

4、〈子夏易傳跋尾〉

見《鮚埼亭集外編》卷二十七。

案：《子夏易傳》一向被視爲僞書，謝山此跋縷舉唐以下各種辨正此書之資料，並輯《釋文》、《正義》、《集解》所引《子夏易傳》之文，以補今本之不足。《四庫總目》之文與謝山此跋略同而擴充之。

5、〈跋楊誠齋易傳〉

見《鮚埼亭集外編》卷二十七。

案：楊誠齋即楊萬里（1127～1206），字廷秀，號誠齋，南宋吉水人。其《易》學師事紫巖張浚，發揮伊川之思想，反對象數、圖書之學，屬義理易。其《誠齋易傳》共二十卷，謝山跋云：「其於圖書九十之妄，方位南北之訛，未嘗有一語及者。得意忘象，得象忘言，清談娓娓，醇乎其醇。……予嘗謂明輔嗣之傳，當以伊川爲正脈，誠齋爲小宗，胡安定、蘇眉山諸家不如也。」《四庫總目》云：「是書大抵本程氏而多引史傳以證之，初名《易外傳》，後乃改定今名。新安陳櫟極非之，以爲足以聳文士之觀瞻，而不足以服窮經士之心。吳澄作跋，亦有微詞。然舍人事而談天道，制後儒說易之病，未可以引史證經病萬里也。」

6、〈讀林簡肅公周易集解〉

見《鮚埼亭集外編》卷二十七。

案：林栗，字黃中，一字寬夫，卒謚簡肅，南宋福州福清人。嘗與朱子論《易》，以爲與《西銘》不合，而詆朱子。著有《周易經傳集解》三十六卷。謝山此文首辨林、朱之爭云：「予謂黃中立朝風節卓絕，其論朱子，激於一時之勝心，不過如東坡之排伊川耳。」次則詳辨黃中說易支離不當之處，以爲無怪當日朱子之斥其說。末則採持平之論，云：「黃中之人，不當以其糾朱子而遽黜。至其書，則正不必以其有異於朱子而反稱之。」

7、〈讀吳草廬易纂言〉

見《鮚埼亭集外編》卷二十七。

案：吳澄（1243～1313），字幼清，號草廬，江西崇仁人。咸淳末舉進士，元初官至翰林學士，經筵講官，卒謚文正。著有《易纂言》、《易敘錄》等。其於《易》學頗爲自信，嘗言：「吾於《書》，有功於世爲猶小，吾於《易》，有功於世爲最大。」《四庫總目》亦云：「其解釋經義，詞簡理明。融貫舊聞，亦頗該洽。在元人說《易》諸家，固終爲巨擘焉。」謝山則認爲：「草廬之所以爲自得者，殆其所以自用也。」似頗有微詞。

8、〈跋沈守約易小傳〉

見《鮚埼亭集外編》卷二十七。

案：沈該，字守約，南宋湖州歸安人，紹興二十六年（1156）同平章事。著有《易小傳》六卷，宋人稱爲《沈丞相易傳》。此書只釋六爻，詳論變卦，多本於《春秋左傳》占法，每卦別爲一論。《四庫總目》云：「南渡以後言《易》者，不主程氏之理，即主邵氏之數，而該獨考究遺經，談三代以來占法，違時異尚。」謝山則指責其「以占課家『八宮世應』之說爲卦變，逐卦注於其下」，爲「認子作母，斷不可也。」

9、〈周易總義跋〉

見《鮚埼亭集外編》卷二十七。

案：易紱，字彥章，號山齋，南宋潭州寧鄉人。官至禮部尚書，經筵講官。著有《周易總義》二十卷、《易學舉隅》四卷。是書言《易》，兼通數、理，折中衆說。每卦先括爲總論，於六爻之下各爲詮解，《四庫總目》稱其：「於經義實多所發明。」祖望則云：「其書頗參八宮言之，類沈守約《易小傳》而較醇焉。」

10、〈周易象旨決錄跋〉

見《鮚埼亭集外編》卷二十七。

案：熊過，字叔仁，號南沙子，明・四川富順人。嘉靖八年（1529）進士，官至禮部郎中。善屬文，與陳東、王愼中、唐順之等號稱「嘉靖八才子」。著有《周易象旨決錄》、《春秋明志錄》、《南沙集》等。《周易象旨決錄》凡七卷，計上、下經五卷，大傳二卷。以易象爲宗，多據漢人古義。祖望甚重此書，云：「南沙於書無所不窺，而《易》爲尤邃。其博引先儒之說，最爲賅備，來氏（案：來知德1526~1604）遠不逮也。」《四庫總目》則稱：「在明人《易》說之中，固卓然翹楚矣！」

11、〈題凃氏易疑擬題〉

見《鮚埼亭集外編》卷二十七。

案：凃溍生，字自昭，元・江西宜黃人。鄉貢舉人，曾任贛州濂溪書院山長。著有《易主意》、《易義矜式》、《周易經疑》。此書亦謝山自《永樂大典》中抄出者，題云：「其『擬題』者，皆其自問目，貫穿古人之說，而質難之，極爲博雅，非如近日科舉之所謂『擬題』也。」

12、〈跋黃漳浦易解〉

見《鮚埼亭集外編》卷二十七。

案：黃漳浦即黃道周（1585～1646），字幼平，號石齋，明・福建漳浦人。天啓二年（1622）進士，崇禎朝官至翰林院侍讀學士。南明朝歷仕福王、唐王，後兵敗被俘，不屈而死。易學著作有《周易正》、《三易洞璣》、《革象新書》、《易卦要說》等。謝山所云《易解》，當即《周易正》，收入《四庫全書・易類》。

13、〈跋倪文正公兒易〉

見《鮚埼亭集外編》卷二十七。

案：倪文正即倪元璐（1593～1644），字玉汝，號鴻寶，明・浙江上虞人。天啓二年（1622）進士，官至戶部尚書。其易學著作有《兒易內儀以》六卷、《兒易外儀》十五卷。書名《兒易》者，《四庫總目》云：「其名《兒易》者，蔣雯階〈序〉謂：公作《兒易》，兒者姓也。攷《說文》：兒、倪本二字，惟《漢書・兒寬傳》，兒與倪同，是古字本可通用。然考元璐自序，實作孩始之義，其文甚明，則雯階不免於附會。」

14、〈黃黎洲易學象數論書後〉

見《鮚埼亭集外編》卷二十七。

案：黃宗羲（1610～1695），字太沖，學者尊稱黎洲先生，清・浙江餘姚人。其《易學象數論》六卷，爲義理易之重要著作。謝山稱之曰：「徵君於易，遠覽千古，一洗前輩之支離，而尤有功於易者，此論也。」《四庫總目》云：

「其持論皆有依據，蓋宗羲究心象數，故一一能洞曉其始末，因而盡得其瑕疵，非但據理空談，不中窾要者之比也。」

15、〈題仲氏易〉

見《鮚埼亭集外編》卷二十七。

案：《仲氏易》之作者爲毛奇齡（1623～1716），字大可，號秋晴，學者稱西河先生。清・浙江蕭山人。康熙己未（1679）召試博學鴻詞科，授翰林院檢討。其易學著作有《河圖洛書原舛編》、《太極圖說遺議》、《仲氏易》、《推易始末》、《春秋占筮書》、《易小帖》、《易韻》等。關於《仲氏易》，《四庫總目》云：「初奇齡之兄錫齡，邃於《易》而未著書，惟時時口授其子文輝。後奇齡乞假歸里，錫齡已卒，乃摭文輝所聞者，以己意潤飾成是書。……雖以其兄爲辭，實即奇齡所自解。」然而謝山固深惡毛西河，嘗撰〈蕭山毛檢討別傳〉，臚列毛氏爲人治學之失。[10]至此文更曰：「百年以來，論古之荒謬者，蕭山毛氏爲尤；毛氏之論，說經爲尤；諸經之中，《易》爲尤。」在謝山易學各書之題跋中，屬用語最嚴厲，立論最特別者。

16、〈三家易學同源論〉

見《鮚埼亭集外編》卷三十八。

案：所謂三家易學，蓋指「以圖緯說易，以老莊說易，以神仙說易」的三種易學詮釋趨向。謝山之言曰：「圖緯之

10 《全祖望集彙校集注》，頁985。

學，本以老、莊爲體；老、莊之學，即以圖緯爲用。自諸家言易以來，但知其門戶之分，而不知其門戶之合。今夫漢、唐之言五行者，未有不依託黃帝者也。黃帝，道家所援以爲祖者也，則是圖緯之所出，即黃、老也。」又云：「嚴君平、魏伯陽、葛稚川之徒，以黃、老治圖緯者也；管公明之徒，以圖緯治黃、老者也。……黃、老家『玄牝』、『谷神』之旨，流爲神仙；而圖緯『候氣』、『直日』之術，亦流爲神仙。」

17、《經史問答．易問目答董秉純》

案：《經史問答》一書本爲集外單行，清•嘉慶九年（1804）餘姚史夢蛟刊《鮚埼亭集》時，合詩文同刊。董秉純，字小鈍，乾隆十八年（1679）拔貢，全祖望文集之內、外編皆秉純一手編定。是書論易部分凡 17 條，主要討論互體、先天卦、三十六宮等說，並評論唐、宋以來論易之各家得失。

18、《讀易序錄》

案：此篇與《讀易別錄》均出於黃永年（1925～2007）藏舊抄本。謝山以《通志堂經解》所收之《易》學著作雖多，但仍有遺漏，而《永樂大典》所收之易學著作更應補入，故作此篇，備列其目，以供學人參考。凡 40 種，其中亦有《經義考》所未見者。

19、《讀易別錄》

案：《讀易別錄》三卷，是針對朱彝尊《經義考》〈易〉類之缺失而加以補正。謝山序云：「舊史之志藝文，蓋自傳、義、章句而外，或歸之蓍龜家，或五行家，或天文家，或兵家，或釋家，或神仙家以見，其名雖繫于易，而實則非也。……今取其所自出之宗暨其流衍之派，釐然別而行之，而彼傳、義、章句之無當于經，蓋不攻而自見矣。……近日有作《經義考》者，不審舊史之例，概取而列之於易，則所以亂經者莫甚於此。」謝山首先辨明古代目錄學著作中「易學」一派，由於分派蕪亂，異說雜出，許多五行、蓍龜、神仙之說亦混淆入易學經傳章句之範圍，需要加以簡別。又批評朱彝尊《經義考》因不明此理，也不免「不審舊史之例」而有亂經之虞。[11]中篇則重申圖緯之學，認爲「圖緯之學，皆以老、莊爲體，老、莊之學，皆以圖緯爲用。」歸結以邵康節爲集大成者。下篇則專錄蓍龜一派之著作。謝山之所以有如此的觀點，乃是採用目錄學中「分類」的理論，認爲圖書分類的標準，應依據圖書的內容而非徒據書名。[12]

三、全祖望之易學思想與特色

全祖望雖然沒有專門解易的著作，但是從前述的各種題記、跋

11 案：《經義考》著錄《周易》有關著作凡 70 卷，僅以作者時代先後為次，而非以內容分類，故為全謝山所誚。參見臺北：中央研究院中國文哲研究所點校本《經義考》，第一冊–第三冊，1997 年。

12 《中國目錄學》，頁 50-52。

語中，仍可以歸納出其易學思想，現即據以分析謝山之易學思想如下：

（一）辨「互體」之正訛

所謂「互體」，爲漢儒取象解卦方法之一，凡一卦六爻，其相互成體，含有其他卦象者稱爲「互體」，或簡稱「互」，或曰「體」。[13]此一解釋卦象之法，溯其古文獻之淵源則《左傳》中已有記載，後世多遵用之。[14]全祖望對互體之說討論甚多，大抵贊成此法，但不主張過度使用於解經。《經史問答》卷一：「互體在《春秋左氏傳》已有之，乃周太史之古法，則自不可斥，不必攀緣《大傳》而後信也。漢、晉諸儒無不言互體者，至王輔嗣、鍾士季始力排之，然亦終不能絀也。……然則互體之說，非徒以數推，而以理備。當聖人畫卦之初，何嘗計及於此？乃其既具，而旁午曲中，所以不流於鑿也。」又曰：「古人互體之法，但於六畫之中求兩互，是正例也。……及漢上朱內翰則以二互爲未足，始於互中求伏，共得四卦。不知正體或可言伏，互體而更求其伏則支矣。……華亭田興齋則於每卦取變卦，而又於變卦之中求互。其說本之沈守約，不知是在占法中或可用，若以解經，則不可也。」

13 參見黃宗羲《易學象數論》卷二（杭州：浙江古籍出版社 1993 年《黃宗羲全集》本），頁 4122-4123。丁壽昌《讀易會通》卷一（臺北：河洛圖書出版社 1975 年），頁 40-42。

14 見《左傳》卷九〈莊公二十二年〉（臺北：藝文印書館 1979 年景印十三經注疏本），頁 163。

（二）重視義理義、史傳易

謝山之學以史學爲基礎，其論易也多主史學立場，明顯屬「義理易」派。如〈跋楊誠齋易傳〉云：「易至南宋，康節之學盛行，鮮有不眩其說。其卓然不惑者，則誠齋之《易傳》乎？……中多以史事證經學，尤爲洞達。」《經史問答》云：「要之陳、邵圖學，自爲一家，其於聖經之說皆無豫。……程子之說，不可易也。」

（三）不廢象數圖書之學

謝山雖主義理易，但畢竟《周易》爲卜筮之書，因而也並不完全廢棄象數圖書之學，態度比較中立客觀。如《讀易別錄・上》：「自唐以前，援易以入於占驗之門者居多，自唐以後，則易半爲《道藏》所有，是亦一大變局也。……。愚故列圖緯於篇首，而以諸書附之，略疏證其門戶之異同，以見其必不可言經也。若夫舊史所載，間亦有分析未盡者，并爲改而正之，庶乎使正閏之不淆云。」謝山之意，圖緯之書不是不可取，而是應該別立一類，不應混入眞正易學之書。此則屬目錄學中的「別裁法」之觀念。

（四）以發揚聖學為本，不主好奇之論

謝山論易，主張以經文原意爲本，詮釋思想爲輔，更不應以《周易》爲占卜之書而任意引申曲解，變成特異好奇之論。如〈跋倪文正公兒易〉：「公於學無所不通，但亦多好奇之過，一切文字皆然，而《兒義》尤甚。」

至於謝山之易學特色，亦可分述如下：

（一）以「敘錄體」言易學

謝山所遺留之論易文字，多屬題記、跋語，然其內容卻近於目錄體制之「敘錄體」，每篇多先敘作者大要，次評論書籍內容及得失，末再附其他資料。如〈田氏學易蹊徑題詞〉、〈題涂氏易疑擬題〉等皆是。至於《讀易別錄》一書更爲目錄學體制之書，寓易學思想於目錄之意甚爲明顯。

（二）論易學仍不忘表彰氣節，臧否人物

謝山評論前朝易學諸家，少有可者，但極少數卻另加青眼，如〈跋黃漳浦易解〉云：「彰浦先生於學宏通博達，世以爲武庫之無不備。而所尤精者《易》，天根月窟，獨有神會，能於京、焦、陳、邵之外，頡頏一家。……歲戊申（1728），復得先生《易卦要說》讀之，則又平正通達，大似東萊、平甫諸家，於是歎先生〈易〉學之奇且法也。」幾乎毫無負面批評。事實上黃道周此書仍不脫象數家傳統，與謝山論易之立場本不甚相合，或許只因黃道周忠義殉國，甚投謝山表彰氣節之心意，連類及其易學，亦稱許有加矣。

四、結　論

本文的寫作，是希望透過全祖望的例子，來說明目錄學在經典詮釋的工作中，可以提供什麼幫助？全祖望是浙東學派的傳人，浙東學術是以史學與文獻考證爲基礎，全祖望本身又是一位藏書家，對於目錄學必然深入寢饋其中。因而其《易》學思想，主要是透過

目錄學的形式來表現的，可說是事有必至。目錄之學，其功用在於「辨彰學術，考鏡源流」，具有研究學術史的意義。全祖望為一史學家，同時也是文獻學家，其目錄學的修養，充分表現於討論易學的過程中。其具體討論易學中的理論問題時，切入點也與他家不同。如《經史問答》論「互體」，先縷舉漢、唐以下各家之說，分析其得失，最後折中於已意。論《春秋》所載筮法，亦廣引春秋時代之史事論證之。

筆者因而認為全祖望研治易學的方式，啓示後人詮釋《易經》思想之另一進路，或可稱為「文獻易」。

《讀書雜志》運用類書校釋先秦諸子古籍述評——校勘與經典詮釋

一

如衆所周知，清代學術以「考據學」爲代表，而考據學的基礎在於校勘與訓詁。錢大昕嘗云：

> 有文字而後有詁訓，有詁訓而後有義理。詁訓者，義理所由出，非別有義理出乎詁訓之外者也。[1]

梁啓超亦云：

> 校勘之學，為清儒所特擅，其得力處真能發蒙振落。他們注

1 錢大昕〈經籍纂詁序〉，見《潛研堂文集》卷 24，《嘉定錢大昕全集》第九冊（南京：江蘇古籍出版社 1997 年），頁 377。

釋工夫所以能加精密者，大半因為先求基礎於校勘。[2]

都說明校勘、訓詁是一體兩面，研究文史學術的基礎。

在清代眾多考據學家當中，高郵王念孫（1744～1832）、王引之（1766～1834）父子，無疑是最具有代表性的，尤其在校勘訓詁方面。如阮元云：

高郵王氏一家之學，海內無匹。[3]

孫詒讓云：

乾嘉大師，王氏父子郅為精博，凡舉一誼，皆確鑿不刊。[4]

胡適云：

清代講訓詁的方法，到王念孫、王引之父子兩人，方才完備。二王以後，俞樾、孫詒讓一班人都跳不出他們兩人的範圍。[5]

---

2 《中國近三百年學術史》（臺北：南嶽出版社 1978 年），頁 453。

3 〈王石臞先生墓誌銘〉，見《揅經室續集》卷二（北京：中華書局 1993 年）。

4 〈札迻自序〉（北京：中華書局 1989 年）。

5 《胡適文存》第一集卷二〈清代學者的治學方法〉（臺北：洛陽圖書公司 1978 年），頁 398。

先師 王叔岷先生更指出：

> 斠讎之業，盛於乾嘉，高郵王氏，允推巨擘。後之學者，惟在材料上求勝而已，功力迄未能逮也！[6]

則王氏父子在考據學中的地位，已可以視爲定論。

王氏父子的校勘考釋成果，部分集中於《讀書雜志》與《經義述聞》二書。後人或稱其「實足令鄭、朱俯首，漢唐以來，未有其比！」；[7]或稱其「一字之徵，博極萬卷。」；[8]或稱其「最精最慎，隨校隨釋，妙解環生，實爲斯學第一流作品！」，[9]無不推崇備至。

王氏父子校釋古籍，在方法及取材方面，有一個頗爲重要的特點，就是大量引用古代類書的資料。對此，前人有不同意見，如朱一新《無邪堂答問》卷二云：

> 高郵王氏父子之於經，精審無匹。顧往往據類書以改本書，則通人之蔽。若《北堂書鈔》、《太平御覽》之類，世無善本。又其書初非為經訓而作，事出眾手，其來歷已不可恃，

---

6 《斠讎學·原序》（臺北：中央研究院歷史語言研究所 1995 年訂補本），頁 15。

7 梁啟超《清代學術概論》（臺北：南嶽出版社 1978 年），頁 641 引方東樹語。

8 支偉成《清代樸學大師列傳》（臺北：藝文印書館 1970 年），頁 307。

9 《中國近三百年學術史》，頁 456。

而以改數千年諸儒齗齗考定之本，不亦傎乎！[10]

姚永概《慎宜軒文集》卷一云：

古書訛脫至不可讀，好古者搜採他本或類書注語之引及者，讎校而增訂之，於是書誠有功矣。若其書本自可通，雖他書所引，間有異同，安知誤不在彼，能定其孰為是非哉？王氏信本書之文，不及其信《太平御覽》、《初學記》、《白帖》、《孔帖》、《北堂書鈔》之深，斯乃好異之弊。[11]

然而王氏運用類書之實情，是否如朱、姚二人所批評的那樣，則有待深入探討分析。因篇幅所限，本文先以《讀書雜志》中校釋諸子的部分爲例，[12]嘗試分析王氏運用類書的各種情況，藉以明瞭在校釋古籍時運用類書的功能與限制，並對王氏父子的校勘學成就做出公正評價。

---

10 張舜徽《中國古代史籍校讀法》（臺北：粹文堂影印本 1977 年），頁 130。

11 《中國古代史籍校讀法》，頁 131。

12 梁啟超指出：「自清初提倡讀書好古之風，學者始以誦習經史相淬勵，其結果引起許多古書之復活，內中最重要者為秦漢以前子書之研究。此種工作，間接影響及於近年思想之變化。」（《中國近三百年學術史》，頁 452）。因此以王氏父子校釋諸子書為觀察之起點，當更具意義。

二

類書是我古代重要的圖書形式之一，其編纂目的，原本是爲了文學創作，便於查考陳言故實，以爲作文賦詩時之採用。而後世學人對類書之運用，則不限於此。《四庫全書總目提要》〈子部・類書類序〉云：

> 類事之書，兼收四部，而非經非史、非子非集，四部之內，乃無類可歸。《皇覽》始於魏文，晉・荀勗《中經》分隸何門，今無所考。《隋志》載入子部，當有所受之。歷代相承，莫之或易。明・胡應麟作《筆叢》，始議改入集部。然無所取義，徒事紛更，不如仍其舊貫矣。此體一興，操觚者易於檢尋，注書者利於剽竊，輾轉裨販，實學頗荒。然古籍散亡，十不存一，遺文舊事，往往託以得存。《藝文類聚》、《初學記》、《太平御覽》諸編，殘璣斷璧，至捃拾不窮，要不可謂之無補也。[13]

對於類書的起源、功用，有所說明。張滌華也以「便省覽、利尋檢、供採摭、存遺佚、資考證」爲類書之五利。[14]宋代王應麟《困學紀聞》首開運用類書資料以進行校勘之風，[15]降及清代，此風更盛。

---

13 《四庫全書總目提要》卷 135（臺北：藝文印書館 1979 年），頁 2641。

14 《類書流別》（北京：商務印書館 1985 年），頁 35-39。

15 《困學紀聞》卷 10 考證《莊子》之逸文，曾引用《藝文類聚》、《太平御覽》等類書之資料。見上海古籍出版社 2008 年全校本，中冊，頁 1258。

阮元、畢沅、盧文弨、顧廣圻、孫星衍等校勘名家，皆曾運用類書資料。

現在即以《讀書雜志》中校釋諸子的部分爲例，[16]分析王氏父子運用類書的各種情況如下：

（一）引用類書書目（括號內為引用次數）

1、《北堂書鈔》（58）

唐・虞世南（558～638）撰，世南字伯施，餘姚人。隋末任秘書監，於其後堂（即北堂）集群書中事，可爲文用者，編爲此書。《舊唐書》卷七二、《新唐書》卷一百二有傳。是書《隋書・經籍志》著錄一百七十四卷，無撰人姓名。兩《唐志》並題虞世南撰，一百七十三卷。《崇文總目》、《通志》同。《直齋書錄解題》、《宋史・藝文志》及今本，並一百六十卷。《郡齋讀書後志》則作一百二十卷。通行本有明・陳禹謨刊本；清・孔廣陶校注本。又有傳本易名爲《大唐類要》、《古唐類範》者。王念孫曾得舊鈔本，內容與刊本頗有出入。

2、《藝文類聚》（117）

唐・歐陽詢（557～641）等撰。詢字信本，潭州臨湘人，初仕隋，入唐官至太子率更令、弘文館學士。《舊唐書》

---

16 本文所據版本為南京：江蘇古籍出版社 2000 年影印清嘉慶、道光間王氏家刻本。其中諸子部分包含：《管子》、《晏子春秋》、《墨子》、《荀子》、《淮南內篇》等；〈餘篇〉中還有《老子》四條、《莊子》三十五條、《呂氏春秋》三十八條、《韓非子》十四條、《法言》八條。

卷一八九、《新唐書》卷一九八有傳。是書於武德五年（622）下詔編纂，至七年完成，凡一百卷。《四庫全書總目提要》評此書云：「是書比類相從，事居於前，文列於後。俾覽者易為功，作者資其用。於諸類書中體例最善。……隋以前遺文秘籍，迄今十久不存，得此一書，尚略資考證。……所謂殘膏賸馥，沾溉百代者矣。」通行本有明刊本、標點排印本。

3、《群書治要》（213）

唐・魏徵（580～643）等撰。魏徵字玄成，魏州曲城人，《舊唐書》卷七一、《新唐書》卷九七有傳。《唐會要》卷三六：「貞觀五年（631）九月二十七日，秘書監魏徵撰《群書治要》，上之。」阮元《揅經室外集》卷二〈群書治要五十卷提要〉：「又《唐書・蕭德言傳》云：太宗詔魏徵、虞世南、褚亮及德言裒次經史百氏，帝王所以興衰者上之……德言賚賜尤渥。然則書實成於德言之手，故《唐書》於魏徵、虞世南、褚亮傳皆不及也。」是書國內久佚，王氏所據則為舊鈔本。通行者為日本天明七年（1787）活字本，收入《四部叢刊》初編，缺四、十三、二十等三卷，阮元所見蓋即此本。[17]

17 《揅經室外集》卷二（北京：中華書局 1993 年），頁 1216。案：近年於日本宮內廳書陵部又發現一種鎌倉時代古寫本，見吳金華〈略談日本古寫本群書治要的文獻學價值〉（《文獻》2003 年第三期，頁 118-127）。

4、《初學記》（55）

唐・徐堅（659～729）等奉詔撰。徐堅字元固，湖州長城人，《舊唐書》卷一百二、《新唐書》卷一九九有傳。是書自兩《唐志》以下並著錄爲三十卷，今本同，蓋未有缺損。《四庫全書總目提要》評此書云：「其所採摭，皆隋以前古書，而去取謹嚴，多可應用。在唐人類書中，博不及《藝文類聚》，精則勝之，若《北堂書鈔》及《六帖》，則出此書下遠矣。」通行本有明・安國桂坡館活字本；清・嚴可均校刊本；1962 年北京中華書局排印本，最近則有北京市線裝書局 2001 年出版「日本宮內廳書陵部藏宋元版漢籍影印叢書」本。

5、《白氏六帖》（19）

唐・白居易（772～846）撰。居易，字樂天，太原人。《舊唐書》卷一六六、《新唐書》卷一一九有傳。是書凡三十卷，《新唐書・藝文志》著錄爲〈白氏經史事類〉，簡稱〈六帖〉。《崇文總目》、《宋史・藝文志》、《文獻通考》並同。宋・孔傳有《後六帖》三十卷，亦稱《六帖新書》，今本合二書爲一書，凡一百卷。《四庫全書總目提要》評此書云：「其體例與《北堂書鈔》同，而割裂餖飣又出其下。……然所徵引，究皆唐以前書，墜簡遺文，往往而在，要未爲無裨考證也。」國家圖書館藏有南宋坊刊本《新雕白氏六帖事類添注出經》、民國二十二年影印江安傅氏藏南宋刊本《白氏六帖事類集》各一種，通行本爲新興書局民國 62 年影明・嘉靖間覆宋刊本。

6、《太平御覽》（529）

宋·李昉（925～996）等編。李昉字明遠，深州饒陽人。初仕後周，入宋，官至右僕射。《宋史》卷二六五有傳。《玉海》卷五四云：「太平興國二年（977）三月，詔翰林學士李昉、扈蒙……等十四人，同以前代《修文御覽》、《藝文類聚》、《文思博要》及諸書，分門編爲一千卷，又以野史傳記、小說雜編爲五百卷。」又云：「八年十二月庚子書成，凡五十四門。詔曰：史館新纂《太平總類》一千卷，包括群書，指掌千古，頗資乙夜之覽，……可改名《太平御覽》。」此書爲現存「綜合性」類書中卷帙最大的一部，[18]也是中國古代類書的代表。王念孫校勘古籍時，運用最多的也是此書。是書分五十五部（據通行本），五四二六個小目，近人統計其中引書多達二千五百多種，十分之七以上都已失傳，是輯佚、校勘的寶庫。通行本爲《四部叢刊》三編本，據日本刻本兩種並以活字本補配而成。[19]

---

18 參考戚志芬《中國的類書政書與叢書》（臺北：臺灣商務印書館 1995 年），頁 6 的分類。

19 黃大受〈太平御覽考〉：「《四部叢刊》三編本就日本藏南宋蜀刊殘本二部，影印目錄十五卷，正書九百四十五卷，又於靜嘉堂文庫補得與蜀刻相同之二十卷，另二十餘卷及殘頁，則以日本仿宋聚珍本配補。」（臺北：明倫出版社 1975 年影印《四部叢刊》三編本，書前。）

7、《事類賦注》（2）

宋·吳淑（947～1002）撰並注。淑字正儀，潤州丹陽人。初仕江南李氏，入宋，官至起居舍人。《宋史》卷四四一有傳。其官秘閣校理時，作《事類賦》百篇以獻，太宗詔令注釋，乃自注為三十卷上之。此書分十四部，部下又分一百小目，小目都是一個字，再各作賦一首，故原名「一字題賦」，為歷史上第一部以辭賦形式編成的類書。《四庫全書總目提要》評此書云：「淑本徐鉉之婿，學有淵源，又預修《太平御覽》、《文苑英華》兩大書，見聞尤博。故賦既工雅，又註與賦出自一手，事無舛誤，故傳誦至今。……其精審益為可貴，不得以習見忽之矣。」此書尚存南宋紹興十六年（1146）兩浙東路茶鹽司刊本（北京中國國家圖書館），又有新興書局民國 61 年影印明·嘉靖十一年無錫華麟祥刊本。

8、玉海（9）

宋·王應麟（1223～1296）撰。應麟字伯厚，慶元府人。南宋末官至禮部尚書兼給事中，入元不仕。《宋史》卷四三八有傳。是書二百卷，分為二十一部，二百四十餘小類，《四庫全書總目提要》云：「其作此書即為詞科應用而設，故臚列條目，率巨典鴻章。其採錄故實，亦皆吉祥善事，與他類書體例迥殊。然所引自經史子集、百家傳記，無不賅具。而宋一代掌故，率本諸實錄、國史、日曆，尤多後來史志所未詳。其貫串奧博，唐宋諸大類書未有能過之者。」通行本有大化書局民國 66 年影印元、至元二年（1336）

慶元路儒學刊至正十二年（1352）補刊本，又用日本藏本配補。

（二）引用類書分析

1、理由

王氏之所以好引類書，無非是因爲可以多得佐證，及類書資料來源較古。但也曾具體指出各別類書之可貴，如《淮南內篇》卷九〈主術篇〉「無大小脩短」條：「凡《治要》所引之書，於原文皆無所增加，故知是今本遺脫也。」又《管子》卷七〈五行篇〉「作五聲」條：「昔黃帝以其緩急，作五聲以政五鐘。孫云：《北堂書鈔》一百八引作：作立五聲，以正五鐘。念孫案：今本無立字者，後人不曉文義而刪之也。作立者，始立也。……後人不知作之訓爲始，而誤以爲造作之作，故刪去立字。據尹注：調政治之緩急，作五聲也。但言作而不言立，則所見本已刪去立字，獨賴有《北堂書鈔》所引及下文作立五行之語，可以考見原文。」

2、版本

王念孫在引用類書時，對於類書的版本優劣，是很注意的，也經常指出其中差異。如：《墨子》卷一〈三辯篇〉「聆缶」條：「農夫春耕夏耘，秋斂冬藏，息於聆缶之樂。畢云：聆當爲瓴。《太平御覽》引作吟謠，是也。念孫案：今本《墨子》作聆缶者，聆乃『瓴』字之訛，『瓴』即瓴字也，但移瓦於左，移令於右耳。《北堂書鈔》樂部七、鈔本《太平御覽》樂部三及二十二引《墨子》並作吟缶，吟亦『瓴』之訛。蓋《墨子》書瓴字本作『𤭛』，故今本訛作聆，諸類書訛作吟，而缶字則皆不訛也。其刻本《御覽》作吟謠者，後人不知吟爲『𤭛』之訛，遂改吟缶爲吟謠耳。」

又《淮南內篇》卷三〈天文篇〉「淵虞」條：「至於淵虞，是謂高舂。念孫案：淵虞當作淵隅，隅虞聲相亂，又涉下文虞淵而誤也。舊本《北堂書鈔》及《藝文類聚》、《初學記》、《太平御覽》引此並作淵隅，陳禹謨改爲虞淵，大謬。《楚辭・天問》補注引此亦作淵隅，則南宋本尙不誤。」

3、方式

王念孫徵引類書資料的方式有下列幾種：

（1）全引：即整條考證只引類書資料。如：

《淮南內篇》卷一〈原道篇〉「三仞」條：「昔者夏鯀作三仞之城，諸侯背之。念孫案：三仞，《藝文類聚》居處部三、《太平御覽》居處部二十並引作九仞，是也。《初學記》居處部五引《五經異義》曰：天子之城高九仞，公侯七仞，伯五仞，子男三仞。此謂鯀作高城而諸侯背之，則當言九仞，不當言三仞也。」

《淮南內篇》卷十九〈脩務篇〉「海內之事」條：「又況贏天下之憂而海內之事乎？念孫案：海內上脫任字。《藝文類聚》人部四、雜器物部；《太平御覽》人事部一百一十、器物部六引此皆有任字。」

（2）複引：即類書之外並引其他書籍之資料，此為王氏校書之常法，茲舉二例：

《晏子春秋》卷一〈內篇諫上〉「坐堂側陛」條：「公被狐白之裘，坐堂側陛。念孫案：坐堂側陛，本作：坐於堂側階，今本脫於字，階又誤作陛。凡經傳中言坐於某處者，於字皆不可省。《群書治要》及鈔本《北堂書鈔》衣冠部三，並引作：坐於堂側階。《意林》及《文選》〈何晏景福殿賦注〉、〈曹植贈丁儀詩注〉、〈謝朓郡內登望詩注〉，並引作：坐於堂側階。雖詳略不同，而皆有於字。又經傳皆言側階，無有言側陛者。當依《群書治要》、《北堂書鈔》作：坐於堂側階。」

《淮南內篇》卷十九〈脩務篇〉「禹之為水」條：「是故禹之為水，以身解於陽眄之河；湯旱，以身禱於桑山之林。念孫案：禹之為水，《蜀志》〈郤正傳注〉、《齊民要術》序、《文選》〈應璩與岑文瑜書注〉、《太平御覽》皇王部七、禮儀部八，引此並無之字。湯旱，《蜀志》注、《齊民要術》序、《文選》注，並引作湯苦旱。《太平御覽》引作湯為旱。案：為者，治也。水可言為，旱不可言為，作苦旱者是也。禹為水，湯苦旱，相對為文。今本禹下衍之字，湯下又脫苦字耳。」

（3）轉引：王氏校書，時常參考其他學者的著作，對於其中引證類書資料，或表贊同，或表反對，而另舉他證。如：

《墨子》卷一〈七患篇〉「夏則絺綌輕且清」條：「冬則練帛之中，足以爲輕且煖。夏則絺綌輕且清。畢云：舊脫『煖夏則夏絺綌輕且』七字，據《北堂書鈔》增。念孫案：夏則絺綌輕且清，本作『夏則絺綌之中，足以爲輕且清』，與『冬則練帛之中，足以爲輕且煖』對文。《北堂書鈔》衣冠部三，引作：『冬則練帛輕且煖，夏則絺綌輕且清』，省文也。」

案：畢即畢沅（1730～1797），字秋帆，是清代第一位整理註釋《墨子》全書的學者，其《墨子注》於乾隆四十九年（1784）刊行，存世有 1927 年掃葉山房石印本、日本覆刻經訓堂本。吳毓江云：「畢注前無所承，措手倍難，其草剏之功，殆將附《墨子》本書共垂不朽也。」[20]

《晏子春秋》卷一〈內篇諫上〉「出背而立」條：「及晏子卒，公出背而立曰云云。孫改立爲泣，云：《初學記》作：出位屏而泣；《白帖》三十九亦作泣，今本泣作立，非。念孫案：此文本作：公出屏而立。立即泣字也。古者天子外屏，諸侯內屏。此言晏子卒，而朝無諫言，景公出屏而見群臣，因思晏子而泣也。

20　吳毓江（1898-1977），名繼剛，號墨生，別號墨村，四川省秀山縣人。畢業於北京大學經濟系，後專研《墨子》。著有《墨子校註》、《公孫龍子校釋》等。引文見《墨子校註》附錄：〈墨子舊本經眼錄〉（重慶：西南師範大學出版社 1992 年），頁 836。

今本出屏作出背，則義不可通。《初學記》引作出位屏而泣，位字乃衍文耳。泣，各本皆作立。考《集韻》泣字又音立，云：㵂泣，疾皃。是泣與立同音，故哭泣之泣亦通作立。《群書治要》正作：公出屏而立。」

案：孫即孫星衍（1753～1818），字淵如，曾撰《晏子春秋音義》，見王念孫〈讀晏子春秋雜志序〉。

（4）擇一而從：王氏引類書，往往多種類書互相比較，即同一類書前後篇亦互相比對，擇善而從，表現出嚴謹的態度。如：

《墨子》卷四〈魯問篇〉「公輸子削木」條：「公輸子削竹木以爲鵲，成而飛之，三日不下。念孫案：此當作：削竹木以爲鵲，鵲成而飛之。今本少一鵲字，則文不足義。《太平御覽》工藝部九所引，已與今本同。《初學記》果木部、《白帖》九十五，並多一鵲字。」

《管子》卷八〈小問篇〉「見是」條：「桓公闟然止，瞠然視，援弓將射，引而未敢發也。謂左右曰：見是前人乎？念孫案：見是前人乎，本作：見前人乎，其是字即見字之誤而衍者。《藝文類聚》武部、《太平御覽》地部三十二、兵部六十，引此皆無是字。注：《太平御覽》神鬼部二引此有是字，此卷內所引，多與今本同，蓋所見本已誤也。其地部、兵部所引皆不誤，則承用舊類書也。」

4、作用

亦即王念孫徵引類書資料所要解決的問題，可以歸納如下：

（1）校正文

《荀子》卷八〈宥坐篇〉「綦三年」條：「綦三年而百姓往矣。盧云：往乃從之誤，下注同。念孫案：從下當有風字，今本無風字者，從誤為往，則往風二字義不可通，後人因刪風字耳。據楊注云：百姓從化，化字正釋風字。《太平御覽》治道部五引此，正作：百姓從風，《韓詩外傳》及《說苑》政理篇同。」

案：盧即盧文弨（1717～1796），字紹弓，號抱經，曾校勘《荀子》，收入《群書拾補》。

《淮南內篇》卷三〈天文篇〉「萬物螾」條：「指寅，則萬物螾。念孫案：此當作：『指寅，寅，則萬物螾螾然也。』寅，則萬物螾螾然者，猶云：『寅者言萬物螾螾然』。故高注曰：動生貌。《史記・律書》亦曰：寅者，言萬物始生螾然也。今本寅下脫一寅字，螾下又脫螾然也三字，則文不成義，且句法與下文不協矣。《太平御覽》時序部一引此，正作：寅則萬物螾螾然也。」

（2）校注文

《淮南內篇》卷一〈原道篇〉「罟」條：「張天下以爲之籠，因江海以爲罟，又何亡魚失鳥之有哉？高注曰：罟，魚網也。詩云：施罟濊濊。念孫案：正文注文內罟字，皆當爲罛。罛罟聲相近，又涉上文網罟而誤也。……《初學記》武部漁類、《太平御覽》資產部罛類引此，並作：因江海以爲罛。」

《淮南內篇》卷四〈地形篇〉「八百歲」條：「青金八百歲生青龍。念孫案：八百歲當爲千歲，上文黃金千歲生黃龍，即其證也。高注云：東方木色青，其數八，故八百歲而一化。此注本在上文『青澒八百歲生青金』之下，後誤入此句下，讀者因改千爲八百耳。《太平御覽》引此，正作：青金千歲生青龍。」

（3）補佚文

如《晏子春秋》末章，據《群書治要》、《太平御覽》人事部六七等，補佚文約兩百字。

又《荀子雜志》〈補遺〉，據《文選注》、《藝文類聚》、《太平御覽》、《初學記》等，補佚文三段，約百餘字。

（4）證古韻

王念孫研究古音學卓然有成，在清代古音學研究中佔有重要地位，其校釋古書也常利用類書資料以證古韻。如：

《荀子》卷七〈解蔽篇〉「有鳳有皇」條：「詩曰：鳳皇秋秋，其翼若干，其聲若蕭。有鳳有皇，樂帝之心。念孫案：有鳳有皇，本作有皇有鳳，秋蕭爲韻，鳳心爲韻。《說文》鳳從凡聲，古音在侵部，故與心爲韻。後人不知古音而改爲有鳳有皇，則失其韻矣。

王伯厚《詩攷》引此已誤，《藝文類聚》祥瑞部、《太平御覽》人事部、羽族部，引此並作有皇有鳳。注：先言皇後言鳳者，變文以協韻耳，古書中若此者甚多，後人不達，每以妄改而失其韻。」

《淮南內篇》卷一〈原道篇〉「陰陽爲御」條：「四時爲馬，陰陽爲御，乘雲陵霄，與造化者俱。縱志舒節，以馳大區。可以步而步，可以驟而驟。顧氏寧人《唐韻正》曰：御，本作騶，騶古音則俱反，與俱區驟爲韻。注：騶，御也，御字正釋騶字。而今本爲不通音者，竟改本文騶字爲御。案《韻補》正作騶。念孫案：顧說是也。今本作御者，後人依《文子》〈道原篇〉改之耳。《太平御覽》天部八、兵部九十，引此並作騶。」

（5）正訛誤

清代其他學者運用類書校勘古書時，往往有錯誤，王念孫以其豐富經驗及精湛推理，提出駁正。如：

《墨子》卷四〈公輸篇〉「牒」條：「子墨子解帶爲城，以牒爲械。畢依《太平御覽》改牒爲褋（注：兵部六十七），引《說文》：南楚謂襌衣爲褋。念孫案：襌衣不可以爲械，畢改非也。《史記》〈孟子荀卿傳〉集解引此正作牒。索隱曰：牒者，小木札也。《廣雅》曰：牒，版也，故可以爲械。《後漢書》〈張衡傳〉注，亦引作牒。」

案：「畢依、畢改」指的即是前舉畢沅的《墨子注》。

《淮南內篇》卷二〈俶眞篇〉「尺之鯉」條：「夫牛蹏之涔，無尺之鯉；塊阜之山，無丈之材。所以然者何也？皆其營宇狹小，而不能容巨大也。莊氏伯鴻校本自敘云：《太平御覽》地部三引作：牛蹄之涔，無徑尺之鯉；魁父之山，無營宇之材。無下營宇二字，足證今本之脫譌。念孫案：此《御覽》誤，非今本誤也。尺之鯉，丈之材，相對爲文。若作營宇之材，則文不成義，且與上句不對。營宇狹小，所以不能容巨大。若無營宇二字，則文義不明。……《藝文類聚》山部上，引作：牛蹄之涔，無尺之鯉；魁府之山，無丈之材。皆其營宇狹小，而不能容巨大也。正與今本同，足證刻本《御覽》之誤。」

案：莊氏伯鴻即莊逵吉（1760～1813），清・江蘇武進人。曾校刊《淮南子》，有乾隆五十三年（1788）刊本。

5、態度

王念孫雖然大量徵引類書，但其態度是嚴謹的，客觀的，並不迷信類書，甚至時常訂正類書中的錯誤。如：

《淮南內篇》卷二〈俶眞篇〉「炊以爐炭」條：「譬若鍾山之玉，炊以爐炭，三日三夜而色澤不變。念孫案：炊當爲灼，字之誤也。玉可言灼，不可言炊。《藝文類聚》寶部上、《太平御覽》珍寶部四，並引作炊，皆後人依誤本改之。其《御覽》地部三引此正作灼。《白帖》七同，《呂氏春秋》〈士容篇〉注作：燔以鑪炭，燔亦灼也。」

《墨子》卷四〈貴義篇〉「以戊己殺黃龍於中方」條：「且帝以甲乙殺青龍於東方，以丙丁殺赤龍於南方，以庚辛殺白龍於西方，以壬癸殺黑龍於北方。畢於此下增『以戊己殺黃龍於中方』，云：此句舊脫，據《太平御覽》增（鱗介部一）。念孫案：畢增非也。原文本無此句，刻本《御覽》有之者，後人不知古義而妄加之也。……鈔本《御覽》及《容齋續筆》所引皆無此句。」

三

王氏父子所校釋古籍，數量龐大，卷帙浩繁，千慮一失，也不免有其訛誤之處。如胡懷琛曾撰文針對《讀書雜志》中校勘《史記》的部分，提出質疑。[21]裴學海也曾指出王氏父子校釋古籍的缺失有：

一、忽於審正，校釋不妥；二、對於語法未窺全豹；三、對於語言缺乏歷史觀點；四、正誤不得其當；五、訓施不恰，破字失宜；六、對音韻知識有所局限。[22]

裴氏所論，雖有以今律古之嫌，但王氏之校釋，少部分的確有可以商榷之處。今就《讀書雜志》所見，並參考學界有關的研究，舉例

21 收入《清代學術思想論叢》（存萃學社編集，周康燮主編。香港：大東圖書 1978 年）。

22 楊向奎《清儒學案新編》第五卷（濟南：齊魯書社 1994 年），頁 328-337。

如下：

1、孤證

如《淮南內篇》卷三〈天文篇〉「鑿地」條：「陰氣極則下至黃泉，北至北極，故不可以鑿地穿井。念孫案：《太平御覽》地部三十二池下，引此作鑿池穿井，於義爲長。」

案：此條僅以《太平御覽》為證，且云「於義為長」亦未必，因《淮南子》原文之「鑿地」亦說得通。

2、失檢

如《淮南內篇》卷六〈覽冥篇〉「援絕瑞」條：「援絕瑞，本作援絕應，此亦涉注文而誤也。案：正文作絕應，故注釋之曰：殊絕之瑞應。若正文本作絕瑞，則無庸加應字以釋之矣。《爾雅》疏引此作絕瑞，則所見本已誤。《御覽》引此正作絕應。」

案：今檢明刊本《太平御覽》卷三百九十鱗介部，引此文乃作「屬絕瑞」，非如王氏所說。

3、矛盾

如《荀子》卷一〈勸學篇〉「兩能字」條：「目不能兩視而明，耳不能兩聽而聰。盧刪兩能字，云：兩不字下，宋本俱有能字，元刻無。念孫案：元刻無兩能字者，以上句皆六字，此二句獨七字，故刪兩能字以歸畫一。不知古人之文，不若是之拘也。若無兩能字，則文不足義矣。《大戴記》亦有兩能字。」

案：王氏說「不知古人之文，不若是之拘也。」甚為通達合理，然而在校釋他文時，往往不能遵守此說，自相矛盾。

如《淮南內篇》卷五〈時則篇〉「以塞姦人」條：「蚤閉晏開，以塞姦人，已德，執之必固。念孫案：塞本作索，此後人以意改之也。蚤閉晏開，以索姦人，即上文所謂閉門閭，大搜客也。……姦人下當更有姦人二字。德讀為得。蚤閉晏開，以索姦人，姦人已得，執之必固。皆以四字為句，若第三句無姦人二字，則文不成義矣。《太平御覽》時序部十二、地部二，引此塞作索，德作得，是也。但無姦人二字，則所見本已誤。」此處王氏何以不自遵其說，謂「古人不若是之拘

也」？又何以肯定《御覽》必誤？

4、牽強

如《晏子春秋》卷一〈內篇諫上〉「御六馬」條：「梁丘據御六馬而來。念孫案：御本作乘，此後人以意改之也。梁丘據乘六馬而來，言其僭也，若改乘爲御，則似爲景公御六馬矣。《群書治要》及《初學記》人部中，引此並作乘六馬。」

案：《說文》：「御，使馬也。」則御與乘同義，又日本刊本《群書治要》眉註云：「乘一作御。」是原有他本作御者，應不煩改字。再據上下文義而觀之，亦無梁丘據僭越之意。王說「言其僭也」未免牽強。

5、瑣碎

如《荀子》卷一〈不苟篇〉「傷人之言」條：「故與人善言，煖於布帛；傷人之言，深於矛戟。念孫案：傷人之言，之，本作以，謂以言傷人，較之以矛戟傷人爲更深也。今

本以作之，則與下句不甚貫注矣。《藝文類聚》人部三、《太平御覽》兵部八十四，引此並作傷人以言。」

案：「傷人之言」在此可解釋為「傷人的話」，之字用法屬「標誌從屬關係的助詞」，亦可通。王氏必以類書所引而改，流於瑣碎。又古書中「之」、「以」二字往往可通用，亦不煩改字。[23]

四

先師 王叔岷先生曾指出運用類書校釋古籍應注意的事項：

> 岷謂類書多存古籍之舊觀，不可不信，惟不可迷信。其理由如次：1、或有脱誤；2、或有刪略；3、或有改竄；4、誤引古書；5、雷同鈔襲；6、據注文改竄正文；7、誤引注文為正文。[24]

又進一步指出類書徵引資料的慣例，容易造成後人再引用類書資料時的錯誤：

> 1、類書於兩書同見之文，往往引自較晚之書，而標時代較早之書名；2、類書於兩書同見之文，又往往引自較早之書，

23 參見王叔岷先生《古書虛字廣義》（臺北：華正書局 1990 年），頁 430。

24 《斠讎學》，頁 244-262。

> 而標較晚而習見之書名；3、如兩書同載一事，往往兼引兩書之文。[25]

劉兆祐先生也曾指出類書中往往有後人竄入的資料，如今本《太平廣記》中就增加了不少成書以後的資料，值得研究者利用類書時的注意。[26]

綜合上述，古代類書是重要的文獻資源，對於校釋古籍貢獻甚大。但是因流傳久遠，其中的問題也很多，不能完全盲從。王氏父子在校釋古籍時，雖然喜歡引用類書的資料，做爲佐證，但是他們的態度是謹愼的，客觀的。除類書之外，一定儘量徵引更多的證據，單文孤證的情況是很少的。前引朱一新之文也承認：「然王氏猶必據有數證而後敢改，不失愼重之意。」加以王念孫校勘經驗豐富，推理精密，雖然當時或因缺乏直接證據，不得已而引用類書爲證，往往後來發現新資料，卻證明王氏的意見是對的。如《晏子春秋》卷一〈內篇諫下〉：「古者之爲宮室也，足以便生，不以爲奢侈也。故節於身，謂於民。」王念孫以爲「謂」字是「調」字之誤，並引《群書治要》爲證。1972 年山東臨沂銀雀山漢墓出土之《晏子春秋》殘簡，此字正作「調」。[27]可見王氏父子運用類書校釋古籍的成績，基本上是可信的，足以爲後人引用採納。被稱爲「清代樸學殿軍」的孫詒讓嘗云：

---

25 《斠讎學》，頁 458-461。

26 《治學方法》第五章（臺北：三民書局 1999 年），頁 150。

27 趙振鐸〈讀書雜志・弁言〉（南京：江蘇古籍出版社 2000 年），頁 31。

> 詒讓學識疏譾，於乾、嘉諸先生無能為役，然深善王觀察《讀書雜志》及盧學士《群書拾補》，伏案揅誦，恆用檢覈。間竊取其義法以治古書，亦略有所寤。[28]

亦可見王念孫的校釋工夫，對清代考據學之深遠影響。

28 〈札迻自序〉，頁 2。

清儒「因聲求義」校釋古籍方法述論——訓詁與經典詮釋

一、前　言

訓詁學是傳統學術中解釋古籍字詞的一門學問，近現代也有人主張稱之爲「古漢語詞義學」，[1]所以訓詁學是以探討「意義」爲主的學問。在中國，訓詁與訓詁學都有著悠久的發展歷史，而清代可說是訓詁學的高峰。

衆所周知，清代學術以「考據學」爲代表。前人早已指出：考據學的基礎在於校勘與訓詁。錢大昕嘗云：

1 詳細討論可參見：許嘉璐〈論訓詁學的性質與其他〉（《湖南師範大學學報‧哲社版》，1986 年古漢語專輯）；路廣正《訓詁學通論》（天津：天津古籍出版社 1996 年），頁 13-15；周大璞《訓詁學初稿》（武昌：武漢大學出版社 1999 年），頁 7-8。

> 有文字而後有詁訓，有詁訓而後有義理。詁訓者，義理所由出，非別有義理出乎詁訓之外者也。[2]

梁啓超亦云：

> 校勘之學，為清儒所特擅，其得力處真能發蒙振落。他們注釋工夫所以能加精密者，大半因為先求基礎於校勘。[3]

胡適則指出：

> 治古書之法，無論治經治子，要皆以校勘訓詁之法為初步。校勘已審，則本子可讀，本子可讀，然後訓詁可明，訓詁明然後義理可定。[4]

以上各家都說明了校勘、訓詁是一體兩面，更是闡述、詮釋古代經典義理的基礎。

在清代眾多考據學家當中，高郵王念孫（1744～1832）、王引之（1766～1834）父子，無疑是最具有代表性的。尤其在校勘訓詁方面，阮元云：

---

2 錢大昕〈經籍纂詁・序〉，見《潛研堂文集》卷 24，收入《嘉定錢大昕全集》第九冊（南京：江蘇古籍出版社 1997 年），頁 377。

3 《中國近三百年學術史》（臺北：南嶽出版社 1978 年），頁 453。

4 《胡適文存》第二集卷二〈論墨學〉（臺北：洛陽圖書公司 1978 年），頁 232。

> 高郵王氏一家之學，海內無匹。[5]

孫詒讓云：

> 乾嘉大師，王氏父子郅為精博，凡舉一誼，皆確鑿不刊。[6]

先師 王叔岷先生更指出：

> 斠讎之業，盛於乾嘉，高郵王氏，允推巨擘。後之學者，惟在材料上求勝而已，功力迄未能逮也！[7]

王氏父子的學術地位據此已可視爲定論。

王氏父子校釋古籍的成果，主要集中於《讀書雜志》（八十二卷）與《經義述聞》（三十二卷）二書。後人或稱其「實足令鄭、朱俯首，漢唐以來，未有其比！」；[8]或稱其「一字之徵，博極萬卷。」；[9]或稱其「最精最慎，隨校隨釋，妙解環生，實為斯學第一流作品！」[10]無不推崇備至。

---

5 〈王石臞先生墓誌銘〉（收入《揅經室續集》卷二）。

6 〈札迻自序〉（北京：中華書局 1989 年）。

7 《斠讎學・原序》（臺北：中央研究院歷史語言研究所 1995 年訂補本），頁 15。

8 方東樹《漢學商兌》（臺北：臺灣商務印書館 1971 年《槐廬叢書》本），頁 33。

9 支偉成《清代樸學大師列傳》（臺北：藝文印書館 1970 年），頁 307。

10 《中國近三百年學術史》，頁 456。

王氏父子之從事校釋古籍，有一個重要的方法，便是「因聲求義」。所謂「因聲求義」，最淺易的解釋就是：「通過語音以尋求語義或證明語義的訓詁方法。」[11]在此一方法中，文字的「聲」「音」部分成爲探求「意義」最重要、甚至是唯一的條件。這種對於「語音」在訓釋古籍字義過程中極端重視的態度，其實貫穿了清代乾、嘉以後整個學術界，當時的學者多有論及，如戴震云：

> 疑於義者，以聲求之；疑於聲者，以義正之。[12]

錢大昕云：

> 古者聲隨義轉，聲相近者，義亦相借。[13]

段玉裁云：

> 因形以得其音，因音以得其義。[14]

---

11 陳志峰〈「因聲求義」理論的歷史演變〉（載《中國文學研究》第 24 期，國立臺灣大學中國文學研究所，2007 年），頁 108。

12 〈轉語二十章・序〉（收入《戴震全書》第六冊，合肥：黃山書社 1995 年），頁 305。

13 〈答問十二〉，《潛研堂文集》卷 8，頁 147。

14 〈廣雅疏證・序〉，見《廣雅疏證》書前（南京：江蘇古籍出版社 2000 年），頁 2。

王氏父子對於聲義關係的態度更是徹底，如云：

> 訓詁聲音明而小學明，小學明而經明。[15]
>
> 訓詁之旨，本於聲音。故有聲同字義、聲近義同，雖或類聚群分，實亦同條共貫。[16]
>
> 夫訓詁之要在聲音，不在文字。聲之相同相近者，義每不相遠。[17]
>
> 訓詁之旨，存乎聲音。字之聲同聲近者，經傳往往假借。學者以聲求義，破其假借之字而讀以本字，則渙然冰釋。如其假借之字而強為之解，則詰籟為病矣！[18]

可以說，「因聲求義」觀念是清代訓詁學界的共識。而王氏父子校釋古籍的成就之所以邁越前人，稱雄一代，其善於運用「因聲求義」法，解決了許多古籍訓詁當中的疑難，是最主要的因素。

二、因聲求義說之淵源與發展

「因聲求義」說能夠成爲一種有效的訓詁方法，關鍵在於字音

---

15 〈說文解字讀・序〉，收入《高郵王氏遺書》附錄（南京：江蘇古籍出版社 2000 年），頁 60。

16 〈廣雅疏證・序〉，頁 3。

17 〈春秋名字解詁・序〉，見《經義述聞》，頁 571。

18 王引之〈經義述聞・序〉引王念孫語，見《經義述聞》（南京：江蘇古籍出版社 2000 年），頁 2。

與字義的聯結關係，歷史上學者注意到音義關係的時代起源很早，但早期的訓詁學家運用音義關係，多半出於直覺，不如清人的具有理論建構及系統性。

先秦儒道典籍中，已經出現以音同或音近之字訓釋字義的情況，如：

《周易・說卦》：「乾，健也。坤，順也。離，麗也。」
《論語・顏淵》：「子曰：政者，正也。子率以正，孰敢不正？」
《孟子・盡心下》：「仁也者，人也。」
《孟子・滕文公上》：「庠者，養也；校者，教也。」
《荀子・王制》：「君者，群也。」

到了漢代，因爲解經的需要，開始出現專門以同音或音近的字來訓解古書中的字義，後人稱之爲「聲訓」。除了散見於各種經注中的聲訓資料外，東漢劉熙還完成了一本完全以聲訓方式寫成的書：《釋名》。

漢人使用聲訓注經的例子：

《詩・召南・騶虞》：「彼茁者葭。」毛傳：「茁，出也。」
《詩・周南・采蘋》：「于以采藻？于彼行潦。」鄭箋：「藻之言澡也。」
《禮記・曲禮下》：「天子之妃曰后。」鄭注：「后之言後也。」

文字、訓詁專書中的例子：

《爾雅・釋詁》：「履，禮也。」
《爾雅・釋言》：「幕，暮也。」
《說文・日部》：「日，實也。」
《說文・門部》：「門，聞也。」

《釋名》中的例子：

〈釋水〉：「淪，倫也。水文相次有倫理也。」
〈釋言語〉：「智，知也。無所不知也。」
〈釋首飾〉：「梳，疏也。言其齒疏也。」

漢代另一部解經的專書《白虎通義》，也大量運用聲訓的方法，如：「子者，孳也。孳孳無已也。」、「弟者，悌也。心順行篤也。」、「娶者，取也。」

「聲訓」之法雖然簡易，也代表早期學者對聲義關係的認知，但是由於歷史條件及學者個人的限制，聲訓的結果是正確與錯誤夾雜。例如一個「天」字，《說文・一部》：「天，顛也。」《釋名・釋天》：「天，顯也。」又曰：「天，坦也。」《白虎通義・天地》：「天之爲言鎮也。」各種聲訓，意義分歧，不知孰是。

「右文說」是繼聲訓之後另一個運用聲義關係的訓詁方法，也就是認爲形聲字的聲符兼有表義的功能。此法約起於六朝時期，《藝文類聚・人部》引晉・楊泉《物理論》：「在金石曰堅，在草木曰緊，在人曰賢。」首先注意到同聲符構成的形聲字有相近的意義。宋代王聖美（名子韶）作《字解》二十卷，首倡「右文」之名。此後宋代的王觀國、張世南、戴侗；明代的黃生；清代的段玉裁、王念孫、黃承吉、陳澧；近代的劉師培、黃永武等，都贊成並發揮「右文」之說。然而右文說的主要問題在於完全依據字形爲推論基礎，忽略了同聲符的形聲字不一定同義，不同聲符的形聲字反而有時同義或義近的事實。沈兼士曾指出：

> 形聲字不盡屬右文，其事至顯。而自來傾信右文之說者，每喜抹殺聲母無義之形聲字，一切以右文說之，過猶不及。[19]

正是此意。

至於首先提出「因聲以求義」這一術語的，是宋人戴侗（1200～1285，字仲達，浙江永嘉人），其所撰《六書故》三十三卷，《四庫全書總目》稱其：「苦心考據，亦有不可盡泯者。」該書書前有〈六書通釋〉一篇，[20]說明其對音義關係的看法：

> 夫文生於聲音者也，有聲而後形之於文，義與聲俱立，非生於文也。…至於假借，則不可以形求，不可以事指，不可以意會，不可以類傳，直借彼之聲以為此之聲而已耳。求諸其

---

19 〈右文說在訓詁學上之沿革及其推闡〉，收入《沈兼士學術論文集》（北京：中華書局 1986 年），頁 278。

20 收入文淵閣本《四庫全書》第 226 冊（臺北：臺灣商務印書館 1983 年），頁 3。

> 聲則得，求諸其文則惑，不可不知也。訓故之士，知因文以求義矣，未知因聲以求義也。夫文字之用，莫博乎諧聲，莫變乎假借。因文以求義，而不知因聲以求義，吾未見其能盡文字之情也。

戴侗此文雖然是立足於《說文》的文字基礎，而且只是對六書中的「假借」做出精闢的分析，但是明確提出「因聲以求義」的概念，卻對清代學者發生重要的影響，是不容忽視的。

古代運用聲義關係以研究訓詁問題的方式，還有「推求轉語」、「推求語根」、「推求詞族」等，限於篇幅，在此就不一一敘述了。[21]

三、清人運用「因聲求義」校釋古籍舉例

如前所述，清人運用因聲求義法最精到的要數王氏父子，本節即以王氏父子為例，分析其運用因聲求義校釋古籍的情況。

當代學界研究王氏父子運用因聲求義法的內容，包括了：假借的破讀、轉語的推明、同源詞的系聯、雙聲疊韻字的考論、虛詞的研究、同名異實之物的推原及古人名字的探討等。[22]本文略舉其中幾種加以分析：

---

21 參見楊端志《訓詁學》上冊（臺北：五南圖書公司 1997 年），頁 200-242。

22 參見莊雅洲〈論高郵王氏父子經學著述中的因聲求義〉，收入《乾嘉學者的治經方法》上冊（蔣秋華主編，臺北：中央研究院中國文哲研究所 2000 年），頁 360-376；陳志峰《高郵王氏父子因聲求義之訓詁方法研究》（國

（一）假借字的破讀

王引之云：

> 許氏《說文》論六書之假借曰：「本無其字，依聲託事，令、長是也。」蓋無本字後假借他字，此所謂造作文字之始也。至於經典古字，聲近而通，往往本字見存，而古本則不用本字而用同聲之字。學者改本字讀之，則怡然而理順，依借字而讀之，則以文害辭。

指出在古籍中「假借」現象的層出不窮與解讀假借現象的重要。王氏父子破讀假借字的步驟有二：先「破其假借之字」，再「讀以本字」。即《經義述聞》所云：「大抵假借之字，不以本字讀之，則義失其眞，徑改爲本字，則文非其舊。存其假借之字，而讀以本義之字，斯爲得之矣。」以下試舉例說明：

> 《讀書雜志・荀子第一》「頓之」：「頓者，引也。言挈裘領者，詘五指而引之，則全裘之毛皆順也。《廣雅》曰：扽，引也。古無扽字，借頓為之。」
>
> 《讀書雜志・淮南子第六》：「燕雀佼之」：「佼讀為姣，《廣雅》曰：姣，侮也。作佼者，借字耳。」

立臺灣大學中國文學系96年度碩士論文，2007年6月，張寶三教授指導），頁125。

《讀書雜志·管子第七》：「犧牲不勞」：「古無撈字，借勞為之。」
《經義述聞·大戴禮記下》：「何世安起」：「古之戎兵，何世安起？家大人曰：安，猶於也。此倒句也，何世於起，猶言起於何世。……安、於一聲之轉，故於字或通作安。」
《經義述聞·禮記中》：「以移民也」：「鄭注曰：移之言羨也。家大人曰：羨者，寬衍之義。……移、羨一聲之轉。」
《經籍纂詁·序》：「〈周南·關雎〉篇『左右芼之』之『芼』，〈傳〉以為『擇』，後人不從。而不知芼、苗聲近義同。〈召南·甘棠〉篇『勿翦勿拜』，〈箋〉訓『拜』為『拔』，後人不從。而不知拜與拔聲近而義同也。〈邶風·柏舟〉：『不可選也』，〈傳〉訓『選』為『數』，後人不從，而不知選、纂古字通。」

（二）同源詞的考求

「同源詞」（同源字）雖然是現代語言學的術語，但是清人已注意到「義由聲出」與「聲義同源」的現象，並進一步運用古音學的知識，對一系列的文字進行歸納研究。王氏父子在同源詞的考求方面，做了兩項工作，一是在一群意義相關的字群當中，利用語音的線索進行串聯，以尋求其根本意義。二是根據語音的線索，尋求事物命名之源。試舉例說明：

《廣雅疏證．卷一》「捊，取也。」：「取之義近於聚，聚、取聲又相近。故聚謂之收，亦謂之斂，亦謂之集；取謂之府，亦謂之集，亦謂之收。取謂之捊，猶聚謂之裒也。取謂之捃，猶聚謂之群也。」

《廣雅疏證．卷七》「梠，楣也。」：「《說文》：「梠，楣也。」〈士喪禮〉「置於宇西階之上」鄭注曰：「宇，梠也。」〈郊特牲饋食禮．記〉曰：「枂爨在西壁」〈注〉引舊說云：「南北直屋梠。」《釋名》云：「梠，旅也，連旅之也。或謂之櫋。櫋，緜也。緜連榱頭使齊平也。」凡言旅者，皆相連之義。眾謂之旅，紩衣謂之紹，脊骨謂之呂，桷端櫋聯謂之梠，其義一也。」

（三）古人名字的探討

中國人一向重視個人的命名意義，王引之在《經義述聞》中的卷 22、23，特撰〈春秋名字解詁〉上下篇，闡述名與字之間的音義關係，在訓詁學中可謂別開生面。〈春秋名字解詁．序〉云：

名字者，自昔相承之詁言也。……名字相沿，不必皆其本字，其所假借，今韻復多異音。畫字體以為說，執今音以測義，斯於詁訓多所未達，不明其要故也。今之所說，多取古音相近之字以為解，雖今亡其訓，猶將罕譬而喻，依聲託義焉。[23]

23 《王文簡公文集》卷三，收入《高郵王氏遺書》，頁 197。

王氏並標舉「五體」、「六例」的名目：

1、五體——古人名與字有五種關聯情況

（1）同訓：名與字的意義相同。如「魯・宰予字子我」；「魯・施之常字子恆」。此條不具音義關係。

（2）對文：名與字不具音韻關係，但其「名」屬於假借，改爲本字後，名與字即有關係。如「晉・閻沒字子明」（沒與昧通，昧訓爲暗，故字子明，取相反之義）；「晉・狐偃字子犯」（偃讀爲隱，謂不稱揚其過失也；犯謂犯顏而諫。名隱字犯，以相反爲義也。）

（3）連類：名與字的意義相近。如「魯・南宮括字子容」（括者包容之稱也）；「楚・公子側字子反」（反側皆有不正傾斜之義）。此條不具音義關係。

（4）指實：名與字分別指事物及其作用或狀態。如「鄭・然丹字子革」（革爲皮革，丹爲皮革的顏色）；「楚・公子啓字子閭」（名啓字子閭，取開門之義）。此條亦不具音義關係。

（5）辨物：名與字是同一類事物。如「秦・公子鍼字伯車」（鍼即鉆，修護車輪的工具）；「梁鱣字叔魚」（鱣是一種大魚）。

2、六例——解釋古人名與字關係的六種方式

（1）通作：即通假，名與字中有一個是假借字，如「鄭國字子徒」（徒，讀爲都）；「晉・韓籍字叔禽」

（籍，讀爲鵲。古音籍與鵲相近，故鵲通作籍。項籍字羽，其理亦同）。

（2）辨譌：名或字中有訛字，如「顏高字子驕」（高爲克之誤，克、刻古同音，克驕相反爲義）；「楚・鬬椒字伯棼、周・劉狄字伯盆」（棼、芬古字通，狄當作秋。秋者，椒之假借，古聲椒與秋同，故椒或作菽，又作秋也。棼、盆皆芬之假借也）。

（3）合聲：名爲二字合聲而成，與字義有關。如「楚・鬬成然字子旗」（成然疾言之爲旃，徐言之爲成然。旃爲旗曲柄也。）

（4） 轉語：即名與字是同源關係。如「楚・公子結字子綦」（綦、結雙聲，其義相近）；「鄭・罕達字子姚」（姚讀爲佻，達與佻，一聲之轉。）

（5）發聲：名與字中有發語詞，無義。如「魯・公山不狃字子洩」（不，語詞。不狃，狃也。）；「楚・文之無畏，字子舟」（無，語詞。畏，讀爲椳，舟上柱也。）

（6）並稱：名與字連稱而形成新名。如「魯・展喜字乙」（喜，名也。乙，字也。《正義》曰：古人連言名字者，皆先字後名。）

綜合言之，此「五體」、「六例」之說，雖然不是完全通過「因聲求義」之法來從事訓詁，但也頗多啓人深思之處。

四、因聲求義之詮釋限制

任何一種研究方法，有其使用的效力，亦不免有其使用的局限。「因聲求義」做爲一個重要的訓詁方式，行之有年，歷經演變，到了清代王氏父子集其大成。然而我們也可以從王氏父子的著作中，偶而發現運用不妥的情況。這些情況，恰好可以說明傳統訓詁學在面對思想義理的分析時，可能有其限制。此處先以一個著名的例子，做爲討論對象，看看「因聲求義」這個方法，到底效力如何，又有何局限性？[24]

《讀書雜志》卷八《荀子雜志》「強自取柱」條：

> 「強自取柱，柔自取束」，楊注曰：「凡物強，則以為柱而任勞；柔自見束而約急，皆其自取也。」引之曰：楊說「強自取柱」之義甚迂，「柱」與「束」相對為文，則柱非屋柱之柱也。柱當讀為「祝」，哀公十四年《公羊傳》：「天祝予」，十三年《穀梁傳》：「祝髮文身」，何、范並注曰：「祝，斷也。」此言物強則自取斷折，所謂「太剛則折」也。《大戴記》作「強自取折」，是其明證矣。《南山經》：「招搖之山有草焉，名曰祝餘。」祝餘或作「柱荼」，是祝與柱

24 許多訓詁學之專書皆引《讀書雜志》此條以說明「因聲求義」或「求本字」，據筆者所見，如孫雍長《訓詁原理》；富金璧《訓詁學說略》；陳紱《訓詁學基礎》；楊端志《訓詁學》等。

> 通也。祝之通作柱，猶注之通作祝。《周官・瘍醫》「祝藥」，鄭注曰：祝當為注，聲之誤也。[25]

論者以爲：「王氏父子說《荀子》的『柱』是『祝』的借字，非常令人信服。」並說明其有音證、義證、用例等三項通則。[26]然而若僅就「字義訓詁」的角度而言，王氏的說法固可說是令人信服；若改從「文義詮釋」的角度看，其結論就未必那麼令人信服了。以下就從義理詮釋的角度，試做分析：

《荀子》的原文是：

> 物類之起，必有所始。榮辱之來，必象其德。肉腐出蟲，魚枯生蠹。怠慢忘身，禍災乃作。強自取柱，柔自取束。邪穢在身，怨之所構。施薪若一，火就燥也，平地若一，水就濕也。草木疇生，禽獸群焉，物各從其類也。是故質的張，而弓矢至焉；林木茂，而斧斤至焉；樹成蔭，而眾鳥息焉；醯酸，而蜹聚焉。故言有招禍也，行有招辱也，君子慎其所立乎！[27]

首先，從「文義脈絡」來看，本段所論，是「因果關係」的陳述，不必然涉及人格修養或價值評斷的問題。起首二句即已明示：事物

---

25 《讀書雜志》，頁 183。

26 《訓詁學》上冊，頁 274。

27 《荀子》卷一（唐・楊倞注，臺北：中華書局《四庫備要》本），頁 4。

的出現、發展，必然有其原因。以下所舉種種比喻，都是在闡述此一論點。表面上看來是有正面，有反面，但是都是中立的去說的。歸結到「君子愼其所立」，與前一段「君子居必擇鄉，遊必就士」之說一脈相承。荀子行文的風格就是旁徵博引，反覆論辨，甚至時感繁雜冗長，但每篇的中心主旨是很明確的。

其次，從「哲學義理」來看，「強自取柱」一句，若依王引之的講法，好像荀子是在警惕世人「剛強」的禍害，引證所謂「太剛則折」，近乎道家老、莊的學說。可是荀子明明是儒家，怎麼會以「戒剛強」來教人呢？先秦儒家的傳統反而應該是「主剛」的。如《易・乾》：「天行健，君子以自強不息。」；[28]《中庸》裡孔子也曾勉勵學生要「強哉矯」，更有所謂「南方之強，北方之強」的說法。可知早期儒家人物是主張剛強的，當然這種剛強主要是指道德節操上的剛強，而非待人接物的剛愎自用。況且，「強自取柱」一句若是講成「戒剛強」，則「柔自取束」一句難道是「戒柔弱」？既不能剛強，也不能柔弱，那麼一個君子又該如何自處呢？

其實這兩句既然是「相對爲文」，和前後文句的義理應該都是平行關係，荀子所舉之例也都是生活中經常可見的現象，並無以某事某物做爲戒鑒之意。再者，「柱」字在古代也可以做動詞使用，如《說文》：「柱，楹也。从木，主聲。」〈段注〉：「柱，引申爲支柱。凡經注皆用柱，俗乃別造从手拄字。」又如《潛夫論・釋難》：「故大屋移傾，則下之人不待告令，各爭其柱之。」《三國

28 鄭吉雄教授撰有〈論易道主剛〉一文，發表於《臺大中文學報》第 26 期（2007 年 6 月，頁 89-118），對於此一觀念有深入探討，可參看。

志・魏志・鍾會傳》：「會遣兵悉殺所閉諸牙門郡守，內人共舉機以柱門，兵斫門，不能破。」不必一定要用假借字來解釋。「強自取柱，柔自取束」兩句的意思是：「堅硬的東西可以做為支柱，柔軟的東西可以用來綑綁。」楊倞的注解一點也不迂。王引之誤以為此句有勸人戒剛強之意，應是受到漢代以後通俗觀念的影響，很自然的聯想到「太剛則折」的教訓，而沒有從荀子哲學的整體去思考。[29]

這個例子說明：傳統訓詁學家在訓解古書字句時，固然因為訓詁技術操作之熟練，往往可以自出心裁，講通古書中許多疑義。但是「講得通」不一定是「講得對」，還得配合其他條件，才能正確的解讀古籍文獻中所反映的思想。

再以王念孫〈釋大〉為例：現存的王氏父子文集中，保存有王念孫所撰的〈釋大〉八篇，排列了「見、溪、群、疑、影、喻、曉、匣」八個聲母，共 176 個字及其相通相轉的詞，旁徵博引，說明這些字詞的意義都與「大」義有關。[30]這種作法正是前述繫聯同源詞的方法。試舉喻母「陽」字一條來看：

昜，開也（音陽，《說文》：「昜，開也。从日，一，勿。」

---

29 對於先秦諸子思想的研究，應就其整體思想特色加以詮解，先師 王先生叔岷於《莊子校詮》中亦有類似之說。參見《莊子校詮》上冊（臺北：中央研究院歷史語言研究所專刊之八十八，1988 年），頁 17。

30 《高郵王氏遺書》，頁 75。

通作陽。）[31]羊，祥也，善也（《說文》：「羊，祥也。」《考工記·車人》：「羊車。」鄭注：「羊，善也。」故義、善、美並從羊。）二者皆有「大」義。故大謂之洋，廣謂之洋（《詩·碩人》四章：「河水洋洋。」毛傳：「洋洋，廣也。」）長謂之昜（《說文》：「昜，長也。」）高謂之陽，明謂之陽（《說文》：「陽，高明也。」《詩·七月》三章：「我朱孔陽。」毛傳：「陽，明也。」）彊謂之昜（《說文》：「昜，彊也。」）眾謂之昜（《說文》：「昜，眾貌。」通作洋，《爾雅·釋詁》：「洋，多也。」《詩·閟宮》四章：「萬舞洋洋。」毛傳：「洋洋，眾多也。」）飛謂之昜，舉謂之昜（《說文》：「昜，飛昜也。」「揚，飛舉也。」「颺，風所飛颺也。」《書·堯典》：「明明揚側陋。」《皋陶謨》：「時而颺之。」昜、揚、颺通。）發謂之揚，日謂之暘（《書·洪範》：「曰雨曰暘。」《詩·湛露》首章：「匪陽不晞。」陽與暘同。又日出曰暘，《說文》：「暘，日出也。」《書·堯典》：「曰暘谷。」又日中曰暘，《禮記·祭義》：「殷人祭其陽。」鄭注：「陽讀為『曰雨曰暘』之暘，謂日中時也。」又《穀梁傳·僖公二十八年》：「水北為陽，山南為陽。」《爾雅·釋山》：「山西曰夕陽，山東曰朝陽。」諸言陽者，或以其時，或以其地，皆因日以明之）。眉上廣謂之揚（《詩·君子偕老》三章：「揚且之晳

---

31 原文之正文為單行，注語為雙行夾注，今改注語為括號單行，並以不同字體區分。

也。」毛傳：「揚，眉上廣。」《猗嗟》首章：「抑若揚兮。」）馬額飾謂之鐊（音陽，《說文》：「鐊，馬額飾也。」引《詩·韓奕》二章：「鉤膺鏤鐊。」今《詩》作鍚，鄭箋：「眉上曰鍚，刻金飾之，今當盧也。《周禮·巾車》：「鍚樊纓十有再就。」鄭注：「鍚，馬面當盧，刻金為之，所謂鏤鍚也。」）盾背飾謂之鍚（音陽。《禮記·郊特牲》：「朱干設鍚。」鄭注：「干，盾也，鍚傅其背如龜也。」孔疏：「謂用金琢傅其盾背，盾背外高，龜背亦外高，故云如龜也。」）大斧謂之揚（《詩·公劉》首章：「干戈戚揚。」毛傳：「揚，鉞也。」鉞字本作戉，《說文》：「戉，大斧也。」）大薊謂之楊（《爾雅·釋草》：「楊、枹，薊。」郭注：「似薊而肥大，今呼之馬薊。」）揚、越，聲之轉，《爾雅·釋言》：「越，揚也。」郭注：「謂發揚。」故「發揚」之轉為「發越」，「飛揚」之轉為「飛越」，「播揚」之轉為「播越」，「激揚」之轉為「激越」，「清揚」之轉為「清越」，「對揚」之轉為「對越」。故大斧謂之揚，亦謂之戉。

王念孫由「昜」聯繫到「羊、洋、陽、揚、暘、鐊、楊、戉、越」十個字，認爲都有「大」的意義。然而仔細分析，如果說「廣、衆」甚至「高、明」等義與「大」義有關，還勉強說得通。但是「飛、舉、發、眉上廣、馬額飾、盾背飾」等，又與「大」義有何關聯？這種情況可以說也是「過猶不及」，和前述「右文說」的錯誤是一樣的，誤認爲同音或音近的字、形聲字同聲符的字，其意義都相同或「可能相同」，這不能不說是王氏父子執著於「因聲求義」方法的結果。[32]

五、結　論

當代訓詁學名家陸宗達先生（1905～1988）曾指出：

> 中國傳統的「小學」是以研究「意義」為中心的，形與音（文字、音韻）都只是工具，意義是研究的出發點，也是研究的落腳點。[33]

說明在訓詁的實踐過程中，字詞的「意義」才是訓詁時的重點，字音只是線索或輔助，而非關鍵。

古代解經採用「聲訓」時取字的任意性，說明文字的「音」與「義」在漫長的發展、演化過程中，逐漸形成明顯的分歧，漢字終究是以「表義」爲主，而非「表音」。聲義結合在拼音文字而言是絕對的，在漢字則只能是相對的。漢字中同音異義字特別多，也說

---

32 案：周何先生曾經分析從「大」而來的形聲字，將這些形聲字分為：得大之形、得大之音、得大之義等三種情況，證明形聲字的分化，不是只有「聲音」一個條件，「形」與「義」也是重要線索。其說實遠較王念孫之說為合理而周延，可以參看。見《中國訓詁學》（臺北：三民書局 1997 年），頁 21-26。

33 陸宗達・王寧合著《訓詁與訓詁學》（太原：山西教育出版社 1996 年），頁 5。

明了這一點。從漢字結構的三條件：形、音、義來看，如果「字音等於字義」或者「字音一定包含字義」，則因聲求義說可以普遍成立，否則就需要視情況各別看待。反過來說，如果「聲同義近」或者「聲近義通」可以普遍成立，那麼所謂「假借」也就不必存在了。因爲既然同音字意義都是相同或相近的，則假借字與被假借字是同音關係，也就表示是同義了，又何來假借？由此亦可證明漢字的「聲義關係」是相對而非絕對的，清人許多「因聲求義」的言論將聲義關係講成好像是絕對的，而且試圖用來解釋所有古籍中的字義問題，自然難免失當之處。

清儒著力宣揚「因聲求義」之說，其思想基礎還可以用語言學史中「語音中心論」的概念來說明。[34]一般認爲：語言是人類最初的交流形式，也是最直接的、立即的溝通方式，說者與聽者同時在場，其「語境」是當下明確的。因此，當我們要理解他人的思想時，通過語言（語音）去理解，理論上應該是最優越的，最有效的。在西方，從柏拉圖、亞里斯多德以來，這種「以語言音聲爲主，文字表達爲輔」的觀點，已經形成一個牢固的傳統，被稱爲「語音中心論」或「語音中心主義」（phonocentrism）。直到近代「詮釋學」（Hermeneutics）興起之後，這個傳統才逐漸產生鬆動。在中國，從聲訓到因聲求義，似乎也建立起一個以語音爲中心思考的傳統，但是到了清人的論述中才看到「語音中心論」的成形。然而，在從

34 參見《理解與解釋——詮釋學經典文選》（洪漢鼎主編，北京：東方出版社 2001 年），頁 420-432；《詮釋學導論》（潘德榮撰，臺北：五南圖書出版公司 1999 年），頁 189-193。

事古籍字義解釋的實踐過程中，可以發現語音的優越性，並不如理想，因爲我們面對的不是古人，而是一篇篇用文字寫成的「書面語言」或「文獻語言」。此時語言具有的優勢不再，文字所承載的意義反而更豐富，也更需要爲聽者以外的「他者」普遍理解。文字還有一個語言所不能替代的特點，就是通過文字的閱讀，各個時代的讀者可以進行一系列的「再創造」，從中解讀出屬於讀者個人獨特的體會。在這個概念中，所謂「本義」不再是研究者關心的焦點，因而無論傳統的聲韻學或現代的語言學，試圖探求所謂「語言的根源」（語根），也只能是一個理想。

訓詁學與詮釋學雖然是兩種不同的學問，卻有相同的目標：「如何正確解釋（經典）語言文字的意義。」傳統訓詁學的精彩之處在於深入解釋字義的具體方法、規則及應用操作，比較不具有形上學的意義。但是從清人所強調的「小學明而後經學明，經學明而後義理明」（顧炎武語）來看，訓詁學最深層的基礎仍是形上學意義的「世界觀念」（亦即透過經典的學習，進一步對人類生存世界能夠認知與把握）。因此我們認爲：訓詁學未來發展的方向，應該是嘗試與詮釋學接軌，吸收詮釋學對意義探尋的各種觀念、分析與批判，轉而豐富訓詁學的理論部分，開出訓詁學新的花朵。

屈萬里先生「以民俗解經」之經典詮釋理論初探——民俗與經典詮釋

一、前　言

1949年前後，大約有30萬山東人，在漫天烽火，兵荒馬亂之際，經過各種途徑到達臺灣，並且發揮了冒險犯難、克苦勤儉、堅忍圖成的精神，在各行各業力爭上游。歷經半個多世紀的歲月，終於開創了新的家園。對於臺灣的建設與繁榮，山東人可說是貢獻良多。為了具體反映這一事實，1993 年起，在中央研究院院士、著名經濟學家于宗先先生（山東平度人，1937 年生）的倡導下，由李瞻先生（山東壽光人，1926 年生）主持，組織人力，編輯出版《山東人在臺灣》叢書，分為「法律篇」、「文學篇」、「學術篇」、「社會篇」、「警政篇」、「工商篇」、「農業篇」、「新聞篇」、「黨政篇」、「醫學篇」、「藝術篇」、「教育篇」、「軍事篇」、

「演藝篇」、「人名錄」等，凡 16 冊，於 2001 年完成出版。[1]其中「學術篇」由中研院院士、歷史學家張玉法先生（山東嶧縣人，1936 年生）執筆，第三章〈人文學科與山東籍學者〉第一節〈國學〉，「學者介紹」中就著重介紹了屈萬里先生，並且在〈專書目錄示例〉一節，特別以王天昌撰〈屈萬里先生著作簡明目錄〉爲例，[2]可見屈先生在臺灣學術界之重要地位。筆者身爲臺灣大學中文系之一員，又與屈先生誼在同鄉，雖生也晚，未能親炙先生教澤，但自學生時代起，就熟讀先生之著作如《詩經釋義》、《圖書板本學要略》等，對先生之道德文章，景仰已久。因此謹以撰寫本文，敬申崇仰前賢，發潛闡幽之意。

屈萬里先生（1907～1979），字翼鵬，山東省魚臺縣人。歷任山東省立圖書館編藏部主任（1932～1939）、國立中央圖書館特藏組主任、館長（1966～1968）、國立臺灣大學中文系教授兼系主任（1968～1973）、中央研究院院士兼歷史語言研究所所長（1973～1978）等重要職務。[3]

屈先生生平治學之主要範疇爲經學、上古史、古文字學、版本目錄學等，皆有專門著作行世。民國 61 年（1972）先生榮膺中央研究院院士時，其當選之理由即爲「對先秦史料之考訂，中國古代

---

1 該叢書由「財團法人吉星福張振芳伉儷文教基金會」出版，臺北：三民書局總經銷。

2 《山東人在臺灣》，「學術篇」頁 122。

3 參見〈屈翼鵬先生行述〉，收入《屈萬里先生文存》第六冊（臺北：聯經出版事業公司 1985 年），頁 2143。案：本文凡引述屈先生之有關文字，所據版本皆同此。

經典（《詩》《書》《易》等）及甲骨文之研究，均有成就。尤精於中國目錄校勘之學」。[4]民國 68 年（1979）2 月屈先生逝世後，其門生編纂遺著，刊行《屈萬里先生全集》，凡 16 種 22 冊。[5]其中經學類有 10 種；古文字學類有 1 種；版本目錄學類有 4 種。尙有單篇論文、隨筆、訪談錄、古體詩等若干篇，匯集爲《屈萬里先生文存》1 種。

屈先生曾自述讀書治學之志向，喜經學、文字之學而不喜哲學思想，其原因及經過如下：

> 東魯學校校長夏老師溥齋（繼泉）先生[6]是一位著名的理學家，他打算由中學辦到大學，所以這所學校不叫做東魯中學而叫做東魯學校（後來纔改為東魯中學）。初中的課程和其他初中相同，高中則專辦文科班。……除了各種正式的課程之外，每星期規定有兩小時的集體閱書。規定了兩種讀物：其一，是《韓詩外傳》，由孔老師指導。另一是《明儒學案》，由校長夏老師指導。夏老師和包龍圖一樣，笑比黃河清。他威嚴地坐在講臺上，同學們都屏氣息聲地埋頭苦讀《明儒學

---

4 劉兆祐先生〈不平凡的書傭〉引（《屈萬里先生文存》，第六冊），頁 2231。

5 《屈萬里先生全集》，臺北：聯經出版事業公司 1985 年。案：本文凡引述屈先生之有關文字，所據版本皆同此。

6 夏繼泉（1883～1966），字溥齋，號蓮居、渠園，山東鄆城人。前清時曾任靜海知縣，民國後歷任觀察使、鹽運使、道尹等。1923 年任東魯學校校長，1955 年任北京市政協副主席。

案》，有疑時也不敢發問。性呀命呀理呀氣呀，那些抽象而不可捉摸的名詞，在腦海裡翻上滾下，同學們都深以為苦。我久是冥頑不靈的人，對於這些學理，更感到格格不入。後來對於宋明理學不感興趣，當時的痛苦經驗，當是原因之一。[7]

事實上，屈先生之經學研究，確實與傳統解經方式不同。首先，對於經典的性質，先生的看法是：

……可知經書為後世史料，有許多可為我們做事的南針。然經書所載，有許多是歷史上的陳迹，甚至與今日時代精神相違背。但我們應該平心靜氣的想一想：兩、三千年前那時的社會情形如何，及當時人民的生活情形，如果我們生在那個時代應該怎麼樣？因此我們用現代的觀念，現代的資料及現代做學問的方法，再利用那些資料，去掉有色的眼鏡，平心靜氣的去研究，才是我們今日研究古代學術該走的路線。[8]

其次，對於經典的解說，先生主張要「求眞」而不盲從：

群經是我國文化的重要源泉，二千多年來，是人人所重視的寶典。因而歷代學者給經書作注解的，不啻盈千累萬。那些

---

7 〈中學生活片段的回憶〉，收入《屈萬里先生文存》第六冊，頁 1783-1784。

8 〈經學簡述〉，收入《屈萬里先生文存》第一冊，頁 9。

> 注解雖然各有其獨到之處，但與經義不合的地方，也往往而有。學術是天下的公器，以求真為目的。我們固然敬愛先賢，但先賢不正確的意見，我們卻不宜盲從，否則學術就不可能進步了。[9]

進一步，先生對於「六經皆史」的觀點加以闡述：

> 六經皆史為章學誠《文史通義》所主張，在其先有明．王陽明，首先提出，後李贄亦有同論。因此從明代中葉後，有學者覺察到經書應該為歷史。依我們今日看，經、史是有別的，因為經是常久不變的道理，而史是可以變的。若拿六經皆史的眼光看，這些都是古代的史料，嘉言可為修養品德之用，也是思想史、哲學史的資料。如《詩經》那麼美麗的詩篇，正是文學史的材料。《尚書》是政治史，《周禮》是古代官制史、政治思想史的史料。而《禮記》、《儀禮》為民俗史或社會史料。[10]

又云：

> ……凡先秦經籍，經昔儒所附會，致失其本來面目者，皆正待吾人之研究以昌明之。其所以研究之目的，即闡明其真象，

---

9 〈經義新解舉例〉，收入《屈萬里先生文存》第一冊，頁 17。

10 〈經學簡述〉，頁 9。

做為古代社會史之資料而已。[11]

先生研治經學，對於《周易》一書深有研究。其論《易》之性質，也可旁證其經學觀點：

《易》之為書，只為占筮而設，……蓋古人迷信甚深，事事必徵於卜筮，甲骨刻辭無論矣，即就《儀禮》及《國語》、《左傳》諸書覘之，猶可見兩周時代求神問卜之情狀。此《周禮》書中，所以有太卜專官，以掌三易之法也。《易》之用為占筮，《易》之辭亦無奧義。……故其書在語文遞變後之今日讀之，固覺聱牙詰屈，而在當時，要必老嫗都解。蓋占筮所以供眾用，其辭其義必不應奧衍鴻深，致使天下無一解人也。[12]

至於研治經學的資料與方法，以《周易》爲例，先生指出：

我們研究《周易》，首先要了解經文。經文有經有傳，傳的意見，不一定盡合經文，所以要以經觀經，以傳觀傳。然後從訓詁、文字、音韻等方面入手，參以金文、甲骨文，及其他考古學、以及先秦文獻等資料，客觀的尋求經文的本義。

11 〈說易〉，收入《屈萬里先生文存》第一冊，頁45。

12 〈說易〉，頁39。

> 本義既明，才能利用《周易》經傳的資料，分別做各方面的研究。[13]

又云：

> 一、做研究工作，須了解學術界的行情，也就是應該知道某一種學問已經做到什麼水準。因此，要做某一個題目，必須檢閱書目或論文索引（中國的和外國的）。
> 二、研究工作必須憑藉資料，能運用的資料愈豐富，所得的結論也愈正確。資料不應以本國的為限。
> 三、資料愈正確，所得結論也愈正確。因此辨別資料的真偽和圖書版本的優劣，極為重要。
> 四、資料愈原始，愈有助於研究工作。因此做學問應重視原始資料，引用資料時，應當注意它產生的時代。[14]

由於屈先生非常重視學術資料的完整與豐富，所以先生在研究經學問題時就廣泛運用了傳世文獻——各種經、史典籍；與出土文獻——甲骨文、金文等。進一步還運用了民俗資料以詮釋部分經義。先生自云：

---

13 〈推衍與附會——先秦兩漢說易的風尚舉例〉，收入《屈萬里先生文存》第一冊，頁104。

14 廖玉蕙〈讀書與治學的歷程——訪屈翼鵬先生〉，收入《屈萬里先生文存》第六冊，頁2132。

> 經書，自漢代以來，認為是金科玉律、至高無上的寶典。民俗，在古代士大夫心目中，認為是不登大雅之堂的物事。因而歷代說經的先儒，很少用俗事俗物解說經義的（但並非沒有）。可是，實際上經書中涉及民俗的地方很多。而這些民俗，或為先儒所無屑於採用；或為學者所未嘗注意；也或者中原已無其俗，而國外或邊疆地區還保存著，因未為國內學者所知，以致未能採及。可是用民俗來解說經義，往往使人有渙然冰釋之樂。[15]

關於屈先生以民俗解經的方法，目前學界研究屈先生學術時，似乎尚少注意。[16]本文乃嘗試以《屈萬里先生文存》所見之資料，梳理屈先生研究及運用民俗學以解經之成果，以提供學界進一步了解屈先生之整體學術風貌。

二、屈先生對民俗資料之重視

屈先生很早就開始對民俗資料的注意及搜集。如先生於民國二

15 〈民俗與經義〉，收入《屈萬里先生文存》第五冊，頁 1683。

16 據林慶彰先生〈屈萬里先生和他的《龍門集》——編輯《屈萬里先生文存》的意外發現〉一文，屈先生部分討論民俗的文章發表在各種報刊上之後，曾親手剪貼保存，以《龍門集》題其端。林先生並指出：「學者如果能將這五篇論文和屈師的其他民俗學論著相比觀，定可看出屈師在民俗學上所投注的心血和成就。」見《圖書文獻學研究論集》（臺北：文津出版社 1990 年），頁 402。為學界較為明確指出屈先生民俗研究之重要性者。

十二年（1933），即曾注意搜集山東各地之方言，撰〈齊魯方言雜考〉，[17]發表於民國二十五年《時代青年・創刊號》。其中「俺」字，先生以爲「言、卬、姎」三字與「俺」並爲雙聲，用以解《詩・周南・葛覃》：「言告師氏」之「言」字即我也。

屈先生早年曾在孔子家鄉曲阜生活過，也曾訪查記載當地的古蹟文物。[18]民國三十六年（1947）撰〈曲阜散記〉，發表於《天津民國日報・史與地周刊》；[19]民國四十六年（1957）撰〈闕里聖蹟述證〉，發表於《孔學論集》第二冊；[20]民國六十五年（1976）撰〈曲阜的聖蹟〉，發表於《山東文獻》二卷一期。[21]

在《屈萬里先生文存》中保存的民俗研究文章，篇目有如下列：

1、〈周易爻辭中之習俗〉[22]

發表於民國 32 年 10 月《國立中央大學文史哲季刊》第一卷三期，頁 43-48。此文列舉《周易》爻辭中可以民俗加以解說者凡六事，當是屈先生最早以民俗解經的作品。

2、〈五月子——兼論同音字的附會〉[23]

17　本文收入《屈萬里先生文存》第五冊，頁 1725-1729。

18　〈曲阜散記・序〉：「民國二十六年（1937）十月，避倭寇之難，攜山東省立圖書館所藏善本圖書及金石器物，僦居於曲阜城內玉虹樓旁民舍。所居多暇，遂得暢遊城內外諸勝蹟。……爰就所見所聞，拉雜錄之。管窺所及，間作辨證。匪曰有補於志乘，亦聊以發思古之幽情而已。」收入《屈萬里先生文存》第五冊，頁 1737。

19　《屈萬里先生文存》第五冊，頁 1737-1747。

20　本文收入《屈萬里先生文存》第五冊，頁 1755-1766。

21　本文收入《屈萬里先生文存》第五冊，頁 1749-1754。

22　本文收入《屈萬里先生文存》第一冊，頁 79-86。

發表於民國 33 年 1 月《風物誌》第一期，頁 16-19。此文以民俗五月五日所生之子，將不利於父母的傳說，當是由同音字之附會而來（五、午、忤同音），並擴及事物、地名、日辰等同音附會的情況。

3、〈媽媽經和經學〉[24]

發表於民國 40 年 3 月《暖流》第三期，頁 6-8。所謂「媽媽經」一詞，已見於前揭〈五月子〉文中，按照屈先生的解釋，是民俗信仰中雖然屬於迷信，但是已經深入人心，被普遍接受的一些說法或觀念。由於多數是由婆婆媽媽們口耳相傳而來的，故謂之「媽媽經」。此文並舉出四個民俗與解釋經義有關的例子。

4、〈習俗與經義〉[25]

發表於民國 48 年 5 月 29 日《新生報·讀書週刊》第三期。此文是以前述二文爲基礎，修訂補充而成，故並未多舉超出前二文的例子。

5、〈民俗與經義〉[26]

發表於民國 64 年 8 月《孔孟月刊》第十三卷十二期，頁 1-4。此文列舉與民俗有關的經義六例，其中三例已見前文，有三例爲新增。

---

23 本文收入《屈萬里先生文存》第五冊，頁 1663-1729。

24 本文收入《屈萬里先生文存》第五冊，頁 1671-1675。

25 本文收入《屈萬里先生文存》第五冊，頁 1677-1682。

26 本文收入《屈萬里先生文存》第五冊，頁 1683-1690。

6、〈臺俗求野錄〉[27]

發表於民國 38 年 3 月 19、23 日《新生報》第四版。臺俗即臺灣的民俗，此文列舉五種臺灣的生活民俗，並與經典記載相印證。「求野」即是用《漢書・藝文志》：「仲尼有言：禮失而求諸野」的典故。

7、〈鴞鳴的凶兆〉[28]

發表於民國 38 年 10 月 20 日《自立晚報・風物志》。鴞即貓頭鷹，又名梟鳥、鵩鳥，俗名夜貓子。此文舉例說明古今中外的民間傳說，都以鴞鳥夜鳴爲不祥之兆，並用以解《詩・陳風・墓門》一詩。

8、〈牝雞司晨在臺灣〉[29]

發表於民國 38 年 12 月 22 日《自立晚報・風物志》。牝雞司晨之例，屈先生在〈媽媽經和經學〉、〈習俗與經義〉、〈民俗與經義〉等文中皆有引用，惟此文特別標舉，並指出此一習俗「筆者在內地並沒有聽說過，而居然還保留在臺灣。」內容詳見後文。

9、〈烏啼和鵲噪〉[30]

發表於民國 39 年 1 月 29 日、2 月 1 日《自立晚報・風物志》。此文亦是考辨禽類鳴叫在民俗中的吉凶問題，屈先

---

27 本文收入《屈萬里先生文存》第五冊，頁 1691-1696。

28 本文收入《屈萬里先生文存》第五冊，頁 1697-1699。

29 本文收入《屈萬里先生文存》第五冊，頁 1701-1702。

30 本文收入《屈萬里先生文存》第五冊，頁 1703-1706。

生發現烏鴉及山鵲叫聲的代表意義，中國南、北地方的看法似乎相反，其起源還可追溯到魏晉時代。

10、〈山東魚臺婚俗志〉[31]

發表於民國 39 年 4 月 17 日、19 日《自立晚報・風物志》。此文歷記屈先生故鄉魚臺縣[32]的婚禮習俗，雖爲一縣之習俗，其中亦有足與《儀禮・士昏禮》互相發明者。

11、〈偷青和摸秋〉[33]

發表於民國 41 年 5 月 1 日《臺灣風物》二卷三期，頁 2-3 接頁 11。所謂「偷青」與「摸秋」都是民間偷採他人果、菜類以求生子或去百病的習俗，先生考察後發現內地各省似乎都有類似活動，只是季節不同。因此推論「『偷青』和『摸秋』是同一個習俗的演化。」

12、〈石敢當碑和指路碑〉[34]

發表於民國 44 年 1 月 20 日《臺灣風物》五卷一期，頁 1-7。此文詳考內地常見的「泰山石敢當碑」和四川特有的「指路碑」其來源與變化，先生指出二者源出古代的「石頭崇拜」，文獻根源則在失傳的《淮南萬畢術》（類書所引）。

由屈先生考證民俗的各篇文章來看，具有幾項特色：

---

31 本文收入《屈萬里先生文存》第五冊，頁 1731-1735。

32 案：魚臺縣在山東省濟寧市南部，鄰近江蘇省，以縣北有春秋時代魯隱公之「觀魚臺」而得名。屈先生故居即在縣政府所在地的谷亭鎮。

33 本文收入《屈萬里先生文存》第五冊，頁 1707-1711。

34 本文收入《屈萬里先生文存》第五冊，頁 1713-1723。

1、從青年時期就已開始關注民俗問題。

2、充分配合運用民俗以外的各種知識。

3、用民俗來解釋經義頗具說服力。

三、運用民俗以解經之理論基礎與舉證

民俗與經義——尤其與禮制的關係，本來就很密切。《禮記．曲禮上》：「禮從宜，使從俗。」又云：「入竟（同境）而問禁，入國而問俗，入門而問諱。」[35]顧亭林《日知錄．天文》亦云：

> 三代以上，人人皆知天文：七月流火，農夫之辭也；三星在天，婦人之語也；月離于畢，戍卒之作也；龍尾伏辰，兒童之謠也。後世文人學士，有問之而茫然不知者矣。[36]

可見民俗本就植根於民間文化，經典所記，也不出民間生活，欲正確解讀經典原意，民俗正是不可忽視的參考資料。

推原以民俗解經，宋人已開此風。如：

> 荊公〈改正經義劄子〉云：「臣近具劄子，奏乞改正經義。尚有〈七月〉詩剝棗者，『剝其皮而進之，養老也』，亦合刪去，取進止。」《毛傳》解剝為擊，荊公不謂然，乃以養

---

35 《禮記．曲禮上》（臺北：藝文印書館 1979 年影印十三經注疏本），頁 12。

36 《日知錄》卷三十（臺北：明倫出版社 1974 年），頁 855。

> 老解之。偶一日，到野老家，問主人何在？曰：「撲棗去矣！」荊公悵然自失，歸而請刊去之。[37]

案：《詩・豳風・七月》六章：「六月食鬱及薁，七月亨葵及菽，八月剝棗，十月穫稻，爲此春酒，以介眉壽。」毛〈傳〉：「剝，擊也。」《說文》：「剝，裂也。从刀，彔。彔，刻也。彔亦聲。剝或从卜。」段〈注〉：「〈豳風〉假剝爲攴，『八月剝棗』，毛曰：剝，擊也。音義云：普卜反，故知剝同攴也。」王安石嘗撰《字說》，因其不懂古韻古義，解字時常喜用會意以說形聲，以致爲蘇東坡等譏評。這個故事是說王安石解釋〈七月〉詩中的「剝棗」，不用毛〈傳〉的說法，而以通行的意義「剝開表皮」去解釋，聯繫下文的「養老」一事（《毛詩正義》引鄭〈箋〉的說法亦同）。然而有一次當王安石到鄉下去訪友的時候，才偶然得知民間俗語正是「撲棗」（撲音義同攴），證明毛〈傳〉是對的。[38]王安石當下雖然「悵然自失」，但是勇於改過，上奏請求將錯誤的解釋刪去，表現出讀書人實事求是的精神，還是值得肯定的。

在屈先生之前，民國初年顧頡剛（1893～1980）研究「孟姜女故事」，就是運用民俗學的資料。[39]清華大學教授聞一多（1899～

---

37 丁傳靖輯《宋人軼事彙編》卷十（臺北：源流出版社 1982 年上冊），頁 493。

38 近人高亨注此句，亦云：「剝通扑，擊。」撲、扑、攴均同音。見《詩經今注》（臺北：漢京文化事業有限公司 1984 年），頁 203。

39 參見顧頡剛著，王煦華編，《孟姜女故事研究集》（臺北：漢京文化事業有限公司 1985 年）。

1946）也已經大量採用民俗資料及人類學觀點以解讀《詩經》。[40] 如《詩・召南・摽有梅》：「摽有梅，其實七兮，求我庶士，迨其吉兮。」毛〈傳〉：「摽，落也。盛極則墮落者，梅也。」鄭〈箋〉：「梅實尚餘七未落，喻始衰也。謂女二十春盛而不嫁，至夏則衰。」聞氏辨之云：

> 意者，古俗於夏季果熟之時，會人民於林中，士女分曹而聚，各以果實投其所悅之士，中焉者或以佩玉相報，即約為夫婦焉。《晉書・潘岳傳》：「岳美姿儀，……少時常挾彈出洛陽道，婦人遇之者，連手縈繞，投之以果，遂滿載以歸。」蓋猶有古俗之遺意歟？〈傳〉訓摽為落，而以梅落喻女色浸衰，失之。[41]

又如《詩・召南・葛覃》：「言告師氏：言告言歸，薄汙我私，薄澣我衣。」毛〈傳〉：「言，我也；師，女師也。古者女師教以婦德、婦言、婦容、婦功。」鄭〈箋〉：「我告師氏者，我見教告於女師也。」聞氏辨之云：

> 案：如班（《白虎通・嫁娶篇》）鄭（《儀禮・士昏禮・注》）所云，其人既為大夫之妾，士之妻，老而無子，又出而不復

40 聞一多《神話與詩》、《古典新義》等書研究古代的神話、《詩經》、《楚辭》、《周易》、《莊子》，被郭沫若稱為「前無古人，後無來者」。

41 《古典新義》乙集（收入《聞一多全集》第三冊，臺北：育民出版社 1981年），頁 88。

> 嫁，則師氏之名，雖若甚尊，其職則甚卑。……要之，女師之職，略同奴婢，特以其年事長而明於婦道，故尊之曰師耳。詩曰：「言告師氏：言告言歸，『薄汙我私！薄澣我衣！』」告者，告師氏為己澣衣也。『薄』為命令之詞。師氏本封建貴族之一種家庭奴隸，故詩人之言如此。〈傳〉〈箋〉專就其教人之一事為言，則一若其道甚嚴而位甚尊者，此不可不辨也。[42]

近人高亨《詩經今注》於此詩之「師氏」注曰：「貴族家中管教女奴的管家婆」，似亦採聞氏之說。[43]論者評析聞一多的詩經學，也著重指出：「注意民俗的時空變化，可增加論說的深度與廣度」為其優點。[44]

屈先生以民俗解經的方法，其舉例雖然不甚多，也並未形成系統的呈現，[45]但是舉重若輕，言之有物，頗堪玩味。現將其中與「解經」有關者，略加分類，具列如下：[46]

42　《古典新義》乙集，頁111。

43　《詩經今注》，頁4。

44　朱孟庭〈經典的文化詮釋——論聞一多《詩經》的婚嫁民俗闡釋〉，收入《第四屆文學與資訊學術研討會論文集》（三峽：國立臺北大學中國語文學系2008年），頁70。

45　《屈萬里先生文存》將先生論民俗之文章列入「雜文」類，當亦是因其篇數不多，且未形成體系之故。

46　屈先生搜集之民俗資料，不全為解經之用，有些只是以備參考而已。又此處之分類乃大略區分，其中或有兩可者，擇其側重之義為歸類依據。所舉各例具見先生原文，為省篇幅，不再一一注明出處。

（一）與「事物」有關的習俗

1、願言則嚏

《詩・邶風・終風》：「終風且曀，不日有曀。寤言不寐，願言則嚏。」鄭〈注〉：「言，我；願，思也。嚏，當讀爲不敢嚏咳之嚏。我其憂悼而不能寐，女思我心如是，我則嚏也。」至今當人們忽然打起噴嚏時，就會說：「有人在想我」或「有人在罵我」，屈先生指出這種習俗在《詩經》就有記載。

2、指虹

《詩・鄘風・蝃蝀》：「蝃蝀在東，莫之敢指。女子有行，遠父母兄弟。」毛〈傳〉：「蝃蝀，虹也。夫婦過禮則虹氣盛，君子見戒而懼諱之，莫之敢指。」〈鄭箋〉：「虹，天氣之戒，尙無敢指者，況淫奔之女，誰敢視之。」先生認爲首二句應爲「興體」，與下文無關。且在內地各處都有以手指虹會對身體有不好的影響，如手指會爛、手會歪、使人駝背等民俗說法，可爲此二句之的解。

3、下莞上簟

《詩・小雅・斯干》：「下莞上簟，乃安斯寢。」鄭〈箋〉：「莞，小蒲之席也，竹葦曰簟。」屈先生指出日本傳統的「榻榻米」（たたみ）就是這種習俗的遺留，榻榻米外面精緻的席子，就類似簟；裡面粗糙的稻草，就類似莞。雖然榻榻米的做法，和下莞上簟稍有不同，但大體上是相似的。先生並指出日本人的「跪坐」也正是中國古代的坐姿，舉甲骨文與金文的「女」及「母」字字形爲證。

4、織貝

《尚書・禹貢》：「厥篚織貝。」《史記・夏本紀》〈集解〉引鄭康成曰：「貝，錦名也，詩云：『成是貝錦』。」認爲「織貝」是織有貝形花紋的錦；〈僞孔傳〉則將織、貝分開解釋。先生指出二者均有所不妥，織貝應該類似臺灣原住民的飾物「珠裙」，就是將貝殼打碎，磨成圓形顆粒，中間穿洞，用細線把這些貝粒一串一串的串起來，再織成布狀，作成裙子或批肩等。先生並同意日本人尾崎秀眞《臺灣四千年史の研究》[47]一書中，認爲珠裙就是織貝的說法。

5、案，舉案

《周禮・考工記・玉人》：「案十有二寸，棗栗十有二列。」鄭〈注〉：「案，玉飾案也。」先生指出：這種案是進食用的案，可以用手捧著，《後漢書・逸民傳》記載孟光「舉案齊眉」的故事，其中的案，也正是這種食案。至今日本

47　尾崎秀真（1874～1952），號古邨、白水，日本岐阜縣加茂郡西白水村人。初任東京報知新聞記者，後轉任《臺灣日日新報》主筆，在職25年。曾兼總督府囑託，及私立臺北中學校長，並投身臺灣之考古學研究，為著名之漢學家，亦為「南雅社」成員。尾歧氏對臺灣地方文史之整理，古蹟之維護，不遺餘力。曾舉辦「臺灣三百年文物展覽」，觀賞者近萬人，影響頗深。著有《臺灣四千年史》、《鳥松閣漢詩集》，臺北龍山寺及孔廟皆有其墨跡。

人的「御膳」（ごぜん）仍是將一人份的飯菜、餐具一起放在一個漆盤中，供客人食用，就是這個習俗的延續。

6、其他

屈先生在臺灣，特別注意到原住民（昔稱高山族）的某些習俗或事物，可與經典記載相印證，例如《周易・繫辭傳下》：「刳木爲舟，剡木爲楫。」刳木就是原住民的「獨木舟」；《春秋・隱公五年》：「春，公矢魚於棠。」臺中的能高山區原住民還有射魚的習俗；《禮記・曲禮下》：「鄰有喪，舂不相。」《荀子・成相》及《周易・井・象傳》：「君子以勞民勸相」中的「相」，就是原住民的「杵歌」等等。

（二）與「動物」有關的習俗

1、牝雞司晨

《尚書・牧誓》：「古人有言曰：牝雞無晨！牝雞之晨，惟家之索。」先生指出：民俗以母雞在早晨鳴叫爲不祥，要將此鳴叫的母雞「梟首示衆」。而其起源在《尚書》中就有記載，至今已有二千多年歷史了。值得注意的是：此俗在內地已經失傳，至先生 1949 年來臺後，才偶然在臺北市近郊溫州街一帶（當時還是人煙稀少的郊區）看到有用竹竿夾母雞頭的事。

2、鴞鳴

《詩・陳風・墓門》：「墓門有梅，有鴞萃止。夫也不良，歌以訊之。」鄭〈箋〉：「鴞，惡聲之鳥也。梅之樹，善惡自爾，徒以鴞集其上而鳴，人則惡之。」先生指出民間向以聽聞貓頭鷹（鴞，亦作梟）之夜鳴爲不祥，由《詩經》所載來看，也有兩、三千年歷史了，並引《晏子春秋．內篇．雜下》「景公爲路寢之臺」及《說苑．談叢》「梟逢鳩」等故事爲證。

（三）與「語音」有關的習俗

1、棗與栗

《儀禮．士昏禮》：「婦執棗、栗，自門入。升自西階，進拜，奠於席。」屈先生先引《國語．魯語上》：「夫婦贄不過棗、栗，以告虔也。」做解釋，並舉出山東舊式婚禮有一個節目叫「撒帳」爲旁證，就是由新郎的本家嫂子或表嫂們，拿著棗和栗子，灑在新夫婦的床上，口裡還唸唸有詞，多半是祝福新夫婦早生貴子之類的話語。老年人還說：「棗是表示早，栗子是表示立子，也就是早早立子的意思。」可知這是以同音聯想而來的吉祥話。

2、五月子

在山東、江蘇的民間傳說，都有五月初五生的兒子不吉祥的說法。屈先生指出這種說法在《史記．孟嘗君列傳》已經出現，《論衡．福虛》及〈四諱〉等篇也有類似記載，《史記．索隱》云：「俗謂五月五日生子，男害父，女害母也。」但這個傳說的根源是什麼？古人並未說明。屈先生認爲是同音字的附會，因爲五音同午（《說文》：「五，五行也，从二，陰陽在天地間交午也。」），午又和啎（或作忤、仵、迕）同音同義，《說文》：「午，啎也。」《禮記・哀公問》：「午其衆以伐無道。」鄭注：「午其衆，逆其族類也。」可知午字可作「忤逆」解，五月五日生的孩子，可說是「雙料忤逆」，自然有危害父母的可能了。古書中同樣因同音字而產生的附會，還可以舉出如《史記・張耳陳餘列傳》中的「柏人者，迫於人也」；《儀禮・少牢饋食禮》：「日用丁巳。」《周易・革・卦辭》：「巳日乃孚。」〈六二爻辭〉：「巳日乃革之。」等之「巳」與「改」古音相同，故「巳日」即「改日」，「改日」即「革日」—變革之日等。

四、結　論

一、屈先生之所以注意到民俗資料對解經的重要性，一方面可能和其喜歡研究《易經》有關，另一方面也可能受到民初學風的影響。〈書傭論學集序〉云：

> 那時（案：1922 年）疑古的浪潮已經很普遍，而我的觀念則是信古彌篤。……直到在山東圖書館服務了三、四年之後，才知道研治《周易》不能專靠古人的注解，而必需參考其他的比較資料。於是除了泛覽先秦的典籍之外，也開始注意考古學和民俗學等類的文獻。……也讀了不少金文書

> 籍，……到這時我才知道注意探討學術資料的真偽，以及產生的時代等問題。[48]

屈先生對於《詩經》的研究也很深入，其〈論國風非民間歌謠的本來面目〉一文，在論國風的篇章形式與民間歌謠不同時，即引用了北平、川東等地的民歌，證明原始的民間歌謠應該是長短字數都是不整齊的，今傳《詩經》中的國風部分，應該已經過貴族或士人潤飾修改。

二、從前述屈先生解讀經典引用的民俗來看，很多是與「避忌」有關的習俗。如同音字的避忌、動物鳴叫的避忌等。這可使我們進一步思考民俗與原始巫術的關係，甚至於經典與巫術的關係。例如《禮記・冠義》：「已冠而字之，成人之道也。」孔〈疏〉：「二十有為父之道，不可復言其名，故冠而加字之，成人之道也。」然而向來注經家只說明了為成年人取字的「其然」，而未說明其「所以然」，也就是此一禮俗的來源。事實上，這一禮俗即可以原始巫術中的「交感巫術」及「反抗巫術」來說明。原來遠古時代的人類相信人的名字就是其本身，傷害了「名」也就會傷害到「人」，所以為了避免他人用巫術傷害自己的「真名」，就會取一個「假名」做為日常使用，真名則密藏不宣，除了親人，不使他人得知。久之到了文明進化，以禮儀代替巫術的時代（如周朝），一個人成年後

---

48 收入《屈萬里先生文存》第四冊，頁 1330-1331。

在其「名」之外又取一個「字」就成爲禮俗了。[49]

三、經由本文的研究可知，運用民俗資料以解經（或各種古書）的方法，自宋代以來，就不絕如縷，雖然不是解經方法中的主流，卻也存在一種值得擴大取材範圍、儘量加以運用的價值。誠如屈先生所說：

> 以上只是隨便舉了幾個例子，如果更進一步去探討，相信這一類的情形還很多。而且上面所舉的這些例子，都是現在在本國和日本所能見到的，倘若再多多利用考古學、民族學的資料，把我國古代的、邊疆的，亞洲乃至亞洲以外國家的事事物物，用以印證我國的古書，不但可以得到一些確實的了解，而且在文化傳播方面，也將會得到更多的知識。[50]

筆者在本書各篇章一再申述「跨學科」研究的重要，相信讀者們借鏡於屈萬里先生的經學研究成果後，也會欣然加以認同的。

---

49 參考弗雷澤（J.G.Frazer）《金枝——巫術與宗教之研究》（"The Golden Bough"）第 22 章，汪培基譯，（臺北：桂冠圖書公司 1994 年），頁 367-372；高國藩《中國巫術史》第五章，（上海：上海三聯書店 1999 年），頁 57-63；葉國良〈冠笄之禮中取字的意義及其與先秦禮制的關係〉，收入《漢族成年禮及其相關問題研究》（臺北：大安出版社 2004 年），頁 4-12。

50 〈民俗與經義〉，頁 1690。

第四章

文獻學與佛教研究

試論五代佛教與藏書文化之交涉——兼論江正與李後主之傳說

一、前　言

中國古代藏書史研究，是中國歷史研究的一個分支，也是中國文化史的一部分。其主要研究範疇是：中國古代政府及私人藏書的傳承經歷、典藏內容、求書方法、收藏理論等，並進而發掘其文化史的意義。藏書史研究的成果，也可以提供文學、文化學、社會學、經濟學等領域的學者參考。以往有關藏書史研究的資料，是包含在目錄學與版本學之中的（如各種善本提要與藏書題記），隨著學科意識的進步，中國藏書史已經逐漸獨立出來，成爲一門新興學科，近年來更有發展成爲「藏書文化」的趨勢。[1]筆者近年來研究的方

1　參見筆者：〈海峽兩岸藏書史研究與著作述評〉（高雄：中山大學中文系《文與哲學報》第五期，頁 85-113，2004 年 12 月），修正稿收入本書頁 105-143；周少川：《藏書與文化——古代私家藏書文化研究》（北京：北京師範大學出版社 1999 年）。

向，即是以中國古代藏書史為基礎，結合圖書文獻學與其他學科，進行「藏書文化」的整合研究，而本文正是此一嘗試的成果之一。

清末葉昌熾撰《藏書紀事詩》，記載五代以下至清末藏書家凡739人，其卷一載有「江正元叔」一首，因其內容牽涉到文學史上的重要人物：李後主，引起筆者的注意。再經查閱相關資料，頗覺有進一步研究的趣味。題目所標示的江正，可說是一個同時牽涉到佛教史與藏書史的人物，本文試圖將出現於藏書史上的一個典故，放在佛教史發展的脈絡中來觀察與理解，從中可以引導出對於藏書史的不同解讀與擴展，也提供研究中國佛教史多元的、跨學科的觀察角度。

二、五代以前的佛教發展

佛教於西漢末年、東漢初年之間傳入中國後，[2]中國佛教的發展，在九世紀初達到顛峰。隨著「八宗並暢」的局勢，佛教已然深入中國社會的各個角落，成為文化組成極為重要的一部分。然而在佛教發展興盛的過程中，內外部的隱憂也逐漸表面化，以致從5世紀到10世紀，曾經發生多次反佛教的衝突。其中有四次較為重大的反佛運動，即是後來中國佛教史上所謂的「三武一宗法難」，[3]

2 佛教傳入中國的年代有多種說法，此處據湯用彤《漢魏兩晉南北朝佛教史》（臺北：國史研究室1973年），頁16-30；任繼愈主編《中國佛教史》第一卷（北京：中國社會科學出版社1997年），頁45-66。

3 「三武一宗」是指：北魏太武帝（424～452在位）、北周武帝（560～578在位）、唐武宗（841～846在位），後周世宗（954～959在位），用各對於唐宋以後佛教發展影響相當巨大，如：840年，唐武宗李瀍（814～846，後改名炎）即位，次年改元會昌，五年（845）七月起，採納道士趙歸眞（?～846）等的建議，全面破壞佛教。《資治通鑑》卷二四八：

> 上惡僧尼耗蠹天下，欲去之，道士趙歸真等又勸之，乃先毀山野招提、蘭若，上都、東都兩街各留二寺，每寺留僧三十人。……八月壬午，詔陳釋教之弊，宣告中外。凡天下所毀寺四千六百餘區，歸俗僧尼二十六萬五百人，收良田數千萬頃，奴婢十五萬人。[4]

六年二月，武宗晏駕，宣宗李忱（810～859）即位，盡復武宗前之制度。

歷史由唐代進入五代，經過前面幾次反佛運動的衝擊，佛教最大的改變就是由「自主的佛教」變成「國家的宗教」，也就是政府對佛教的控制更加直接與嚴格。面對君主，出家人也不再像南北朝時代那樣具有超然的地位，必須對世俗的君王禮敬、服從。[5]如《歸田錄》載：

種手段對興盛一時的佛教體系進行限制與剷滅。參考《釋氏稽古略》卷二-卷四，《大正新修大藏經》第49冊（臺北：新文豐出版公司1994年）。

4 《資治通鑑》第17冊（北京：中華書局1976年），頁8015-8017。

5 關於佛教與王權的關係，可參見周伯勘〈慧遠「沙門不敬王者論」的理論基礎〉（國立臺灣大學歷史學報第9期，1982年，頁67-92）。

> 太祖幸相國寺，至佛前燒香，問：「當拜與不拜？」僧錄贊寧曰：「不拜。」問其故，曰：「見在佛不拜過去佛。」上微笑而頷之，遂以為定制。[6]

贊寧（919～1001）稱宋太祖爲「現在佛」，雖是阿諛之詞，但正可以說明自五代以後帝王權力實際凌駕於宗教之上的事實。

五代的帝王曾屢次下詔限制佛教的發展。如：後梁末帝龍德元年（921），從禮部員外郎李樞之議：「禁止天下僧尼私度；不許濫請大師號及賜紫衣；欲出家受戒者，須赴宮闕應考。」類似的命令，在後唐莊宗同光二年（924）、後唐明宗天成元年（926）、後唐廢帝清泰二年（935）、後晉高祖天福二年（937）、後漢隱帝乾祐二年（949）都曾經下詔重申，目的是要嚴格執行。[7]

自955年起，後周世宗柴榮（921～959）又再次強力壓抑佛教。《資治通鑑》卷二九二：

> 顯德二年三月，敕天下寺院，非敕額者悉廢之。禁私度僧尼，凡欲出家者，必俟祖父母、父母、伯叔之命。……是歲天下寺院存者二千六百九十四，廢者三萬三百三十六。見僧四萬二千四百四十四，尼一萬八千七百五十六。……帝以縣官久不鑄錢，而民間多銷錢為器皿及佛像，錢益少。九月丙寅朔，敕始立監採銅鑄錢，除縣官法物、軍器及寺觀鐘磬鈸鐸之類

6　《宋人軼事彙編》下冊（臺北：源流出版社1982年），頁1117。

7　並見鎌田茂雄《簡明中國佛教史》（臺北：谷風出版社1987年），頁274。

> 聽留外，自餘民間銅器、佛像，五十日內悉令輸官，給其值。過期隱匿不輸，五斤以上其罪死，不及者論刑有差。[8]

周世宗甚至以大乘佛教的教義來合理化其破佛的行爲，《新五代史》卷十二〈周世宗本紀〉：

> 是時中國乏錢，乃詔悉毀天下銅佛像以鑄錢。嘗曰：「卿輩勿以毀佛為疑！吾聞佛說，以身、世為妄，而以利人為急。使其真人尚在，苟利於世，猶欲割截，況此銅像，豈其所惜哉！」[9]

不久，北宋建國，仍然恢復支持佛教的政策。

詳細分析，歷次反佛的動機有其相同之處。一是經濟問題，佛教寺廟及僧徒，不必繳稅，不用服勞役，久而久之，對於整體經濟一定有影響。後周世宗的破佛即與此問題有關；二是僧團份子複雜，政府進行沙汰。前述歷朝所下詔書都有禁止私度僧尼的規定，反映出此一問題的嚴重；三是出於道教徒的反擊，佛、道早期一向不合，隨著佛教勢力愈來愈大，道教徒利用各種機會進行反制，也是意料中的事。

然而五代的佛教僧人，不守清規，或作姦犯科、或妖言惑眾、或涉足政治的亦比比皆是，難怪朝廷需要進行肅正。如：

---

8 《資治通鑑》卷二九二，頁 9527-9530。

9 《新五代史》卷十二〈周世宗本紀〉（臺北：鼎文書局 1985 年），頁 125-126。

> 韓建治華州（今陝西省華縣），嘗患僧眾廝雜犯行者眾，欲貸之則不可，盡治之則恐傷善類。乃擇其徒有道行者，使為僧正，以訓治之。而擇非其人，反私好惡與奪，修謹者不得申，犯者愈無所憚。[10]
>
> 初，五臺山僧誠惠，以妖妄惑人，自言能降服天龍，命風召雨，帝（後唐莊宗）尊信之。……時大旱，帝自鄴都迎誠惠至洛陽，使祈雨。士民朝夕瞻仰，數旬不雨。……逃去，慚懼而卒。[11]
>
> 天福九年（944）十二月，閩人殺朱文進，尋以僧儼明為主。儼明姓卓氏，乃雪峰寺僧，平素為眾所重，相與迎之，遂立為帝。未幾，為部將李仁達所殺。[12]
>
> 僧仁及，為（周）行逢所信任，軍府事皆預之，亦加檢校司空，數娶妻，出入導從如王公。[13]

天成二年（927）所下敕文，可以說明當時佛教僧尼行爲不檢，攀緣不法的情況，其文曰：

> 訪聞近日僧尼等，或因援請托，以便參尋。既往來以為常，致奸訛之有倖。自此以後，如有官中齋會行香，顯有告援；及大段齋供，請命即行，依時赴會。除此之外，不計齋前齋

10 《齊東野語》卷二。

11 《資治通鑑》卷二七三，頁 8933。

12 《資治通鑑》卷二七三，頁 8936。

13 《資治通鑑》卷二九三，頁 9558。

> 後，僧尼不得輒有相過。如敢故違，仰逐處坊界所由及巡司節級，晝時擒捉，並准姦非例處斷。……今後僧不因道場及齋會，不得公然於俗舍安下住止，如違，准上科斷。[14]

另一方面，經過政府的嚴厲政策與嚴重打擊，中國佛教開始走上一條不同的道路。隋唐以來著重「義學」的佛教，轉而以實際修行、不重經典的禪宗（尤其是所謂「農禪」）大盛。以五代佛教而言，影響後世較大的高僧也多半是禪宗大師。最著名的有：雪峰義存（822～908）、玄沙師備（835～908）、雲門文偃（864～949）、法眼文益（885～958）、永明延壽（904～975）等。[15]

三、五代的佞佛風氣

五代十國的佛教政策，基本上雖然是以壓抑、管制爲主，但是佛教的勢力依然龐大。而五代十國自天子至於王公大臣，「佞佛」的情況也不遑多讓。如：

> 莊宗神閔敬皇后劉氏，用事於中，自以出於微賤，踰次得立，以為佛力所庇。故宮中貨賄山積，惟寫佛書，饋賂僧尼。而莊宗由此亦佞佛。有胡僧自于闐來，莊宗率皇后與諸子迎拜

---

14 《五代會要》卷十二〈雜錄〉（上海：上海古籍出版社 1978 年），頁 198。

15 《中國禪宗通史》（南京：江蘇古籍出版社 1995 年）第五章，頁 360-377。

之。僧遊五臺山，遣中使供頓，所至傾動城邑。[16]

太原多僧舍，資福一宗尤事禪譯，文武間好佛者，多湊其門，帝（後唐廢帝）亦頗宗奉之。[17]

宋彥筠溺志於釋氏，每歲至金仙（謂佛也）入涅之日，常衣斬衰，號慟於其像前，其佞佛也如是。家有侍婢數十人，皆令削髮披緇，以侍左右，大為當時所誚。[18]

文武大臣或眷屬出家爲僧尼者亦多，如：

昭儀陳氏，宋州人也。太祖嘗有疾，昭儀與尼數十人，晝夜為佛法，未嘗少懈。太祖以為愛己，尤寵信之。開平三年（909）度為尼，居宋州佛寺。[19]

開平四年（910）夏，詔金華公主出家為尼，居於宋州元靜寺。蓋太祖推恩於羅氏，令終其婦節也。[20]

張策字逸少，敦煌人也。……妙通因果，酷奉空教。未弱冠，落髮為僧。……唐廣明末，大盜犯闕，策遂返初服，奉父母逃難。梁太祖建國，仕至中書侍郎。[21]

同光三年（925），騎將史銀槍有戰功，隨駕入洛，忽悟禪

---

16 《新五代史》卷十四，頁 144-145。

17 《資治通鑑》卷二七三。

18 《舊五代史》卷一二三（臺北：鼎文書局 1983 年），頁 1623。

19 《新五代史》卷十三，頁 130。

20 《舊五代史》卷十四，頁 192。

21 《舊五代史》卷十八，頁 243-244。

> 道，乞出家，名契澄。賜號無學大師，以其居為立德院。[22]
> 皇甫遇之妻宋國夫人霍氏，廣順三年（953）上言請度為尼，周太祖許之，乃賜紫衣，號貞範大師，法名惠圓。[23]

甚至於每當戰亂之中，失勢的將帥卿相，往往反過來需要托庇於佛教，苟全性命。如：

> 王鎔次子昭誨，當鎔被禍之夕，為軍人攜出府第，置之地穴十餘日。乃髡其髮，被以僧衣，以托於李震。震置之於茶褚之中。既至湖湘，乃令依南嶽寺僧習業，歲給其費。[24]
> （唐莊宗弟）李存霸聞京師亂，亦自河中奔太原。比至，麾下皆散走，存霸乃剪髮，衣僧衣，謁李彥超曰：「願為山僧，冀公庇護。」彥超欲留之，為軍士所殺。[25]
> 閬州光國院行遵，福州閩王王氏之仲子，以莊宗即位，入洛貢方物，因留京邸。同光末，京師變亂相仍，乃自剪飾變服為僧，竄身巴蜀。[26]

不少出家人平日與帝王、官宦交往頻繁甚至勾結，如：

---

22 《佛祖統紀》卷四二（《大正新修大藏經》第 49 冊），頁 391。

23 《舊五代史》卷九五，頁 1261。

24 《舊五代史》卷五四，頁 730。

25 《資治通鑑》卷二七三。

26 《宋高僧傳》卷二二（《文津閣四庫全書》本，第 1056 冊，北京：商務印書館 2006 年），頁 307。

梁太祖即位之初，……宰臣薛貽矩奏曰：臣嘗與僧悟因相知，每日公暇之時，便到其院，……遂與僧結壇持念，果見神人……。[27]

莊宗代，有僧錄慧江，與道門程紫霄談論，互相切磋，謔浪嘲戲以悅帝。莊宗自好吟唱，雖行營軍中，亦攜法師談讚，或時相嘲挫。[28]

王鎔，其先回紇部人。宴安既久，惑於左道，專求長生之要，常聚緇黃，合鍊仙丹。或講說佛經，親受符籙。西山多佛寺，又有王母觀，鎔增置館宇，雕飾土木。[29]

丙子年（916？）二月十一日，乾元寺僧隨願共鄉司判官李福紹，結為弟兄，不得三心二意，……願山河為誓，日月證盟……。[30]

北方政權更迭頻繁，戰亂相仍，佛教的發展必然受到限制。南方諸國，相對較爲安定，例如吳越的佛教，就相當興盛。吳越自武肅王錢鏐（907～932）以下，歷經文穆王錢元瓘（932～941），忠獻王錢弘佐（941～947），和忠懿王錢弘俶（948～978）等都恭禮佛教，起塔建寺、全力護法。其重要事蹟如：

27 《五代史記注》卷三五（《續修四庫全書》本，第 291 冊，上海：上海古籍出版社 1995 年），頁 146。

28 《僧史略》卷下。

29 《舊五代史》卷五四，頁 279。

30 敦煌寫卷 S.6300，見牧田諦亮：《五代宗教年表》貞明二年條（《世界佛學名著譯叢》第 45 冊）。

> 貞明二年（916），吳越王錢鏐遣沙門清外，同弟錢鏵往四明阿育王山，迎釋迦舍利塔。王躬迎至羅漢寺，廣陳供養。[31]
>
> 天台山福田寺從禮（856～925），襄陽人也。武肅王錢氏召入州府，建金光明道場，檀施優渥。[32]
>
> 杭州龍冊寺道怤（868～937），俗姓陳，永嘉人也。……武肅王錢氏鏐欽慕，命居天龍寺，私署順德大師。……吳越禪學，自此而興。[33]
>
> 四明沙門子麟往高麗、百濟、日本諸國，傳授天台教法。高麗遣使李仁日送麟還，吳越王錢鏐令於郡城建院，以安其眾。[34]

又：唐武宗滅佛時，天台宗之章疏文獻受創甚巨，吳越王採納義寂（919～987）之建議，遣使至高麗、日本求取逸書，以致形成宋代天台宗的中興。[35]

以上種種記載，都說明五代十國的大環境，佛教其實還是根深柢固的，種種反佛舉動只是小迴流，佞佛反而是大潮流。

---

31 《佛祖統紀》卷四二，頁 390。

32 《宋高僧傳》卷十六，頁 172。

33 《宋高僧傳》卷十三，頁 220。

34 《佛祖統紀》卷四二，頁 522。

35 《中國天臺宗通史》（南京：江蘇古籍出版社 2001 年），頁 384。

四、南唐帝王的佛教信仰

至於南唐佛教的情況，亦復昌盛。南唐創業之主李昪（887～943，廟號烈祖），生平與佛教因緣甚深。《十國春秋》卷十五載其父李榮：

> 飄遊他鄉，為徐州判官，安貧謹厚。喜佛書，多遊息佛寺，號為「李道者」。

又《南唐書注》引《鳳陽府志》：

> 乾明寺在清流門外，（李）昪二姊少時，投此寺為尼。

《江表志》卷一：

> 帝少孤，有姨出家為尼，常出入徐溫宅。

《江南野史》：

> 時先主方數歲，且異常兒。濠上一桑門與行密有故，乞收養以為徒弟。[36]

---

36 並見鄭滋斌：《陸游南唐書本紀考釋及史事補遺》（臺北：文史哲出版社 1997 年），頁 9。

由於家庭環境的影響，烈祖篤信佛教，建國之後，廣建佛寺僧舍，常設無遮大會，廣行佈施。昇元年間，在金陵新建的佛寺有淨妙寺，改瓦官寺爲昇元寺，改能仁寺爲興慈寺（941），又改興教寺爲清涼寺。在建寺佈施以外，烈祖也曾致力推動譯經活動。有名的例子如：敕命豫章龍興寺僧智元刪譯當時中印度胡僧所奉獻的貝葉佛經，又命令文房抄寫《華嚴經論》四十部。[37]

南唐烈祖諸子之中，除了末子李景逷之外，幾乎無一不信佛。其中又以中主李璟（915～961）信佛最爲篤誠。其信佛的虔誠，除了捐捨早年所建的讀書臺爲開先寺外，即位之後更大起佛寺及僧房，自己更如虔誠的佛教徒一般聽經及作疏。他曾命僧人玄寂入宮講《華嚴經》；又因本身喜歡《楞嚴經》，而命擅於書法的僧人應之抄錄經文，再命馮延巳（903～960）作序。中主還在金陵廣開道場，比較著名的有大報恩寺、大報慈寺、和清涼寺等道場。由他之喜好《楞嚴經》，以及和禪宗大師的往來，足證中主與禪宗信仰的關係密切，特別是青原行思的嫡傳系統。[38]

至於後主李煜（936～978），更是對於佛教採取優遇甚至崇仰的態度。關於李後主的「佞佛」，很多資料都有提到。如：吳任臣《十國春秋》卷十七〈後主本紀〉：

> 開寶二年（969），是歲普度諸郡僧。開寶三年春，命境內

---

37 參見陳葆真：〈南唐三主與佛教信仰〉，收入《李後主和他的時代》（臺北：石頭出版公司 2007 年），頁 249。

38 〈南唐三主與佛教信仰〉，頁 252。

崇修佛寺。改寶公院為開善道場，國主與后預僧伽帽，衣袈裟，誦佛經，拜跪頓顙，至為瘤贅。

又：

素溺竺乾之教，度僧尼不可勝筭。以崇佛故，頗廢政事。……長圍既合，內外隔絕，城中惶怖無死所。後主方幸淨居寺，聽沙門德明、雲真、義倫、崇節講《楞嚴》、《圓覺經》。

又卷三十三：

初，後主與周后酷信浮屠法，僧帽裓衣，課誦釋典。親削僧徒，廁簡試之。……兩手常作佛印而行。募道士為僧者，予二金。僧人犯姦者，令禮佛百拜，便釋之。由是姦濫公行，無所禁止。[39]

《江南餘載》下：

後主篤信佛法，於宮中建永慕宮，又於苑中建靜德僧寺，鍾山亦建精舍，御筆題為報慈道場，日供千僧，所費皆二宮玩用。

---

39 吳任臣：《十國春秋》卷十七、卷三三（北京：中華書局 1983 年點校本第一冊），頁 257、472。

《江表志》三：

> 後主奉竺乾之教，多不茹葷。嘗買禽魚，謂之放生。

《燕翼詒謀錄》卷三：

> 江南李主佞佛，度人為僧，不可數計。太祖既下江南，重行沙汰，其數尚多。太宗乃為之禁，至道元年六月己丑，詔：江南、兩浙、福建等處諸州，僧三百人歲度一人，尼百人歲度一人。[40]

南唐由於三主都篤信佛教，因此朝野信佛蔚爲風氣，除了後主的四叔景遏和朝臣徐鉉外，無一不深受佛教影響。後主的子侄輩中，甚至有人在入宋後出家爲僧，比如活動於北宋眞宗景德到祥符（1004～1016）年間的譯經光梵大師惟淨，便是吉王從謙的兒子。[41]

另外還應該注意的是：南唐君主對於佛教崇信之餘，對於道教也採同樣信奉、保護的態度。如：烈祖李昪禮敬茅山道士王棲霞，號「眞素先生」。烈祖自己還服食道士史守沖所煉丹藥，終至病殂；中主李璟，不但恩寵道士，甚至納女道士「耿先生」於後宮，聽其化金燒丹，種種神異見諸史冊。[42]南唐知名的道士還有譚峭、陳允

---

40 並見《陸游南唐書本紀考釋及史事補遺》，頁 382-384。

41 陸游：《南唐書》，〈列傳〉卷十五。

42 《十國春秋》卷三四，頁 473、479。

升、陳曙、聶紹元等。如果與南唐「佞佛」之事對照，實在不遑多讓。可以說南唐政權始終與宗教信仰密不可分，可知南唐之亡國不能完全歸之於佞佛。

五、五代十國的藏書與江正其人

五代十國的文化，除了佛教盛行之外，私人藏書的風氣也很普及。如：

> 毋守素字表淳，河中龍門人。父昭裔，偽蜀宰相。昭裔性好藏書，在成都令門人句中正、孫逢吉書《文選》、《初學記》、《白氏六帖》鏤板。守素齎至中朝，行於世。[43]
>
> 孫光憲字孟文，陵州貴平人。……博通經史，尤勤學，聚書數千卷，或自鈔寫，孜孜讎校，至老不倦。[44]
>
> 蜀相王鍇，字鱣祥。藏書數千卷，一一皆親札，並寫藏經。每趨朝，於白藤擔子內寫書。[45]

據今人研究，五代十國期間之藏書家約 43 人。[46]南唐的藏書在十國中則是首屈一指的，如著名的文字學家徐鍇（920～974）：

43 《新校本宋史並附編三種》卷 479（臺北：鼎文書局 1983 年），頁 13893。

44 《藏書紀事詩》卷一（上海：上海古籍出版社 1999 年補正本），頁 2。

45 《藏書紀事詩》卷一，頁 3。

46 范鳳書：《中國私家藏書史》（鄭州：大象出版社 2001 年），頁 57。

> 久處集賢，朱黃不去手，少精小學，故所讎書尤精審。江南藏書之盛，為天下冠，鍇力居多。

又如處士陳貺「好學，遊廬山，刻苦進修詩書，蓄書數千卷。」；江州曹掾陳袞「爲書堂，聚書數千卷。」；隱士朱遵度「好藏書，人謂之朱萬卷」；[47]而李後主本人也是酷嗜藏書之人。陳彭年《江南別錄》云：

> 元宗、後主皆好求古迹，宮中貯圖書數萬卷。

北宋初年，館閣藏書多缺，尚有賴江南圖書之補充：

> 王師平金陵，得書十餘萬卷，分配三館及學士舍人院，其書多讎校精當，編帙全具，與諸國書不類。[48]

可見南唐藏書之美富，並未受到佞佛的影響。

清末葉昌熾撰《藏書紀事詩》，記載五代以下至清末藏書家凡739人，其卷一有「江正元叔」一首，內容牽涉到文學史上的重要人物——李後主，引起筆者注意及進一步研究的興趣。

葉詩云：

---

47 《中國私家藏書史》，頁56-57。

48 《宋朝事實類苑》卷三十（臺北：源流出版社1982年），頁389。

笏頭方冊由拳紙，一篋書還當一炊；亦似江南新下日，念家山破不勝悲。

下引《揮麈後錄》：

樊若水（943～994）夜釣采石，世多知之。宋咸《笑談錄》云：「李煜有國日，樊若水與江氏子共謀。江年少而黠，時李主重佛法，即削髮投法眼禪師為弟子。隨入禁苑，因遂得幸。法眼示寂，代其住持建康清涼寺，號曰『小長老』，眷渥無間。凡國中虛實盡得之。先令樊若水走闕下，獻下江南之策，江為內應。其後李主既俘，各命以官。江後累典名州，家於安陸，子孫亦無聞。」鄭毅夫為〈江氏書目記〉，載文集中，云：「舊藏江氏書數百卷，缺落不甚完。予凡三歸安陸，大為搜訪，殘帙遺編，往往得之，閭巷間無遺矣。僅獲五百十卷。通舊藏凡千一百卷。江氏遺書具此矣。江氏名正，字元叔，江南人。嘗為越州刺史，越有錢氏時書，正借本謄寫，遂併其本有之。及破江南，又得其逸書，兼吳越所得，殆數萬卷。老為安陸刺史，遂家焉。盡輦其書，築室貯之。正既歿，子孫不能守，悉散落於民間。火燔水溺，鼠蟲齧棄，并奴僕盜去，市人裂之以藉物。有張氏者所購最多，家貧乃用以為炊，凡一篋書為一炊飯，江氏書至此窮矣。……
明清案：馬令《南唐書》及龍袞《江南野史》並云：「北朝聞李後主崇奉釋氏，陰選少年有經業口辯者，往化之，謂之一佛出世，號為『小長老』，朝夕與論循環果報。後主因是

> 襟懷縱脫，兵機守禦之謀，慌然而弛。及王師圍城，後主乃鴆殺之。」觀宋、鄭所記，則知李氏國破之際，所鴆非真，又以計免而歸本朝，遂饕岳牧之任也。

江正其人，並未見於新、舊《五代史》及《宋史》，只有幾種宋人筆記載其事，而馬令、陸游收入其書，葉氏加以引用。《十國春秋》卷三十三，記南唐之僧徒，即有「小長老」一條，所述應是據馬令《南唐書》卷二二、陸游《南唐書》列傳卷十五，與葉昌熾所錄者亦大抵相近。

案：所謂「投法眼禪師爲弟子」，法眼禪師即是清涼文益（885～958），屬青原行思法系，《宋高僧傳》卷十三記其歿於周顯德五年閏七月（958），當時南唐中主尚在位，並非「李煜有國日」（962年即位），足證其說之可疑。《五燈會元》卷十「清涼益禪師法嗣」之下也未見有江正之名，則所謂「代其住持建康清涼寺」亦屬無稽之談。

有趣的是，另有數條記載與此相關，主角卻不同。化身和尚，到敵營做「臥底」之事，已見於《十國春秋》卷二十二〈邊鎬傳〉：

> 先是，元宗（中主）欲取湖南，以鎬多藝，常使詐為僧，遊長沙，弄跋行乞，盡得其虛實。至是用為將，竟平湖南。[49]

---

49 《五代宗教年表》，頁317。案：邊鎬，昇州人，事南唐中主，官至武安節度使。率南唐軍滅楚（馬氏）有功，篤信佛教，時人謂之「邊菩薩」。後因沈迷於佛事，政務廢弛，而被譏為「邊和尚」。亦屬佞佛之一人。

前述「小長老」之名，前人也曾用過。《宋高僧傳》卷十三：

> 台州瑞巖院師彥，姓許氏，閩越人也。見巖頭禪師，領會無疑。彥參學時，號為「小彥長老」。兩浙武肅王錢氏，累召方肯來儀。

前蜀又有所謂「長鬚長老」，見《王氏聞見錄》。[50]

綜合上述，推測有關江正的傳說，應是確有其人，師法前人之故智，取富貴於新朝，而正史失載，後人感於其事之詭密，遂將各傳說彙集而成。

六、結　論

分析歷代帝王與佛教之關係，大抵可分爲兩種：一是利用、二是深信，前者如唐太宗，則國強；後者如李後主，則國亡，宗教與傳統政治權力的關係，值得深思。

《新五代史・馮道傳》記載了這麼一個故事：

> 耶律德光嘗問（馮）道曰：天下百姓如何救得？道以俳語對曰：「此時佛出救不得，惟皇帝救得。」人皆以謂契丹不夷滅中國之人者，賴道一言之善也。

---

50 《十國春秋》，頁 51。

說明亂世的時候，政治力量還是大過於宗教力量的事實。李後主身處五代十國的亂世，其性格、才能都不足以治理一個國家，更遑論要從積弱不振中復興。在政治衰落，外在壓力愈來愈大的趨勢之下，南唐的亡國只是時間問題，李後主的「佞佛」最多只不過是眾多原因其中一項而已，甚至談不上是主因。陸游《南唐書・列傳》卷十五有評論云：

> 南唐偏國短世，無大淫惡徒以寖衰而亡。要其最可為後世監者，酷好浮屠也！……歙州進士汪渙上封事，言：「梁武帝惑浮屠而亡，陛下所知也，奈何效之？」後主雖擢渙為校書郎，終不能用其言。

其實也是一偏之見。緊接五代之後的北宋，從宋太祖立國開始，對佛教就是採優遇、禮敬的態度。如：

> 太祖聖性至仁，雖用兵，亦戒殺戮。親征太原，道經潞州麻衣和尚院，躬禱於佛前曰：「此行只以弔伐為意，誓不殺一人。」[51]
>
> 宋太祖開寶四年（971），敕高品張從信往益州雕《大藏經》板。……太宗太平興國八年（983），成都先奉太祖敕造《大藏經》，板成奉上。[52]

---

51 《宋朝事實類苑》卷一，頁1。

52 《佛祖統紀》卷四三，頁396-398。

宋太宗也在太平興國七年（982），創建「傳法院」，積極延請高僧從事譯經工作，成爲中國譯經史光輝的末章。[53]凡此都可看出北宋皇室尊崇佛教的殷切，但是北宋對於北方的契丹（遼）始終也無力反擊，收復燕、雲，後世史家卻從未從奉佛的角度加以抨擊，又何以獨責於李後主？

在整個五代十國時期，佛教深刻影響帝王與人民的生活，出家人與在家人的關係也可說是異常密切，類似江正的行爲事例，又顯然非一。只因牽涉到李後主，以及南唐亡國的淒迷景象，使得這一個藏書史的典故，染上特殊的色彩。總之，江正惑主之事，不可謂其必無，但其事隱晦，正史又從而諱之，難以詳知，本文因而略加稽考，以供治佛教史、文化史之學者參考。

---

53 中村元：《中國佛教發展史》第一冊（余萬居譯，臺北：天華出版社 1984 年），頁 410。

禪宗典籍的整理與宋詩宗風
——以《碧巖錄》爲中心之考察

一、前　言

一般佛教史的說法，總是認爲中國佛教發展到了唐代，可以說是達到顚峰，唐代以後的佛教是逐漸走下坡。[1]然而這是從「義學」——也就是哲理建構——的角度立論，如果換個視角：從「文獻整理、閱讀與接受」的角度來看，可能會有不同結論。

唐宋以後的佛教是以禪宗爲代表。禪宗是中國佛教特有的宗派，也是印度佛教與中國傳統文化互相嫁接，經過選擇、淘汰、同化、變異之後，在思想、藝術、文學等領域中所綻放的繽紛花朵。

1　例如呂澂《中國佛學源流略講》〈餘論〉，收入《呂澂佛學論著選集》第五冊（濟南：齊魯書社 1991 年，頁 2841）；釋印順《中國禪宗史》只講到唐末；另外高雄義堅《宋代佛教史研究》序論曾指出：「對於向來佛教史家僅從教學史的片面視野，認定唐代為中國佛教最盛期，而將宋以後的佛教貶得一文不值」表示非常不滿，可見得這不是少數人的意見，而有普遍的傾向。（陳季菁譯，收入「世界佛學名著譯叢」第 47 冊，頁 12，臺北：華宇出版社 1987 年）

從佛教初傳漢地不久，就有禪法的傳佈，但是當時所流傳的是所謂「小乘禪」，又稱爲古禪或舊禪，是單純的身心調養、靜慮的工夫。梁武帝時，菩提達摩東來，以四卷《楞伽經》教人，主張「寂然無爲，舍妄歸眞；凝住壁觀，由定入慧」，是爲「如來禪」，又稱今禪或新禪。禪宗有了第一次的轉變。直到慧能繼承弘忍「自心本來清淨」、「即心是佛」之說，主張「以心印心，見性成佛」，傾向由般若的精神而說「自性」，強調妄念不起，當下實相無相的解脫。禪宗因而有了第二度的轉變，也才眞正開展出中國禪學的路徑。[2]

中國禪宗從南北朝時創建起，歷唐代而至宋代，其發展有一個總的趨勢，就是從「教外別傳，不立文字」到「藉教悟宗，不離文字」，形成「文字禪」的風潮，也就是愈來愈重視經典（語言文字）在傳教與修行中的地位，這可以說是禪宗的第三次轉變。所謂「文字禪」，根據周裕鍇教授的研究，可以分爲廣義與狹義兩方面：

> 廣義的「文字禪」，泛指一切以文字為媒介、為手段或為對象的參禪學佛活動，其內涵至少包括四大類：1、佛經文字的疏解；2、燈錄語錄的編纂；3、頌古拈古的製作；4、世俗詩文的吟誦。
>
> 狹義的「文字禪」，就是指一切禪僧所作忘情的或未忘情的詩歌，及士大夫所作含帶佛理禪機的詩偈。……以「文字禪」

2 參考釋印順《中國禪宗史》（臺北：正聞出版社 1987 年），頁 8-9；西義雄〈盛期的禪思想〉，收入《佛教思想二：在中國的展開》（臺北：幼獅文化事業公司 1991 年），頁 221-223。

> 做為詩的別稱，與其說是表現了作者融合詩禪的意圖，不如說是取決於讀者的接受態度，亦即把詩(不管是否忘情之語)當作禪的文本來閱讀。[3]

然則無論是廣義或狹義的「文字禪」，其共同的交集在於「文字」，換言之，就是記載了這些文字的「文獻」。前述廣義的文字禪離不開文獻，固不待言；狹義的文字禪主體對象雖然是詩歌，但是如果沒有「文本」——也就是記錄了詩歌的文獻，又怎樣進行閱讀以至引發接受的結果呢？可見「文獻」（或者可以說是廣義的文本）是作者創作與讀者閱讀的中介。因此，所謂文字禪，簡單的說就是「根植於廣泛的文獻基礎之上，所開展出的新的禪風。」這裡所說的文獻基礎，包含了對於禪宗文獻的蒐集、整理、注解、傳鈔、閱讀、評析（評唱）等等，而整理、注解、評唱三者也正是文字禪的主要表現形式。

宋代文字禪的形成與發達，可以歸納為社會文化的外部因素與禪宗思想演變的內部因素。以下分別略述之：

（一）外部因素

宋太祖即位之前就已經信奉佛教，開國以後，更大力推動佛教的發展，以後的太宗、眞宗、仁宗等朝，賡續太祖護持佛教的政策，使得佛教在北宋前中期得到充分的拓展與興盛。唐末以來一枝獨秀

3　參見周裕鍇《文字禪與宋代詩學》（北京：高等教育出版社 1998 年），頁 31-42。

的禪宗，也在這樣的氛圍中更形昌盛。仁宗尤其獎掖禪宗：天聖九年（1031），命韶州守臣迎六祖衣缽入京供奉，至奉安大內清淨堂；皇祐元年（1049），命汴京創建禪宗寺院，並尋求有名望的禪師住持，促進南宗禪向北方傳播。嘉祐七年（1062），敕准雲門宗嗣法僧人契嵩所著《輔教編》等書編入《大藏經》。凡此種種舉措都大幅提高了禪宗的地位。[4]

在朝廷的支持與推動之下，再加上佛教本身的吸引力，宋代士大夫也普遍信仰佛教，與禪宗關係尤爲密切。如北宋楊億（974～1020），是「西崑體」代表人物之一，他「留心釋典禪觀之學」，對於禪學理論頗有根柢。景德元年（1004），法眼宗僧人道原將所撰《傳燈錄》三十卷上呈朝廷，眞宗便命楊億等裁定。三年元月修訂完畢，眞宗賜名《景德傳燈錄》。又如大文豪蘇軾，喜與禪僧機鋒談辯、酬對應和，後人將其篇什編爲《東坡禪喜集》。宋代文人又流行爲禪僧的語錄寫序，互增聲價，《叢林盛事》卷下所言：「本朝士大夫爲當代尊宿撰語錄序，語句嶄絕者，無過山谷（黃庭堅號山谷老人）、無爲（楊杰號無為居士）、無盡（張商英號無盡居士）三大老。」可見此種風氣之一般。

宋代文化還有一個特殊現象，就是宋人普遍重視讀書、藏書，展現出濃厚書卷氣與對圖書文獻保存的自覺。宋代私人藏書超過萬卷的藏書家就有兩百多人，更多的讀書人終其一生不惜典衣縮食，「片紙必錄」。這種風氣也影響到禪宗，許多寺院藏書豐富，珍品琳瑯。如四川迎祥禪院藏有唐人吳彩鸞書寫《佛本行經》六十卷；

4　魏道儒《宋代禪宗文化》（鄭州：中州古籍出版社 1993 年），頁 34-36。

湖州景德寺「藏經數百卷，多五代及國初人手寫，皆垂碧紙，金銀書。」；虔州崇慶禪寺所藏「寶輪藏」，壯麗爲江南第一，費緡兩千餘萬，歷時十六年抄成。[5]還有一些寺院藏書不但提供僧衆閱讀研究，也對外開放借閱，具有類似現代的圖書館功能。其中著名的如廬山白石庵的「李氏山房」與天目山寶福寺的「聞復閣」。前者的原主人是李常（1027～1090），後者是洪諮夔（1176～1236），一前一後，化私爲公，並稱爲中國藏書史上的佳話。[6]

另外，印刷出版業發達，對禪宗也很有影響。當印刷術出現於盛唐的時候，佛教徒就懂得利用這種新技術來傳教，但是技術層次還是比較低，只能印一些佛像、咒語之類的小品。[7]後來印刷術流行於中、晚唐，大盛於五代、北宋，技術愈來愈純熟，印刷品的規模也逐漸擴大。宋太祖開寶四年（971），在益州（四川成都）雕刻了中國第一部印本大藏經，稱爲「開寶藏」，從此佛教經典的傳播進入一個新的時代。繼「開寶藏」之後，由民間的力量刊行大藏經多次，許多佛寺以典藏大藏經爲榮，視之爲鎮寺之寶。宋代禪僧的語錄衆多，篇幅也大，正說明了印刷術所起的推波助瀾的功能。[8]

---

5 傅璇琮主編《中國藏書通史》上冊（寧波：寧波出版社 2001 年），頁 410-411。

6 蘇軾〈李氏山房藏書記〉對李常（字公擇）藏書的情況有所描述：「余友李公擇，少時讀書廬山五老峰下白石庵之僧舍，……藏書凡九千餘卷，將以遺來者，供其無窮之求。」（《蘇東坡全集》前集第 32 卷）。洪諮夔之事見於魏了翁〈洪氏天目山房記〉（《鶴山先生大全文集》卷 49）。

7 張秀民《中國印刷史》第一章〈唐代・刻本內容〉（上海：上海人民出版社 1989 年），頁 31。

8 蕭萐父、呂有祥《古尊宿語錄》〈點校本前言〉（北京：中華書局 1994 年），頁 25。

（二）內部因素

禪宗的興起是以「經典言教」的對立面而成立的，自南北朝開始，禪宗的祖師就強調實踐修行，不重視講經說法。禪宗的修行，也不同於世俗流行的建寺度僧、刊抄佛經、誦經禮佛等方式，而是通過戒、定、慧的一體實踐而達到身心的解脫。大體而言，禪宗東土諸祖都有「離文字語言以悟道」的言論，如達摩主張「更不隨於言教」；慧可認為「學人依文字語言為道者，如風中燈，不能破暗，燄燄謝滅。」僧燦則說：「故知聖道幽通，言詮之所不逮；法身空寂，見聞之所不及。即文字語言，徒勞施設也。」道信明確指出：「法海雖無量，行之在一言。得意即亡言，一言亦不用。如此了了知，是為得佛意。」；弘忍在對神秀開示《楞伽經》義時說：「此經唯心證了知，非文疏能解。」而惠能更是一再申說：「本性自有般若之智，不假文字。」「佛性之理，非關文字。」「法無文字，以心傳心。」到了南唐，僧靜、僧筠編《祖堂集》，便首先藉達摩之口，提出了「不立文字」的說法。[9]

惠能以後的禪僧進一步將疏離經論律教的傾向推向高峰，其主要表現方式有三：一是由不假文字演變成離經慢教、呵佛罵祖，德山宣鑑（782～865）是其中的代表。二是用具有象徵譬喻意味的姿勢、動作來傳法，啓人思維，如天龍一指禪、慧寂舉拂子等，到了後來，甚至形成「棒喝」的教導方式，頗具震撼性。三是廣泛運用俗語口語，講一些不合常規的戲言反話，強調語言的自由性、隨意性，促使學人從語言的執迷中解放出來，直接體悟眞如。

---

9 參見釋聖嚴《禪門修證》（臺北：圓神出版社 1992 年），頁 8-47。

然而早期禪宗祖師們的「不立文字」，主要的是指「不立經教」，也就是排斥概念式的、說教式的經論文字，而非完全否定語言文字本身的地位。最重要的證明就是前述的祖師大德，幾乎都有語言文字的說法、傳法記錄傳世，一般也不太禁止弟子作記錄。從《六祖壇經》開始，白話的敘述加上詩偈的吟誦，更成爲禪師接引學徒最典型的傳教方式，後來的語錄、燈錄莫不繼承了這一傳統。禪師們反對繁瑣的經義闡述語言，卻對詩歌語言毫不介懷，甚至有意識的運用詩歌的意象語言來傳達禪旨，認爲「詩禪總一般」（拾得語），這就開啓了宋代禪風走向「文字禪」的契機，五代詩僧尚顏說：「詩爲儒者禪」，已經透露出禪與詩歌文字將要進一步融合的訊息。

另一方面，唐末五代禪宗的組成分子，隨著許多士大夫出身的禪僧的加入，逐漸取代了早期農民出身的、帶有草莽氣息的禪師，而不可避免的引進了「雅文化」的影響。如曹洞宗祖師曹山本寂「素修舉業，文辭遒麗。」；法眼宗開山祖師清涼文益「好爲文筆，時作偈頌眞贊，別形纂錄」，都是顯例。禪僧文化素養的提高，直接改變了禪宗對待文獻的態度，逐漸走向「不離文字」的道路。

到了宋代，在文化學術全面繁榮的背景下，禪宗典籍的製作、編纂、整理也進入了一個黃金時期。以語言文字爲載體的各種禪宗文獻，源源不斷的湧現，無可避免的灌溉了不離文字的「文字禪」，使其在宋代文化的沃土上繁盛茁壯。

二、宋代禪宗典籍的整理與編纂

宋代文字禪形成的基本因素已如上述，至於宋代禪僧對於禪宗典籍的整理，則是藉以表現文字禪的重要方式，本節就此問題稍做闡述。宋代禪籍整理、編纂的形式，主要有以下幾類：

（一）燈史

唐代開始已經有記錄禪宗發展的史傳書籍出現，如：《寶林傳》、《楞伽師資記》、《歷代法寶記》等。到了宋代，就出現「燈史」。所謂燈史，就是書名中含有「燈」字的禪宗史書，主要是記錄公案或禪師法語，也有部分禪師生平事蹟。最著名的是《景德傳燈錄》三十卷（道原撰，楊億等修定），其次有：《天聖廣燈錄》三十卷（李遵勗編）、《建中靖國續燈錄》三十卷（惟白編）、《聯燈會要》三十卷（悟明編）、《嘉泰普燈錄》三十卷（正受編），以及綜合以上五書的《五燈會元》二十卷（普濟編）。燈史是文字禪的基礎素材，《碧巖錄》中的公案，許多即取材自前三燈。

（二）語錄

「語錄」是一位思想家言論行誼的記錄，最早可以追溯到《論語》，但是用語錄做爲書名，卻是起於禪宗。唐代已經出現語錄之書，如《新唐書・藝文志》所列：《僧慧忠語錄》一卷、《龐蘊語錄》一卷、《神清參玄語錄》十卷等。[10]到了宋代，語錄更是大量出現，無論是否有名的禪師，幾乎都有人爲他編語錄。就連前述的燈史，基本上也是以記錄禪僧的語言爲主。除了各別禪師的語錄之外，還有語錄的總集，如《宗門統要》（宗永編）十卷、《宗門統要續集》（清茂編）二卷、《古尊宿語錄》四十八卷等。

（三）公案

「公案」本來是古代官府的檔案文書，禪宗用以指古代禪師的言行足以爲後人取法者。公案可以是一個故事，也可以是語錄中的一段，重點是要能啓悟學人，「一機一境，皆明此事」，而且可以做爲考察是否開悟的依據。《碧巖錄》〈三教老人序〉：「祖教之書謂之公案者，唱于唐而盛于宋，其來尚矣！二字乃世法中吏牘語。」最早使用「公案」一詞的應是唐代禪僧黃檗希運（？～860），宋代開始盛行。宋代最早集中各種公案加以講解傳授的則是汾陽善昭（947～1024），他曾作〈公案代別百則〉，試圖統一公案中的用語，並對公案進行修正性的解釋。後來雪竇重顯的〈頌古百則〉、圜悟克勤的《碧巖錄》正是在善昭的基礎上，進一步發揚光大。

（四）拈古

「拈古」是用散文的形式對公案大意進行講解，通常篇幅都不

---

10 《參玄語錄》，通行本《新唐書》作「參元」，當是清人因避清聖祖諱改，此處據《佛祖歷代通載》卷十五，《大正新修大藏經》第 49 冊（臺北：新文豐出版公司 1994 年）。

長，採用簡單扼要的文字，或正解，或反詰，指點學人透析公案的精神。《景德傳燈錄》中已常見拈古的記載，自雪竇〈拈古百則〉之後大盛。對於拈古再做解釋，就稱為「擊節」，如圜悟克勤有《佛果擊節錄》二卷，就是注解重顯〈拈古百則〉的。南宋祖慶編有《拈古八方珠玉集》一書，可概見此體之全貌。

（五）頌古

與拈古相對，「頌古」是以韻文（詩）的形式來解釋公案，和拈古可說是相輔相成的。然而就影響層面而言，頌古的影響力遠超過拈古。克勤曾指出拈古與頌古的不同：「大凡頌古只是繞路說禪，拈古（則是）具款結案而已。」[11]說明頌古的解釋要比拈古更曲折。頌古源出於古代禪師的偈頌，宋代禪僧則大量應用於闡釋古代的公案，著名的禪師幾乎或多或少都有頌古之作。南宋僧人法應編了一部《禪宗頌古聯珠集》，收入頌 1200 首，禪師 122 人，可見其風氣之盛。頌古因為是採用詩的形態，更能夠引起士大夫的興趣，從而替「詩禪合一」開闢了坦途。

（六）代別

代是「代語」，有兩種含義：其一是禪師在指導弟子時，用問題詰問，可是弟子答不出來，或回答的不對，禪師便代替弟子回答自己的問題，用為示範；其二是古人的公案中只有問話，而沒有答話，禪師便代古人回答。別是「別語」，是指公案中已有答語，禪

11 《碧巖錄》第一則「達摩闊然」克勤評唱。

師另加一句別有含意的話。善昭曾指出：「室中請益，古人公案未盡善者，請以代之；語不格者，請以別之。」二者其實差別不大，可以說都是對公案的補充解釋或闡揚發揮。在《祖堂集》與《景德傳燈錄》中已經記載了許多禪師代別之語，到了善昭更是集中運用，寫成〈公案代別百則〉及〈詰問百則〉，影響甚大，這種體裁甚至影響到後世的評點文學。[12]

（七）評唱

這是一種綜合的體式，韻、散間用，針對某一公案或頌古做全面的評論。《碧巖錄》首先採用，以後也成爲宋代禪僧常用的方式，「評唱」可以看成是宋代禪僧注解禪籍的新形式。

宋代禪僧大量整理、注解禪宗典籍，也是宋代整體文化特徵的反映。而其影響所及，對理學、佛學乃至文學——尤其是宋詩——風貌的形成，有其獨特意義。

三、《碧巖錄》分析

《碧巖錄》無疑是宋代文字禪的代表作，也是宋代詩禪交融的關鍵。它把公案、頌古、評唱三者結合起來，形成禪宗文獻的新典範。自問世以後，幾乎人手一冊，帶起一股鑽研的熱潮，當時就被

12 杜繼文、魏道儒《中國禪宗通史》（南京：江蘇古籍出版社 1995 年），頁 389。

稱爲「宗門第一書」。[13]觀察宋代文字禪對於宋詩的影響，《碧巖錄》是一部很值得注意的書，本節先對其略作分析。

《碧巖錄》的全名是《佛果圜悟禪師碧巖錄》，又名《碧巖集》。全書是以雪竇重顯的〈頌古百則〉爲基礎所作，因此先介紹頌古的作者：

重顯（980～1052），字隱之，俗姓李，四川遂寧人。家世豪富，以儒業傳世。顯幼承家學而志存出世，二十二歲投成都普安院仁詵出家，初習經律，兼涉世法。受具足戒後，專研定業。後離川遊學，至襄陽參石門聰禪師，不契。轉往隨州北塔山，參智門光祚禪師，依止五年，得嗣其法，爲雲門宗第四代傳人。嘗居杭州靈隱寺、蘇州翠峰寺，應四明太守曾會之請，住持明州雪竇山資聖寺，達三十一年，「宗風大振，天下龍蟠鳳逸，衲子爭集，號雲門中興」。世壽七十三示寂，仁宗賜諡「明覺大師」。雪竇號稱有翰林之才，錦心繡口，著作甚豐，有《洞庭錄》、《祖英集》、《瀑泉集》等，又有《明覺禪師語錄》行世。[14]

至於《碧巖錄》的編撰者是克勤（1063～1135），字無著，俗姓駱，四川崇寧人。家世業儒，自幼穎悟。十八歲依止妙寂寺自省法師出家，曾先後隨黃檗惟勝、玉泉承皓、黃龍祖心、東林常總等名師習禪，聲譽日隆，最後參禮太平山五祖法演禪師，蒙其印可，嗣臨濟宗楊歧派法脈。崇寧初，住持成都昭覺寺，遷湘西道林寺。

13　元・張明遠重刊本《碧巖錄》書前識語，見王進瑞〈碧巖錄解題〉引（《碧巖集定本》書前，收入「現代佛學大系」第 9 冊；臺北：彌勒出版社 1982 年）。

14　參考《五燈會元》卷 15（臺北：廣文書局 1971 年），頁 1474-1479。

後應張商英之請，住持夾山靈泉院，《碧巖錄》一書即因此地而得名。[15]政和末奉旨住金陵蔣山，紹興初移住鎮江金山寺，加「圜悟禪師」稱號，紹興五年逝世，高宗賜諡「眞覺禪師」。除《碧巖錄》外，尚有《佛果圜悟禪師語錄》二十卷行世。克勤不但參研禪宗的公案，對於其他佛教經論著作也非常重視，深入研究，《僧寶正續傳》卷四說他「凡應接雖至深夜，客退，必秉炬開卷，於宗教之書，無所不讀。」張商英也稱讚他：「夫圜悟融通宗教若此，故使聽者心悅而誠服。」他自己也說：「老漢生平久歷叢席，遍參知識，好窮究諸宗派，雖不十分洞貫，然十得八九！」充分表示其對禪宗文獻之熟稔。因爲有如此卓越的條件，克勤寫成《碧巖錄》這樣的鉅著，似也是順理成章。[16]

《碧巖錄》的撰寫，約起於克勤住持昭覺寺時，應門人之請，以講解雪竇〈頌古百則〉做爲引導修行的教材。其後輾轉四方，陸續有所增益。署名「關友無黨」的〈碧巖錄後序〉中有所說明：

> 圜悟老師在成都時，予與諸人請益其說，師後住夾山、道林，復為學徒扣之，凡三提宗綱，語雖不同，其旨一也。

由於克勤的解說受到普遍的歡迎，不但弟子「掇而錄之」，其他的人也一再傳鈔，「流傳四方」以致出現「內容踳駁」的情形，克勤

---

15 據《景德傳燈錄》卷十五〈澧州夾山善會禪師〉下記載：「僧問如何是夾山境？師曰：猿抱子歸青嶂裡，鳥銜華落碧巖前。」因題靈泉院方丈室匾曰：「碧巖」。

16 《五燈會元》卷 19，頁 1856-1863。

自己曾說：

> 不知何人盜竊山僧賅博之名，遂將此（指僞造《碧巖錄》錯誤的內容）亂道為山僧之所出，觀之使人汗下面赤！況老漢尚自未死，早已見如此狼藉！請具眼衲子詳觀之，勿認魚目作明珠也。

由此也可以推測出《碧巖錄》傳播之廣，竟有魚目混珠的事。

《碧巖錄》是以雪竇〈頌古百則〉所選的一百則公案及其頌文爲基礎所架構的，共分十卷，每卷解釋十個公案。[17]每一個公案包含五項內容：

1、垂示：是克勤在解釋公案與頌文之前先提出來的總綱，對於要解釋的內容做概略說明，以散文爲主。

2、本則：就是重顯所選的公案，也是要說明的對象，用「舉」字起頭。這一百則公案選自宋代以前的語錄，各家各派都有，其中以雲門宗派下的事蹟最多，占三分之一以上，這是因爲重顯本身即是雲門文偃（864～949）的三傳法嗣。

3、頌文：就是重顯的頌古原文。由於重顯極具才華，所作大多情理並茂，文辭優美。如第二十四則「溈山牸牛」頌云：

---

17 《碧巖錄》的分卷，元刊本、明刊本都作十卷，《卍續藏經》也是十卷，但是日本其他的傳本有作五卷的，有作二卷的，公案的次序也略有參差，不過內容大致相同。參考伊藤猷典〈碧巖集定本刊行の趣旨內容〉（《碧巖集定本》書前，收入「現代佛學大系」第9冊；臺北：彌勒出版社1982年）。

「曾騎鐵馬入重城，敕下傳聞六國清，猶握金鞭問歸客，夜深誰共御街行？」所謂「有禪理而無禪語」，頗不亞於一般詩人的作品。不過正由於雪竇的文辭太過藻麗，這也是克勤必須再加以評唱的原因。

4、著語：也稱爲「下語」，是克勤在公案本則與重顯頌文的每一句中間，所作的「夾注」，多則十餘字，少則三五字，也有只有一個字的。「著語」其實是提醒讀者用的機鋒語，不一定是做解釋。

5、評唱：這是《碧巖錄》的主要部分，是克勤對公案與頌文的正面解釋，分別在公案本則與重顯頌文之後都有。駢散、韻散相間，大量運用口語、俚語、反詰，其語氣則是亦莊亦諧，非常典型的禪宗語言風格。

《碧巖錄》問世之後，受到禪林普遍的歡迎，卻也引起了一些負面的效果，招致許多人的不滿，克勤的大弟子大慧宗杲即是其中之一。

宗杲（1089～1163），俗姓奚，宣州寧國人。十七歲出家，受具足戒於景德寺。崇寧四年（1105）起參學遊方，先後事瑞州僧微、湛堂文準（1061～1115）等，與慧洪覺範（1071～1128）交誼尤深。最後嗣法於圜悟克勤門下，分座說法，聲譽大振，欽宗賜號「佛日大師」。紹興八年，住持杭州徑山能仁禪院，時稱「臨濟再興」。十三年，被誣坐張九成（1092～1159）黨非議朝政，追牒流放。二十六年遇赦，復住持阿育王山寺、徑山寺等。孝宗賜「大慧禪師」號，隆興元年逝世，諡號「普覺禪師」。有《大慧普覺禪師語錄》

三十卷行世。[18]

宗杲雖嗣法於克勤，其禪學主張卻與克勤有所不同。甚至於在克勤過世後，曾燒燬《碧巖錄》的板片，企圖禁止其流傳。《碧巖錄》希陵〈後序〉記云：

> 大慧禪師因學人入室下語頗異，疑之，纔勘而邪鋒自挫，再鞠而納款自降，曰：「我《碧巖集》中記來，實非有悟。」因慮其後學不明根本，專尚語言，以圖口捷。由是火之，以救斯弊也。

然而這就如同老師抓到學生考試作弊，偷看課本，卻把課本燒掉。其實有問題的是學生的心態，而不是課本。宗杲的舉動顯然有其象徵性意義，但未必能眞正打擊《碧巖錄》的價值。雖然當時也有人認同宗杲的這一舉措，但事實上在宗杲燬板之後，《碧巖錄》仍然在禪僧、寺院間流傳，少數刊本逃過一劫，也不斷以傳抄的方式被保存下來。元刊本《碧巖錄》希陵〈後序〉又說：

> 嵎中張明遠偶獲寫本數冊，後又獲雪堂刊本、蜀本，校訂訛舛，刊成此書。

可見由南宋末到元初，《碧巖錄》一直未曾消失，而且傳播甚廣。

---

18 《五燈會元》卷 19，頁 1887-1898。

宗杲既燒燬《碧巖錄》，看起來似乎有反對文字禪之意，有趣的是宗杲自己卻也是作頌古、拈古的高手，曾得到湛堂文準（1061～1115）的肯定。他的語錄中有三卷都是頌古、偈頌、贊佛祖等的詩偈。宗杲被放逐流寓衡陽時，還編了一部《正法眼藏》六卷，其動機和克勤一樣，是為了後學參究公案時有捷徑可循。前述宗杲的好友之一慧洪，正是宋代文字禪的代表人物，宗杲強調參話頭需「參活句，莫參死句」即是受到慧洪的影響。甚至他所提倡的「看話禪」，所參的「話頭」，還是不免從公案中來，他常常提出要弟子參詳的幾個公案，如：庭前柏樹子、麻三斤、狗子無佛性等，都見於《碧巖錄》。

《碧巖錄》所創立的新典範體裁，還引起了後來禪師的倣效。如元代從倫的《空谷集》（全名：《林泉老人評唱投子青和尚頌古空谷集》）六卷、《虛堂集》（全名：《林泉老人評唱丹霞淳禪師頌古虛堂集》）六卷；行秀的《從容錄》（全名：《萬松老人評唱天童覺和尚頌古從容庵錄》）六卷、《請益錄》（全名：《萬松老人評唱天童覺和尚拈古請益錄》）二卷等，以及明．本瑞的《雪竇頌古直注》（全名：《縈絕老人天奇直注雪竇顯和尚頌古》）二卷、《天童頌古直注》（全名：《縈絕老人天奇直注天童覺和尚頌古》）二卷等。這些後出的著作，雖然在形式與內容都有各自的一些特色，但整體來看，仍然是《碧巖錄》的流亞。

《碧巖錄》的成書與傳播，說明了禪偈從唐末到北宋，語句修辭空前成熟，日趨精美，也將宋代禪宗推向「禪學詩歌化」的高峰，對宋詩特色的形成有深遠影響。

四、《碧巖錄》與宋詩宗風

從宋初開始，禪宗已經逐漸融入士大夫的生活中，舉凡禪宗的哲學理論、修行方法、生活藝術、詩歌創作，無一不受士大夫的喜好。與禪僧來往的士人當中，既有文壇巨星，如楊億、蘇氏兄弟、黃庭堅等，又有道學楷模，如周敦頤、二程兄弟、朱熹等。既有達官顯貴，也有落魄文人。甚至如大力反對佛教的歐陽修，後來對禪師圓通居訥（1010～1071）也是禮敬有加。[19]張方平回答王安石所說：「儒門淡薄，收拾不住，皆歸釋氏。」數語，以及周必大所說：「自唐以來，禪學日盛，才智之士，往往出乎其間。」都很能說明宋代士大夫欽仰禪宗高僧的態度。[20]

其次禪僧的詩文水平也持續提昇。唐末五代時的禪僧，如前述曹山本寂、清涼文益等的高知識水平，只是個別現象，到了宋代，披著袈裟的博學之士與文采風流的詩人，隨處可見。如：南海僧守端「為人高簡，持律甚嚴，於書史無不博究。商権古今，動有典據，叢林目為『端故事』。亦喜工詩，務為雅實。」；可遵禪師「號野軒，早於江湖以詩頌暴其所長，叢林目為『遵大言』。」；惟政禪師「雅富於學，作詩有陶、謝趣，至於吐詞卓犖，推為辯博之雄。」[21]等。前述之雪竇重顯、圜悟克勤、大慧宗杲，都是其中的佼佼者。凡此，都可以看出宋代禪僧學養深厚的普遍現象，這同時

---

19 《佛祖統紀》卷 45（《大正新修大藏經》第 49 冊），頁 410。

20 《佛祖統紀》卷 45，頁 415。

21 並見曉瑩《雲臥紀譚》卷下（《卍續藏經》本）。

也反映了宋代朝廷努力推動讀書風氣，提昇了整個社會民衆文化水平的結果。

進一步，宋人討論言語文字（詩）與禪結合之說也愈來愈多。如契嵩說：「禪伯修文豈徒爾？誘引人心通佛理。」張耒說：「儒佛故應同是道，詩書本自不妨禪。」林希逸說：「禪本無覺，非覺無見也；道本無言，非言無傳也。」劉振孫說：「道不可以言傳，而非言亦無以求道。」而以慧洪所說最具代表性：

> 心之妙，不可以語言傳，而可以語言見。蓋語言者，心之緣，道之標幟也，標幟審則心契，故學者每以語言為得道淺深之候。

到了雪竇重顯，即以其本身優越的文學天才，將詩禪結合的理念加以實踐，使得「頌古」這種兼有詩禪的體裁，被發揮得淋漓盡致。雪竇的頌古，「不再是用韻文的形式去覆述公案內容，而是以詩歌的意象語言來闡釋禪理，企圖通過形象思維的方式，來喚起讀者對禪的直觀體驗。」他所作的〈頌古百則〉，既富有情韻，又引經據典，「其間取譬經論或儒家文史，以發明此事」，因此不僅爲「叢林學道詮要」，而且深受士大夫歡迎。汾陽善昭首創的頌古文體，是雪竇使其成爲經典性的文本；而雪竇更將汾陽所著重的玄言推進爲詞藻之學，代表了宋代禪宗走向「文字禪」的大趨勢。[22]後來圜

22 周裕楷《禪宗語言》（杭州：浙江人民出版社 1999 年），頁 125-126。

悟克勤特別以講說雪竇頌古為教禪之重要手段，因而形成了《碧巖錄》一書，更被喻為「宗門第一書」，可說是良有以也。

《碧巖錄》在禪宗史上的意義在於集禪宗語言之大成，建立了一種前所未有的新詮釋方法。這種新方法既不同於漢唐經學家的章句訓詁，也不同於魏晉玄學家的辨名析理，甚至與佛教傳統的因明之學也大有出入。其特點是：闡釋的語言與被闡釋的對象盡量不產生關聯，既不解釋字詞，也不探求文意，只是用一些成語俗諺旁敲側擊、略作提示，或引用一些有關的公案頌古作為旁證。不明說，也不點破，讓讀者超越言句情解，去做創造性的解讀。這就是所謂「繞路說禪」。這種方式以公案語錄為詮釋中心，帶來新的參禪開悟的可能，也正符合宋代士大夫的「生存情境」——以筆硯書籍為活計，因而不但影響禪宗本身的發展，也擴及宋代文化其他方面，尤其是詩學理論。[23]

以《碧巖錄》為代表的禪宗典籍的傳播，對於宋詩宗風的影響，大致可以從以下所舉的詩學觀念來觀察：

1、句中有眼

黃庭堅〈贈高子勉四首之四〉云：「拾遺句中有眼，彭澤意在無弦。」所謂「眼」，如同禪宗所說「正法眼藏」，是指參禪（或作詩）的要義或精髓。山谷也常用此語評書法，如〈自評元祐間字〉：「字中有筆，如禪家句中有眼，非深解宗趣，豈易言哉？」慧洪《冷齋夜話》也說：「此皆謂之句中眼，學者不知此妙，韻終不勝。」而《碧巖錄》

23 《禪宗語言》，頁 136-138。

第二十五則「蓮花拄杖」克勤評唱有云：「且道：指什麼處爲地頭？不妨句中有眼，言外有意。自起自倒，自收自放。」所表達的思路正與山谷如出一轍。後來黃庭堅的學生范溫作《潛溪詩眼》，正是從分析前人詩歌句法入手，尋求頓悟作詩之道。這種理論提供了從語言文字的選擇安排角度，探索詩歌精義奧秘的可能，此後江西詩派的詩人言及「句中眼」者甚多，視爲作詩的秘訣。

2、中的

曾季貍《艇齋詩話》云：「東湖論詩說中的。」東湖即徐俯（1075～1141），字師川，黃庭堅的外甥，著有《東湖居士集》三卷，也是江西詩派的重要人物。「中的」這一術語來自禪宗，公案語錄中常用，如《景德傳燈錄》卷四「天台山佛窟巖惟則禪師」：「有僧問：如何是那羅延箭？師云：中的也！」卷十六「福州雪峰義存禪師」：「箭露投鋒時如何？師曰：好手不中的。」禪宗以語言爲箭鋒，禪旨爲箭靶，比喻從語言中悟得禪機爲「中的」。徐俯用以論詩，主要是指通過對前人詩句的語言辨析，而悟得作詩技藝的眞諦。徐俯曾經跟隨《碧巖錄》的作者克勤參禪，《五燈會元》卷十九將他列爲克勤的法嗣，而《碧巖錄》第七十二則「溈山請道」克勤評唱有「僧家須是句裡呈機，言中辨的」之說，從此來看，可知徐俯之說應是受到《碧巖錄》的影響。

3、關捩

亦作「關捩子」，本是一種木製的機關，禪宗常用以表示禪機至極玄妙之處，如《五燈會元》卷二十「淨慈禪師語錄」：「若教渠踏著衲僧關捩，管取別有生涯。」《宛陵錄》：「遮些關捩子甚是容易，自是爾不肯下死志做工夫。」而《碧巖錄》第七則「慧超問佛」克勤評唱有云：「雪竇是作家，於古人難咬嚼處，難透難入、節角淆訛處，頌出教人看。不妨奇特，識得法眼關捩子。」宋代詩人則採用「識取關捩」一語以為辨識作詩的關鍵處，以及具備認識詩歌藝術優劣的審美能力。如周紫芝云：「具茨（晁以道，1059～1129）一日問：作詩法度，向上一路如何？山谷曰：如獅子吼，百獸吞聲。他日又問，則曰：識取關捩。」

4、參活句

許顗《彥周詩話》云：「王豐父待制，岐公丞相（王珪）之子，少年詞賦登科，……其詩精密，人鮮知者。……此所謂參禪中參活句也。」許顗，字彥周，襄邑人，號闡提居士，與詩僧慧洪交誼甚深，此「參活句」之說，當即受慧洪影響。慧洪《林間錄》卷上云：「語中有語，名為死句；句中無語，名為活句。」而《碧巖錄》第二十則「翠微禪板」中有云：「所以道須參活句，莫參死句。活句下荐得，永劫不忘，死句下荐得，自救不了。」因此「參活句」也成為南宋以後詩人的創作規律，指詩人應能隨機應變，視詩意之需要，變換句法，突破規則。如曾幾云：「學詩如參禪，愼勿參死句，縱橫無不可，乃在歡喜處。」陸游也說：「我得茶山一轉語，文章切忌參死句。」

5、死蛇弄得活

張戒《歲寒堂詩話》卷上云：「往在桐廬見呂舍人居仁，余問：魯直得子美之髓乎？居仁曰：然。其佳處焉在？居仁曰：禪家所謂死蛇弄得活。」呂本中所借用禪宗的話頭，當亦源自《碧巖錄》，其第六十九則「大士講經」云：「就中奇特，雖是死蛇，解弄也活。既是講經，爲什麼卻不道？」另外宗杲《大慧普覺禪師語錄》卷十八也有：「這個雖是死蛇，解弄卻活。」江西詩人引用做爲規臬，是指將前人的陳語活用，注入新生命，移植到自己的作品中，也就是黃庭堅所說的「以故爲新」。葛天民〈寄楊誠齋〉詩云：「參禪學詩無兩法，死蛇解弄活鱍鱍。」也是同樣含意。

6、《滄浪詩話》之分派說

南宋嚴羽的《滄浪詩話》是文學史上極著名的一部詩學批評專著，其中〈詩辨〉篇有云：「學漢、魏、晉與盛唐詩者，臨濟下也；學大曆以還之詩者，曹洞下也。」後世頗有人非議此說，認爲嚴氏不懂禪學，胡亂比附。其實，嚴羽的說法，還是間接受到《碧巖錄》的影響。原來嚴羽所欽佩的禪僧是大慧宗杲，曾自比論詩之精有如宗杲參禪之精。而宗杲繼承克勤而來的禪學思想，對南宋士大夫影響極大，如朱熹自謂年輕時篋中只有《大慧語錄》一帙。因此嚴羽之論詩分派，是從臨濟宗的立場來區分，而且採取的是「看話禪」——也就是反對文字禪的立場。這可以看作是《碧巖錄》的反影響。[24]

除了詩學觀念之外，《碧巖錄》所代表的禪宗頌古典籍，對宋代詩人實際的詩歌創作，也有一定影響。如黃庭堅《山谷詞》集中有〈戲效保寧勇禪師作古漁家傚四首〉，就是「以詞爲頌古」；江西詩派詩人李彭也曾爲大慧宗杲作〈漁父歌〉十首，頌汾陽以下十位古德的公案。

五、結　論

（一）禪宗的文獻傳統，至宋代形成佛教的新經典

中國禪宗從惠能開始，雖然一直強調「不立文字，見性成佛」，但是並非全然的摒棄傳統經典，另起爐灶，而是融合、吸收了各種重要經典的思想內容，鑄造成爲禪宗自身的理論體系。自達摩以下的祖師，多有其各自側重的經典，如達摩重視《楞伽經》；慧可「身佛不二」的主張，出自《維摩詰經》；僧燦《信心銘》，引用了三論宗心境兩空、破邪顯正的思想和方法；道信藉助《文殊般若經》，從性空實相立論衆生與佛不二，補充達摩至僧燦的說法，並開禪門引用《金剛經》的先例；弘忍則時常引用《華嚴經》、《涅槃經》，並講解《金剛經》。惠能自己是聽聞《金剛經》而開悟的，也不反對弟子讀經論，只是強調「心迷法華轉，心悟轉法華」，要有領悟

---

24 引文見《滄浪詩話》卷一及卷五附〈答吳景僊書〉（臺北：廣文書局 1977 年）。又王夢鷗先生〈嚴羽以禪喻詩試解〉一文對此有深入分析，可參看。收入《宋詩論文選輯》第三冊（高雄：復文圖書出版社 1988 年）。

而不執著於經文名相。甚至如《大乘起信論》是中國人所造的，也是唐代以後禪宗重要的理論依據之一。[25]凡此都可以證明禪宗一直有閱讀、研究經典的傳統，宋代「文字禪」可說是這個傳統進一步的突顯。在這個意義之下，《碧巖錄》可以看作是由宋代禪宗所創造的新經典。

（二）文字禪影響宋詩的「知性思維」特色，與宋代文獻整理的風氣密不可分

從宋初立國，帝王與士大夫就合作推動文化的重建工作，具體表現之一就是對以往一切文化資源的收集整理，如《開寶藏》、四大類書、《雲笈七籤》、《景德傳燈錄》等的編纂刊行。到了北宋中葉，文獻典籍的整理傳播達到新的高峰，讀書人也不再只以閱讀傳統經史圖書爲滿足，禪悅之風帶來對禪宗典籍的重視，士大夫直接參與了禪宗思想、禪學典籍的闡釋整理工作，同時也自覺的將禪佛學的文化資源移植到其他學術領域，尤其是文學藝術領域。如此一來，一方面文化素養較高的士大夫將儒家傳統的學術氣質帶進禪門，助長了「以文字爲禪」的新宗風，另一方面禪學典籍爲士大夫提供了全新的思想視野，改變了讀書人的思維方式，並造成宋詩重「知性」反省以及「化俗爲雅」、「以故爲新」、「翻案生新」、「破體出位」等等的新詩風而與唐詩並駕齊驅。

25 參考洪修平《中國禪學思想史》；吳言生《禪宗思想淵源》；林湘華《禪宗與宋代詩學理論》等。

（三）禪宗文獻與其他學科的關係還可以繼續研究

禪宗的發展影響了宋詩，這是許多學術先進都談過的，但是將眼光集中於禪宗典籍，探討文獻與宋詩的關係，本文應是一個初步嘗試。事實上，禪宗典籍與經學、禪宗典籍與理學、乃至禪宗典籍與美術等等，其間必然也有值得深入剖析的種種關聯，筆者期許來日將賡續研索，以對文獻學的跨學科研究略盡棉力。

元代雙色印本《金剛經》相關問題考述

一、前　言

臺北國家圖書館（前國立中央圖書館）之古籍善本藏書豐富，其主要來源則大多是清末民初私人藏書家的舊藏。20 世紀上半葉，正當中國對日抗戰期間，沿海各省（包括江南地區）屬於主要戰場，因而受創嚴重。各個私家藏書樓，也因飽受戰亂威脅，或子孫無意典守，或迫於生計無奈，紛紛將藏書懸價求售。當時聞風而來，志在搶購的，不但有日本人、各地舊書商，還有歐美的知名大學圖書館。一時之間，數百年來的古籍善本積藏，頗有盡數飄零異域之虞。因此剛成立不久的中央圖書館（1933 年成立於南京）有鑒於古籍文獻是國家民族文化精神之所寄，雖然國難當前，各項經費有限，實不能坐視其燬於戰火或是淪落異邦，必須盡全力搶救。於是在首任館長蔣復璁先生（字慰堂，1898～1990，當時爲中央圖書館籌備處主任）的主持之下，經政府批准，特撥中英庚款之一部分做爲購書經費，在抗戰最艱困的兩年（1941、1942）中，先後搜購了貴池劉氏「玉海堂」、廣州莫氏「五十萬卷樓」、江寧鄧氏「群碧樓」、嘉興沈氏「海日樓」、廬江劉氏「遠碧樓」、順德李氏「泰華樓」、鄧氏「風雨樓」、吳興劉氏「嘉業堂」、張氏「適園」等衆多藏家之藏書，數量凡一萬五千多部，八萬多冊。到了 1949 年，國民政府遷臺，這一大批珍貴的圖書文獻，也在風雨飄搖之際，再度被搶救出來，帶到臺灣，得到妥善的保管。[1]

在國家圖書館的善本收藏之中，有一部非常特殊的佛經，就是元代至正元年（1341）中興路資福寺所刻印的《金剛經》。這部《金剛經》之所以特殊，是因爲它是現存年代最早的、也是舉世唯一的一部雙色印本佛經。目前學術界對於此海內孤本雙色印本《金剛經》之研究，[2]集中於其在文獻學及印刷史上的重要意義，現就所知略爲回顧：

首先，《國家圖書館善本書志初稿》「子部・釋家類」[3]之著錄爲：

---

1 參考蘇精〈抗戰時期秘密搜購淪陷區古籍始末〉，收入《近代藏書三十家》（北京：中華書局 2009 年增訂本），頁 235、239；盧錦堂〈屈故館長翼鵬先生與國立中央圖書館在抗戰時期所蒐購我國東南淪陷區之古籍最精品〉，收入《屈萬里先生百歲誕辰國際學術研討會論文集》（國立臺灣大學中文系主編，2006 年），頁 73-77。

2 案：此經之名稱，據其原書封面題籤作：「金剛般若波羅蜜經」，各家著錄引用，亦是延用此名稱。這是依循一般通用之習慣，凡是著錄佛經皆用其原名（全名），除非有注解者、整理者，自訂新的書名，則援用之。本文對此經亦是多用其簡稱《金剛經》，如非必要，不再註出。

3 《國家圖書館善本書志初稿》《子部》第三冊（臺北：國家圖書館 1998 年），頁 187。

《金剛般若波羅蜜經》一卷一冊

元・至正元年（1341）中興路資福寺刊朱墨套印本，元釋思聰註解。[4]

版匡高 27.8 公分，每摺寬 12.7 公分，上下單邊朱匡線。每摺五行、行十二字；小字雙行，行二十四字。

卷端首行頂格朱印「金剛般若波羅蜜經」，其次三行一律低二格墨印「姚秦三藏法師鳩摩羅什奉詔譯／梁昭明太子加其分目／汝水香山無聞思聰註解」。書中經文一律大字朱印，註文小字墨印。卷首有一朱印佛陀說法圖，卷末有至元六年（1340）跋，及朱印「南無般若波羅蜜多心經」文，末有一力士像。

書中鈐有「國立中央／圖書館／藏書」朱文方印、「甘露記」朱文長方印、「慈航記」朱文長方印。

此一善本書志記載之內容較爲簡略，主要是版本形態之描述，雖尚稱完整，但有遺漏及錯誤，如原書卷末〈跋〉前尚有「無聞和尚註

4 案：此經之刊印年代，各家記載均作「至正元年（1341）」，而《中華印刷通史》作「1340（至元六年）」（北京：印刷工業出版社 1999 年，頁 299）。今檢此經原書末之跋文，有云：「至元六年歲在庚辰解制日」，是以《中華印刷通史》當據此定為 1340 年，然而跋後尚有小字注云：「次年正月初一日夜，劉覺廣夢感龍天聚會於刊經所……」，則真正刻印本經時應已是 1341 年，本文即據此為證，定為 1341 年刊本。

經圖」一幅；所謂「力士像」應爲「韋陀護法像」[5]等，亦未能完整呈顯此書之重要價值及學術意義。

昌彼得先生〈元刻朱墨本金剛經題識〉一文，敘述較詳，[6]其文略云：

> 經摺裝……按此卷係以版三十七塊雕印而成，每版印五半葉，版心記有版次，自第三至第九，而無一、二兩版。由此推考，似此本前後扉畫，原本亦係雕印，殆失去而以手繪補之。……按《元史・地理志》，中興路屬荊湖北道宣慰司，治所即今湖北江陵。又據《江陵縣志》，資福寺在城東南之化港，建於李唐。思聰號無聞，其所註《金剛經》，有明以降《大藏》俱未收，亦未見於著錄，其生平亦無可考。此帙係中央圖書館於民國三十六年（1947）購獲於南京，不詳遞藏源流。……無論就字體、紙張、墨色及初印覘之，其雕印時代決不晚至十六世紀以後。……今幸賴有此元刻朱墨印本存世，以為實證，而將我國朱墨印書術之起始推前二百餘年。惟就此印本細察研究之，實係一版而先墨後朱，分兩次印成。

5　韋陀，一作韋馱、韋馱天、建馱天等，梵文 Skanda，佛教傳說中的護法神，原出於印度教，後為佛教所吸收，成為寺院、僧侶、居士的守護神，也常印在佛經前後，具有護持正法的意義。參見《中華佛教百科全書》第六冊（臺南縣妙心寺・中華佛教百科文獻基金會 1994 年），頁 3451。

6　昌彼得〈元刻朱墨本金剛經題識〉，收在《增訂蟫庵群書題識》（臺北：臺灣商務印書館 1997 年），頁 224-225。

昌彼得先生（字瑞卿，1921～2011）爲當代版本學名家，本文原爲民國 60 年（1971）臺北市漢華文化事業股份有限公司景印「元刻注釋朱墨雙印《金剛般若波羅蜜經》」書前所附題識，對於此經情況之考證，精確詳實，然而亦有所未備，如釋思聰之生平，即未必全無可考，可據他書所載補之。

沈津先生〈關於元刻朱墨套印本金剛般若波羅蜜經〉一文，則針對此經之印刷方式，有所研究，[7]其文云：

> 此本確為朱墨套印本，而並非一版雙色印本。其為套印本之根據，可見〈妙行無住分第四〉，由右至左朱色大字「第」、「薩」、「施」、「布」、「布」、「不」皆斷版，但夾在中問之小字「菩薩人本心」皆不斷裂。此可說明不是一塊版子，如系一版，那斷裂時，大字、小字應同一起斷裂，而決不可能只斷大字不斷小字。又有數紙清晰地顯示：無論是黑色小字或朱色大字， 都是利用小木塊或長方形本塊在一張紙上捺印文字。在紙的上面、中間、下面，往往都有木塊兩頭捺印之痕跡，如第七頁小字雙行「於禪定无有欲心」、「欲想乾枯无想天中」二句，在「於」、「欲」字之上即有壓痕，朱色大字也有如是之跡。這種情況，或許可以推測原已刻就一板，為了區分經文和注釋，請匠人鋸開，然後用朱、墨雙色套印。細審全經，可知印刷時，朱色先而墨色後，如第一

7 沈津〈關於元刻朱墨套印本金剛般若波羅蜜經〉，收在《書城風弦錄—沈津學術筆記》（廣西師範大學出版社 2006 年），頁 5-6。

> 三紙「受生欲界名不還果也」內「還」、「也」二字，墨色壓在朱色之上。又〈善現起請分第二〉之「三」大字，後為小字「梵語」，也顯見黑色小字壓於朱色大字之上。

沈津先生（1945～）原爲哈佛大學燕京圖書館善本室主任，2012年轉任廣州中山大學圖書館特聘專家，亦是當代古籍版本鑑定之行家。此文較昌先生〈題識〉爲詳盡，雙色套印方式之細節也考究明晰。其結論主張兩板先後印刷，固與昌先生所見不同，而對於本經之刊刻來源及註釋內容亦著墨不多，仍可再加以補充。

盧錦堂先生也曾針對此本雙色印本《金剛經》之印刷方式撰寫過相關論文，[8]指出：

> 經過仔細目驗原件，證實此元刊朱墨印本為兩色同版、分次印刷，其技術較後來閔、凌兩家的套版印刷圖書顯得粗糙，效果復不理想，罕見採用者。但也激起同道中人長期研究改良，終於有了精湛的套版印刷。

盧錦堂先生（1948～）曾擔任國家圖書館特藏組主任，退休後任教於臺北大學古典文獻學研究所，專長於古籍版本鑒定。此文同意昌先生的結論，而與沈津先生的看法截然相反。因職務之便，其文舉

8 盧錦堂〈元刊朱墨雙色印本《金剛般若波羅蜜經》為同版分次印刷考〉，收在《劉兆祐教授春風化雨五十年紀念文集》（臺北：臺灣學生書局2010年9月），頁313-324。

證歷歷，且皆爲目驗，應較爲可信，但同樣的對此一雙色印本《金剛經》的可能淵源未曾論及。

另外凡是印刷史、出版史、版本學甚至版畫史之類的著作，[9]只要談到「中國彩色印本」時，必然都會提及此書，然而敘述仍多集中於外觀或形式的介紹而已。有鑒於此部《金剛經》目前文獻學界研究者尚不多，可深入探討之處亦復不少，爲彰顯古代典籍文化的特殊意趣，以及延續筆者近年來對文獻學跨學科研究的努力，本文嘗試結合佛教史及印刷史之觀點與資料，對此部天壤之間唯一的雙色印本佛教典籍，做一較爲完整的考察。

二、元代禪宗之發展與無聞思聰禪師

蒙元起自大漠，征戰四方，拓土無數，然其入主中原僅 89 年（1279～1368）。從文化方面看，元代是中國文化再一次南北大融合的時代；從宗教方面看，元代仍是以佛教爲主要宗教，官方尊崇的是藏傳佛教（喇嘛教），民間則延續唐、宋以來的佛教傳統，是以禪宗爲主。

蒙古初興，還在大漠建國的年代，由於全眞教創始人王重陽（名喆，道號重陽子，1113～1169）及其大弟子丘處機（道號長春子，1148～1227）的影響，得到統治者如太祖（成吉思汗，1162～1227）、

9 如周心慧《中國古版畫史》第五章，討論元代的版畫時，即述及本經之「無聞和尚註經圖」，但將該圖之位置誤作「卷首」，且其所據之資料為日本傳摹的影本，未見原書，故所論多出於推測。見《中國古版畫史》（北京：學苑出版社 2000 年），頁 92。

太宗（窩闊臺汗，1186～1241）等的信任，道教曾經在當時的宗教發展上取得短暫的優勢。然而隨著蒙古入主中原之勢不斷推進，南北禪宗也逐漸受到重視，加以憲宗（蒙哥汗，1209～1259）崇奉佛教，曾在詔書中云：「譬如五指皆從掌出，佛門如掌，其餘如指。」又云：「今先生（案：指道士）言道門最高，秀才人言儒門第一，迭屑人（案：指基督徒）奉彌失訶言得升天，達失蠻（案：指回教徒）叫空謝天賜與，細思根本，皆難與佛齊。」[10]使得佛教的地位高於其他宗教。到了世祖（忽必烈汗，1215～1294）至元 18 年（1281），更詔令天下：除了《道德經》以外的其他道教經典全部焚燬。綿延數十年，以全眞教徒爲首的道教，和以曹洞宗僧人爲首的佛教之間的紛諍，至此告一段落。

然而到了至元二十五年（1288），又發生了「教、禪廷辯」之事，世祖召集禪、教（義學）、律三派的代表至大都辯論，禪宗代表爲雲峰妙高（1219～1293），義學代表爲天臺宗（一說爲唯識宗）仙林和尚。廷辯的結果是「使教冠於禪之上」，朝廷下令將各地禪寺改爲「講寺」，形成此後元代政府對漢傳佛教「尊教抑禪」的基本態度。

在元初的釋、道鬥爭中，曹洞宗的禪師們具有重要作用，他們得到喇嘛教和蒙古貴族的支持，加強了北方禪宗和元朝統治者的關係，對禪宗在北方的發展，創造了有利的條件。但是在「教禪之爭」後，北方禪宗卻受到沉重的打擊，其原有地位逐漸被義學僧取代。

---

10 杜繼文、魏道儒《中國禪宗通史》（南京：江蘇古籍出版社 1995 年），頁 466、469。

相對的南方禪宗因爲距離較遠，面對朝廷時又採取一種消極抵抗的態度，例如婉拒朝廷徵召等，使其做爲南方佛教的主體地位，並沒有因爲政府的政策而有巨烈的變化。有元一代，凡領於「宣政院」[11]的寺院，概分禪、教、律三宗，其中教者有三，即天臺、華嚴和慈恩三家（慈恩宗之所以特別爲元代佛教所重，與藏傳佛教以「法相」爲理論基礎，以「因明」爲方法論有關）。由於「律」爲佛教各派所共遵，所以元代佛教實際上是二分天下，即所謂「南禪北教」。這一格局，一直延續到明、清兩朝。[12]

相對於北方禪宗，元代南方禪宗的情況，則是表現出相當的活力，影響甚廣。元代南方禪宗均屬臨濟宗法脈，分別出自大慧宗杲（1089～1163）與虎丘紹隆（1077～1136）兩系。宗杲弟子育王德光（1121～1202）之後，出現了靈隱之善（1152～1235）、北磵居簡（1164～1246）兩支；紹隆的再傳弟子密庵咸傑（1118～1186）之後，出現了松源重岳（1132～1202）和破庵祖先（1136～1211）兩支。[13]就整個元代禪宗發展而言，紹隆一系的影響超過宗杲一系，尤其祖先一支，不僅法脈昌盛，而且思想活躍，元代南方禪

11 宣政院，初名總制院，是元代中央政府機構之一，至元元年（1264 年）設立，負責掌管全國佛教事宜並統轄吐蕃（今西藏）地區的軍政事務。至元二十五年（1288 年），更名為宣政院，與中書省、尚書省、樞密院、御史台並列。參見《元史・百官志》（臺北：鼎文書局 1986 年影印標點本）卷 87，頁 2193。

12 杜繼文、魏道儒《中國禪宗通史》（南京：江蘇古籍出版社 1995 年），頁 473。

13 參考任宜敏《中國佛教史・元代》第四章（北京：人民出版社 2005 年），頁 209。

宗的重要禪師，大都出自這一系，成爲元代以後臨濟宗傳承的代表。[14]這種情況，形成雙色印本《金剛經》出現於世的重要背景。

此本朱墨雙色印本《金剛般若波羅蜜經》所據之底本，係「無聞思聰禪師」的註解本，此本最後有題名「劉覺廣」者所撰之跋文，讚譽其註，文云：

> 夫優曇獻瑞，普獲馨香；善逝應真，皆蒙解脫。為大事因緣，演教世出世間，決生死，入聖超凡。自悟自證，由是激揚般若靈空，弘闡涅槃大義。無聞老和尚，與蛇畫足，鉢盂安柄，豈免露□針腳，聯綴葛藤；不無顯示鉗鎚，曲垂方便；抽釘拔楔，解黏去縛。把定向上玄關，倒括劫初巴鼻；十六孤園發秀，三十二枝芬芳。註無言處之言，剖微默中之默。握吹毛利，作獅子吼，使不會禪流會禪，未知道者知道。點透拈花示眾，深貴斷臂安心。寥寥不掛纖塵，密密歸根得旨。意天皎潔，性月騰輝；泯絕三心，豁通五眼。所以福超七寶檀施，功越三時捨身。斬新特地乾坤，開闢禪庭；正令金剛圈裡從君躍，栗棘蓬中任意吞！讚法無窮，畧伸管見，後學同志，謹而備焉。
>
> 至元六年歲在庚辰解制日寓中興路潛邑蚌湖市劉覺廣再拜謹跋；荊岑鄧覺富焚香拜書。[15]

---

14 吳立民主編《禪宗宗派源流》（北京：中國社會科學出版社 1998 年），頁 500。

15 案：此段跋文採常見之四六駢體，通篇用禪宗典故，而部分語句意義難通，疑有脫文誤字，姑仍其原文，以俟後考。又：落款之日期「庚辰解制日」

跋文後又有較小字體註曰：

> 師在奉甲站資福寺丈室註經，庚辰四月間，忽生靈芝四，莖黃色，紫豔雲蓋。次年正月初一日夜，劉覺廣夢感龍天聚會於刊經所。讚云：
>
> 稽首金剛界，大聖法中王；願垂實際處，字字放毫光。

說明了思聰禪師曾駐錫江陵資福寺及其註解《金剛經》的具體時間，跋文前並有「無聞和尚註經圖」一幅，生動刻劃了註經時之種種祥瑞。

關於無聞思聰禪師之生平，此前學者多云無考，然皆因未能詳查佛教資料。今檢《五燈全書》卷五七、[16]《續指月錄》卷七、[17]《續燈正統》卷八[18]及《續燈存稿》卷七[19]等書，均有思聰禪師事蹟之

即「後至元六年七月十五日」，古代民俗以農曆七月十五日為地官赦罪之日，稱為解制日，又稱中元節。參見宋・吳自牧《夢梁錄》卷四「解制日」條（上海古典文學社 1956 年）。

16 《卍續藏經》第 141 冊，頁 114b。案：《五燈全書》，清・釋超永編，正文一百二十卷，目錄十六卷，所收禪宗人物約七千多人，康熙三十二年（1693）完成後進獻朝廷。

17 《卍續藏經》第 143 冊（臺北：中國佛教會 1967 年），頁 446b。案：《續指月錄》二十卷，清・聶先編集。此書乃續明・瞿汝稷《指月錄》而作，康熙 19 年（1680）刊本。全書由卷首一卷、正文二十卷、尊宿集一卷，三部分組成。

18 《卍續藏經》第 144 冊（臺北：中國佛教會 1967 年），頁 296b。案：《續燈正統》四十二卷，清・性統編，康熙 36 年（1697）刊本。性統，號別

相關記載，可以概知其生平一二。四書所記情節大抵相同，個別字句稍有出入，而《五燈全書》文字較爲通順詳明，茲錄《五燈全書》之全文如下：

慈化瓊禪師法嗣

汝州香嚴無聞思聰禪師

師魯山人。初參獨峰，令看「不是心、不是佛、不是物」話。同雲峰、月山等六人，立盟互相究竟。次見淮西無能，教示「無」字話令參。一日，晤同參敬上座，敬問：「你六七年來，有甚見處？」師曰：「每日只是目前無一物。」敬曰：「你這一絡索，從甚處來？」師罔然。乃問：「畢竟明此大事，應作麼生？」敬曰：「不見道：要知端的意，北斗面南看。」說了便去。師被一拶，直得不知行坐者七日。偶到淨頭寮，疑情不解，食頃，乃覺胸次輕清，目前人物一切不見，直得通身汗流。遂見敬，敬舉扇曰：「速道！速道！」師遽曰：「舉起分明也妙哉，清風匝匝透人懷；個中消息無多子，直得通身歡喜來。」自此下語作頌，都無滯礙。及至日用中，又不得灑落。乃入香嚴山過夏，復謁無方普。普問：「萬法

庵，四川人。此書亦為續《五燈會元》而作，所收人物年代上起南宋之初，下至康熙年間，以臨濟宗為主，故名「正統」。

19 《卍續藏經》第 145 冊（臺北：中國佛教會 1967 年），頁 79a。案：《續燈存稿》十二卷，清初沙門通問編，康熙 51 年（1712）間刊本。通問（?～1655），字箬庵，吳江人，此書以華亭施沛居士編輯之原稿為底本，經數年增補而成。

歸一，一歸何處？」師曰：「鼻豎眼橫。」普曰：「者是學得底？」師曰：「雞寒上樹，鴨寒下水。」普曰：「不問者個，如何是你父母未生前面目？」師豎起拳曰：「看！」普曰：「好與三十拄杖！」師拂袖便出。適值鐵山從高麗回至石霜，師往見。山問：「仙府何處？」師曰：「汝州。」山曰：「風穴面目如何？」師將二十年工夫，通說一遍。山把定咽喉問：「如何是無字？」師曰：「近從潭州來，不得湖北信。」山曰：「未在！更道。」師曰：「和尚幾時離高麗？」山曰：「未在！更道。」師便喝，拂袖便出。山曰：「者兄弟都好，只一件大病，道我發明了。」師聞而感激。復入光州山中，十七年方得穎脫。 示眾：「法無定相，遇緣即宗。秉金剛劍，吞棘栗蓬。截斷衲僧舌頭，坐卻毗盧頂𩕳。拈一莖草，作丈六金身。將丈六金身，作一莖草。直教寸絲不掛，月冷秋空，寒灰發焰。到這裏，喚作佛法，入地獄如箭射；不喚作佛法，入地獄如箭射。諸仁者！畢竟作麼生會？不見船子道：藏身處沒蹤跡，沒蹤跡處莫藏身。雖然恁麼，正眼觀來，儘是閑家具。衲僧分上，料掉沒交涉。」

這段文字記載所包含的一些重要訊息，解析如下：

1、思聰禪師是汝州人（今河南省汝州市），曾參禮獨峰和尚、淮西無能、無方智普等禪師多年，最後從鐵山瓊禪師得法。案：無聞思聰禪師的籍貫，各種資料所記略有不同，有作「汝水」者（《國家圖書館善本書志初稿》據書前題署）；有作「香山」者（《續指月錄》卷 7、《續燈正統》卷 8）；

有作「魯山」者（《五燈全書》卷57）；經檢《元史・地理志》、[20]《讀史方輿紀要》[21]等書，再比對現行中國行政區劃，[22]得知元代汝州屬於「河南江北等處行中書省河南府路南陽府」，其下轄有「梁縣、魯山、郟縣」等三縣。因此「汝州」與「魯山」只是範圍大小不同，做爲籍貫而言，意思是相同的。「汝水」則是河流名稱，流經汝州、魯山、郟縣等地，現存該《金剛經》前思聰禪師之署名用「汝水」應是做爲「汝州」的代稱。至於「香山」，並非思聰禪師的籍貫，而是指汝州的「香山寺」（現行政區域屬平頂山市），該地因有觀世音菩薩證道於此的傳說而知名，應即是思聰禪師出家之祖庭。

2、「入香嚴山過夏」的香嚴山是指河南鄧州（今河南省南陽市）的「香嚴寺」（嚴一作巖），原本是唐・一行禪師（673～727）所創的禪院，其後，六祖慧能的法嗣南陽慧忠（675～775）曾住此寺，圓寂後亦葬於此。又，潙山靈祐（771～853）的法嗣香嚴智閑（?～898）也曾住於此寺。

3、「風穴面目」指風穴延沼禪師（896～973），餘杭人，後唐時於汝州風穴山之風穴古寺開法。此處因知思聰禪師是河南人，於是當做話頭，用以勘驗禪師的修行成果。

20 《元史・卷五十九・志第十一・地理二》（臺北：鼎文書局1986年），頁1403-1405。

21 《讀史方輿紀要》卷五十一（臺北：洪氏出版社1981年），頁2228-2233。

22 《中國地名辭典》（上海辭書出版社1990年），頁240、381。

4、「光州」即河南光州（今河南省璜川縣），南朝慧思（515～577）曾於此地之大蘇山傳授禪法。

5、「石霜」指石霜山，在今湖南省瀏陽縣，有崇勝寺，以石霜楚圓（986～1039）禪師曾住此而知名。

綜合以上記載內容可知，思聰禪師生平活動範圍及其牽涉到的人物事蹟，不出河南、湖北、湖南等地，這些活動範圍都與禪宗的傳播發展有密切關係。而「近從潭州來」的潭州，其治理區域也包含了湖南及湖北的一部分地區，思聰禪師在湖北江陵資福寺註經，實有其地緣關係之便。

至於無聞思聰禪師註解《金剛經》之事，又可參見清・周克復編纂《歷朝金剛經持驗記》卷下：[23]

> 元無聞聰禪師，汝水香山人。至元元年辛巳，資福寺無礙長老，請師註解《金剛經》三十二分，時有紫雲覆寺。既畢，法座庭前，連產五色靈芝數本。所註經流通至今。聰師每分註解外，各綴頌語，開人天眼，透金剛山。宜有紫雲瑞芝之應。亦有刻經而板中流出舍利者，皆智慧人，自結智慧果。（出《受持果報》）

23 《卍續藏經》，第149冊（臺北：中國佛教會1967年），頁260a。案：周克復，江蘇宜興人，信奉淨土宗之居士，除《金剛經持驗記》外，尚編纂有《法華經持驗記》、《觀世音持驗記》、《華嚴經持驗記》等。

據此可知無聞禪師是受資福寺住持無礙長老之囑託而註《金剛經》，其註經祥瑞之兆當即是根據現存雙色印本《金剛經》所載之狀況而錄入者。又可知其刻本至清代初年猶有流傳，然而此處未說明是否為雙色印本。目前僅存此孤本的原因，推測應是雙色印刷費工費錢，當時此書之印量即不甚多，是以流傳不廣，至明代即已罕見，故後世未見藏書家著錄。

至於鐵山瓊禪師事蹟，亦可略見於《五燈全書》卷五六，全文如下：

> 高麗鐵山瓊禪師
>
> 師湘潭人。年十八出家，首謁雪岩，屢入室呈解，岩但曰：「只是欠在！」一日忽觸著欠字，身心豁然，徹骨徹髓。乃跳下禪床，擒住岩曰：「我欠少個甚麼？」岩打三掌，師設拜，岩然之。謁東岩，岩問：「心不是佛，智不是道，上座作麼生會？」師曰：「抱贓叫屈。」岩曰：「不是心，不是佛，不是物，是甚麼？」曰：「眉間迸出遼天鶻。」高麗國王欽其道德，請至其國，大弘法化。後在袁州慈化示寂，塔於觀音閣後。

文中之「雪岩」即宋末元初著名禪師雪岩祖欽（1204～1287），福建漳州人，歷主潭州龍興寺、處州佛日寺、湖州光孝寺等。門人知名者極眾，世稱「法窟第一」。鐵山，可能也是湖北的地名，今湖北省黃石市有鐵山區。袁州則是今江西省宜春縣之古名，也與禪宗有密切關係，禪宗「五家七宗」的「楊岐派」即發源於臨近的萍鄉縣楊岐山。慈化寺今尚存，爲江西省文物保護單位。鐵山瓊禪師得法後，赴高麗傳禪之年代約爲 1304 年（元成宗大德八年）。[24]

另據《續燈正統》卷八亦有鐵山瓊禪師之相關記載，內容卻有所不同：

> 瀫山異禪師法嗣
>
> 袁州府慈化鐵山瓊禪師　十八歲出家，首參雪巖。一日偶頭痛，欲煎藥，手提瓶子。遇覺赤鼻曰：「你須是那吒太子，析骨還父，析肉還母，然後為父母說法始得。」師有省，乃述偈曰：「一莖草上現瓊樓，識破古今閒話頭，拈起集雲峰頂月，人前拋作百花毬。」無何，巖示寂，往謁東巖。巖問：「心不是佛，智不是道，上座作麼生會？」師曰：「抱贓叫屈。」巖曰：「不是心，不是佛，不是物。是甚麼？」師曰：「眉間迸出遼天鶻。」復謁蒙山，屢入室呈解。山但曰：「只是欠在。」一日忽觸著欠字，身心豁然，徹骨徹髓。乃跳下禪床，擒住山曰：「我欠少箇甚麼？」山打三掌，師禮拜，山然之。次典首座。冬節秉拂曰：「冬至月頭，賣被買牛。冬至月尾，賣牛買被。」卓拄杖曰：「者裡無尾無頭，中道齊休。行也休休，坐也休休，住也休休，臥也休休。睡眼豁開，五雲現瑞。光風霽月，無處不遇。梅綻枯枝古渡頭，風

24　任宜敏《中國佛教史・元代》第四章（北京：人民出版社 2005 年），頁 260、407。

> 前時復暗香浮。雖然，向上一路，何以見得？」靠拄杖曰：「休休。」後示寂，塔於觀音閣後。[25]

與《五燈全書》相較，《續燈正統》所載內容似較爲完整，最大的差異是其師承不同，《續燈正統》載鐵山瓊禪師是得法於蒙山德異禪師（1231～？，1290 年曾刊印《六祖壇經》，自署：古筠比丘德異）。若果如此，則無聞思聰禪師之法系可上溯至北宋的五祖法演禪師（1024～1104）。又明・釋文琇《增集續傳燈錄》[26]卷五、明・釋明河撰《補續高僧傳》[27]卷十二「習禪篇」等書亦有鐵山瓊禪師事蹟，與《五燈全書》之文略同，茲不具引。

現據《續燈正統》及相關資料輾轉推溯，將思聰禪師之師承淵源列爲簡表如下：[28]

---

25 《卍續藏經》，第 144 冊（臺北：中國佛教會 1967 年），頁 219b。

26 《卍續藏經》第 142 冊，頁 362a。案：《增集續傳燈錄》六卷，明・釋文琇纂集，永樂 15 年（1417）刊本。文琇（1345~1418），字南石，江蘇崑山人。曾住持徑山興聖萬壽禪寺，除邊此書外，另有《語錄》一卷行世。《增集續傳燈錄》是明初居頂《續傳燈錄》的增補本，多僅是增加文字記載的內容，人物增補不多。

27 《卍續藏經》第 134 冊，頁 195a。案：《補續高僧傳》二十六卷，明・釋明河（1588~1640）編，康熙 20 年（1681）刊本，其所補續之對象為宋・贊寧《宋高僧傳》，所收人物正傳 540 人，附見 72 人。

28 吳立民主編《禪宗宗派源流》（北京：中國社會科學出版社 1998 年），頁 497-502、662。

五祖法演－開福道寧－大溈善果－大洪祖證－月林師觀－孤峰德秀－皖山正凝－蒙山德異－鐵山瓊－香嚴思聰

由表列可知，思聰禪師屬「臨濟宗・楊歧系」之傳承，約與中峰明本（1263～1323）[29]同時或稍晚，明確生卒年則待考。

事實上，湖北地區從隋唐時期四祖道信（580～651）、五祖弘忍（602～675）先後於黃梅雙峰山建寺（今湖北省黃岡市黃梅縣北16 公里），開「東山法門」以來，就是禪宗重要的根據地之一。禪風之盛，斑斑可考。江陵與黃梅又相去不甚遠，聲氣相通，因此無聞思聰禪師當時遊化至此，應邀在資福寺註《金剛經》，實在也是地利人和，事有必然。

三、《金剛經》之傳播與思聰禪師之註解

《金剛經》全名《金剛般若波羅蜜經》（梵文 vájra-cchedikā-prajñā-pāramitā-sūtra），原出於《大般若經》六百卷中的第五七七卷第九分，後世以其足以代表《般若經》之精義，將其抽出單獨流通。[30]《金剛經》之漢譯本共存有六種，以第一譯姚秦時代鳩摩羅

29 中峰明本，錢塘人，俗姓孫，為元代著名禪師，曾受封為「普應國師」，有「江南古佛」之稱。明本得法於高峰原妙（1238~1295），原妙之年代與德異相近，故思聰與明本亦應同時。又《續指月錄》卷七，將中峰明本排在無聞思聰的前面，亦可做為旁證。

30 《大般若經》全本為唐・玄奘（602~664）於 663 年所譯出，唐代以前僅有其中部分流傳於世。

什（334～413）的譯本流傳最廣。經文原未分段，梁・昭明太子蕭統（501～531）將其析爲 32 分，各立名稱，後世延用不改。

從教義上講，《金剛經》是《般若經》的一種，因此其思想是屬於「性空唯名」系的（又稱爲「空宗」、「性宗」），[31]《金剛經》的主要成就在於所謂「蕩相遣執」——破除對事物表相的迷思與執著。《金剛經》在中國佛教，從羅什譯本問世後，就一直受到普遍的重視，然而《金剛經》眞正徹底融入中國人的信仰世界，卻是在唐代禪宗大盛之後。

中國禪宗的正式成立，是從六祖惠能（638～713）開始的。惠能的禪法，最大的特點也是其最重要的貢獻，就是結合了「中觀般若」與「眞常唯心」兩大系統的思想，建立其「智慧觀照，內外明徹，識自本心，一悟即至佛地」（《壇經・般若品》）的直觀禪法。同時將「禪」從修「禪定」的本質轉向開「智慧」（般若）的方向。雖然在五祖弘忍的時代，已經開始提倡及講說《金剛經》，如《六祖壇經》所載：

> 時，有一客買柴，使令送至客店，客收去，惠能得錢，卻出門外，見一客誦經。惠能一聞經語，心即開悟，遂問：「客誦何經？」客曰：「《金剛經》。」復問：「從何所來，持此經典？」客云：「我從蘄州黃梅縣東禪寺來，其寺是五祖

31　臺灣當代佛教高僧印順法師（1906~2005）將大乘佛教思想判為三大系：性空唯名、虛妄唯識、真常唯心，參見《印度之佛教》（臺北：正聞出版社 1985 年）第一章〈印度佛教流變概觀〉，頁 6-7。

> 忍大師在彼主化，門人一千有餘。我到彼中禮拜，聽受此經。大師常勸僧俗，但持《金剛經》，即自見性，直了成佛。」[32]

但是惠能與《金剛經》的關係確是更爲密切。六祖本人是從聽聞《金剛經》而徹悟的，因而在面對佛教經典的態度上，六祖惠能又特別強調《金剛經》的重要，如云：

> 善知識，若欲入甚深法界，及般若三昧者，須修般若行，持誦《金剛般若經》，即得見性。當知此經功德無量無邊，經中分明讚嘆，莫能具說。此法門是最上乘，為大智人說，為上根人說。[33]

從六祖以後，《金剛經》即成爲禪宗的象徵性經典，可以說除了《六祖壇經》之外，禪宗最重視的就是《金剛經》。而禪宗以外，其他宗派的許多佛教高僧大德，也都經常開講《金剛經》，或者書寫《金剛經》中的字句，尤其是「應無所住，而生其心」二句，最爲世人熟知。《金剛經》歷代的註釋書，數量之多更是其他經典所難以比擬的。依據蔡運辰《二十五種藏經目錄對照考釋》一書所收，此經

---

32 《六祖壇經・行由品》（臺北：天華出版事業有限公司 1989 年景印丁福保〈箋註〉本），頁 4 前。

33 《六祖壇經・般若品》（臺北：天華出版事業有限公司 1989 年景印丁福保〈箋註〉本），頁 29 前。

之註釋書共有六十八種，數量居所有佛經註釋書之冠。[34]雖然元代禪宗仍很興盛，若從此 68 種書目來看，元代註解《金剛經》的卻只有一部由居士徐行善所撰《金剛經科釋》，收在《卍續藏》第 38 冊，而無聞思聰禪師的註解，是元代僧眾所註唯一的一部，卻不見於著錄，如果不是隨著這一部雙色印本《金剛經》傳存至今，則思聰禪師註經的一片苦心，將永遠無法得知了。

從思聰禪師的註語來看，除名詞註解、句義闡釋之外，其特色是謹守禪宗的立場，以禪語解經。如〈善現起（案：起當作啓）請分〉「希有世尊」句下註云：

> 諸佛應世，從正至偏，從空入有，清淨本覺，圓明妙智，普應群機，如月在天影分眾水。如來未措一言，須菩提讚歎希有，見个什麼？具眼者看！同道方知。

「見个什麼？具眼者看！」就是典型的禪宗語言。思聰禪師之註解還有一較爲特殊之處，就是三十二分每一「分」標題之下都有一首偈頌，概括其思想義理，可說是繼承了宋代以來禪宗以頌古、拈古的方式說禪的「文字禪」傳統。[35]由於此經屬於國寶，一般難以見到，茲將各分之偈頌詳載如下，以供參考：

---

34 藍吉富〈金剛經與中國佛教〉，收在《聽雨僧廬佛學雜集》（臺北：現代禪出版社 2003 年），頁 423-441。

35 關於「文字禪」的定義與分類，參見周裕鍇《文字禪與宋代詩學》（北京：高等教育出版社 1998 年），頁 31-42。

法會因由分第一

頌曰：聖凡同聚給孤園，似月如星共一天；持鉢著衣弘聖化，人人盡是火中蓮。

善現啟請分第二

頌曰：解空特地播風雲，九曲難穿問至尊；兩鏡光含千古意，珠璣瀉出顯家門。

大乘正宗分第三

頌曰：大乘境界盡含容，凡聖元來事一同；掃盡微塵生死念，依然面目舊家風。

妙行無住分第四

頌曰：透過聲香色是誰？投身飼虎自家為；精金百鍊雖光彩，且不重添眼上眉。

如理實見分第五

頌曰：悟處分明見得真，鏡中面目自家身；莫言諸相都拈却，只是如今箇主人。

正信希有分第六

頌曰：正信之人骨有靈，心如杲日洞然明；眼空不見黃金貴，面壁忘機海晏清。

無得無說分第七

頌曰：識破娘生無所得，虛空那話是和非；炳然一句威音外，雲去雲來天不移。

依法出生分第八

頌曰：百千妙義佛諸祖，盡在毫端一密中；七寶三千非比喻，此心包納太虛空。

一相無相分第九

頌曰：一相本來元不有，明珠鑽透兩頭空；要知四果安身處，鏡破形忘那有蹤。

莊嚴淨土分第十

頌曰：家破人亡國已空，更無南北與西東；寥寥晴際霜天夜，纔有微雲便不同。

無為福勝分第十一

頌曰：恒沙世界布金田，雖福無涯未倒邊；端的悟明心地處，片雲不掛是青天。

尊重正教分第十二

頌曰：見物思人暗斷腸，聞經覩相好心傷；靈山一會如同在，持者隨方是道場。

如法受持分第十三

頌曰：求法如求鎮海珠，九重淵底見真渠；丹青國手難描出，更欲安名便不如。

離相寂滅分第十四

頌曰：冷灰豆爆口難開，脫盡皮膚骨出來；瓦解冰消藏不得，夜深明月上樓臺。

持經功德分第十五

頌曰：三時布施福難量，不似持經功德強；任你捨身塵數劫，娘生面目在何方？

能淨業障分第十六

頌曰：業猶心造心猶誰？心罪當知誰所為；直下罪忘心滅處，覺天心月燦光輝。

究竟無我分第十七

頌曰：未得心空向外求，自從識得冷啾啾；大千沙界元非有，念念教人萬事休。

一體同觀分第十八

頌曰：人法俱忘水月秋，更無纖粟掛心頭；飢時喫飯困來卧，綠水青山一目收。

法界通化分第十九

頌曰：寶施無邊豈性同，何如見道脫凡籠？打開自己光明藏，盡在毛端一化中。

離色離相分第二十

頌曰：法身體若太虛空，萬象難教混一同；花笑鳥啼瞞不得，難將制眼著邪中。

非說所說分第二十一

頌曰：生前一句是如何？開口分明磋過他；佛祖舌頭都坐斷，啞人食蜜笑呵呵。

無法可得分第二十二

頌曰：火裏尋冰謾自求，敲冰取火更無由；十虛縱汝爭拈得，兩眼雙空當下休。

淨心行善分第二十三

頌曰：但自胷膺無垢穢，任他長短是和非；眼中著沙耳盛水，妙行如如同道知。

福智無比分第二十四

頌曰：福智無邊豈度量？人天路上福為強；要離生死超三界，惟誦金剛出世方。

化無所化分第二十五

頌曰：自性眾生自性度，癡人覓佛外邊求；可憐拾翠拈紅客，空在閻浮數日頭。

法身非相分第二十六

頌曰：三十二相黃金殿，八十隨形瓔珞衣；覷破如來真面目，元將黃葉止嬰啼。

無斷無滅分第二十七

頌曰：這點靈光亙古今，幾回高顯幾回沉；驀然摸著衣中寶，呀地一聲更不尋。

不受不貪分第二十八

頌曰：寶聚恒沙世界中，一毫不受樂心中；觀春萬卉青紅紫，俄傾崢嶸不見蹤。

威儀寂靜分第二十九

頌曰：坐卧經行腳自擡，登山涉水渾塵埃；看他下足分明處，踏碎虛空無去來。

一合理相分第三十

頌曰：一念未興相已成，如臨寶鏡兩分明；翻身踏碎初心月，相理元空擺手行。

知見不生分第三十一

頌曰：一擊心空忘所知，朗然聲色外威儀；灰飛煙滅心何在？四見纔興卻是迷。

應化非真分第三十二

頌曰：世界阿僧轉法輪，微塵剎土微塵身；誰家底事婆心切，爐鞴門開煅夢人。

〈應化非眞分〉之四句偈：「一切有爲法，如夢、幻、泡、影；如露，亦如電，應作如是觀。」每句偈後又有一頌：

> 頌曰：識破娘生幻化身，黃金碧玉眼中塵；心休賴對青霄月，壺內風光別一春。
>
> 頌曰：三界空華實可悲，泛身塵數未知誰？現淹生死洪波內，猶自癡心競卵危。
>
> 頌曰：命若夕陽倏忽間，漚光影裡百年難；身如曉露雲中電，安可不忙心放閒。
>
> 頌曰：行到水窮山盡處，大千春色一浮漚；重重拂盡重重現，莫道瞿曇弄舌頭。

所以全書共有 36 首詩偈。

除此之外，經文之註解亦時常運用詩句、駢儷語，如〈妙行無住分〉「不住聲香味觸法布施」句下註云：「如是捨一切諸煩惱，為真布施，得一切解脫，得一切智也。惟求成佛尔。荊棘林中下腳易，夜明簾外轉身難。」又如〈如理實見分〉「可以身相見如來不」句下註云：「渠無相貌，何處求形？擬心迻向，白雲萬里。夢宅點出無生性，雲月行空不見蹤。」等，凡此皆可證明前述思聰禪師「下語作頌，都無滯礙」之事實。

至於無聞思聰禪師此部《金剛經》注解在佛教教義、佛經注釋方面的貢獻與意義，以非本文重點並限於篇幅，筆者擬將另撰專文探討。

四、元代之出版事業與資福寺之刻經

從印刷史來看，元代自從在大漠立國起，即頗爲注重文化及出版事業，印書甚多，如蒙古乃馬眞后三年（1244）刻《道藏》、定宗二年（1247）刻《析城鄭氏家塾重校三禮圖集註》、定宗四年（1251）平水晦明軒刻《重刻政和經史證類本草》、憲宗三年（1253）平水晦明軒刻《增節標目音註精議資治通鑑》、憲宗六年（1256）趙衍刻《李賀歌詩篇》等。[36]入主中原之後，其雕板印刷更繼承了宋代的基礎而有所進展。在印書機構方面，中央有興文署、國子監、太醫院等，地方則以各路衙門、學校所刻之書爲多，著名的如大德九年（1305）所謂「九路本十七史」。[37]另一個重要的刻書機構是遍佈各地的書院，元代因儒學教育集中於書院，故書院刻書，較之唐、宋，尤爲發達，而且刻印俱精，很受藏書家重視。著名的如：東山書院《六臣注文選》（大德三年 1299）、圓沙書院《廣韻》《玉篇》（泰定二年 1325）、西湖書院《文獻通考》（泰定四年 1327）、梅溪書院《皇元風雅》（後至元三年 1337）、武溪書院《新編古今事文類聚》（泰定三年 1326）等。

至於坊肆刻書（民間書商），比之前代，不遑多讓，除了宋代出版業已經很發達的地區，如浙江、福建仍沿續未替之外，由於元

---

36 《中國版刻圖錄》第一冊（北京：文物出版社 1961 年），頁 50-55。

37 此「九路本十七史」，是指江東建康道下轄的九路，事實上參與刻印的僅有七路，即寧國路、太平路、瑞州路、建康路、池州路、信州路、集慶路等，十七史也僅刻了十三種。參見《中國出版通史·宋遼西夏金元卷》（北京：中國書籍出版社 2008 年），頁 375。

廷政治中心在大都（北京），北方的出版印刷也隨之興起，且有超過南方之勢。例如山西平陽（平水），原屬金國統治範圍，經濟較爲平穩，蒙古滅金後（蒙古太宗八年，1236），設「經籍所」於此，編印經史，從而帶動平陽的出版業。較著名者如：張氏晦明軒《資治通鑑》（憲宗五年，1255）、平陽府梁宅《論語註疏》（元貞二年，1296）、平水曹氏進德齋《巾箱本爾雅郭注》（大德三年，1299）、平水許宅《重修政和經史類證備用本草》（大德十年，1306）、平水中和軒王宅《禮部韻略》（大德十年，1306）、平水高昂霄堂《河汾諸老詩集》（皇慶二年，1313）等。福建地區的出版業仍以建安、建陽兩地最爲集中，其中又以建安余氏「勤有堂」、余氏「雙桂堂」、建陽劉氏「翠岩精舍」、劉氏「日新堂」、虞氏「務本堂」、鄭氏「宗文堂」等印書最多，最爲知名。建陽另有「麻沙坊」亦爲書業發達之處，其所印行之書稱爲「麻沙本」，在宋代就以品質低劣爲士人所詬，入元後情況依然，故印行書籍雖多，往往被藏家視爲「宋本中的下駟」。[38]

元代佛教寺院對於經書的印刷出版也很盛行，其數量甚至超過宋代。首先值得注意的是《大藏經》的雕印。由於宋末的兵燹，造成福州所刻的《思溪藏》受到嚴重破壞，至元十四年（1277）起，由杭州路白雲宗普寧寺擔當主要責任，重新雕印《大藏經》，到了至元二十七年（1290）完成，是爲《普寧藏》。因其得到政府的支持，刻印質量俱佳，現存完整版本亦較多。另外南宋孝宗年間創建

---

38 《中國出版通史・宋遼西夏金元卷》（北京：中國書籍出版社 2008 年），頁 402-416；張秀民《中國印刷史》（上海人民出版社 1989 年），頁 285-291。

的平江府（江蘇吳縣）磧砂延聖禪院，也有雕印藏經之舉，因戰亂曾暫停印刷工作，至元二十四年（1287）始繼續刊印，全藏於延祐二年（1315）刊印完畢，稱爲《磧砂藏》，其版式亦與《思溪藏》相同。[39]

元代各地寺院、僧人刻印書籍的也不少，寺院如：京兆府龍興院（蒙古憲宗六年 1256 刊《大方廣佛華嚴經》）、建陽報恩萬壽堂（延祐二年 1315 刊《大寶積經》）、湖州禪幽庵（延祐三年 1316 刊《景德傳燈錄》）、平江路幻住庵（至正四年 1344 刊《大佛頂首楞嚴經會解》）、姑蘇獅子林（至正間刊《大佛頂首楞嚴經會解》）等。僧衆如：釋苾芻（延祐三年 1316 刊《景德傳燈錄》）、釋明瑞（元統三年 1335 刊《天目中峰和尚廣錄》）、釋明悟（後至元二年 1336 刊《梵網經菩薩戒品》）、大明寺釋海島（至正二年 1342 刊《四家頌古集》）、釋念常（至正七年 1347 刊《歷代佛祖通載》）、釋慧欽（至正二十三年 1363 刊《緇門警訓》）、全吉祥（元末刊《北山錄》、《註解隨函》）等。[40]大致而言，元代寺院僧衆刻書之地域分布，與當時出版業集中地區是相符合的。

至於湖北，雖然不屬於出版業集中地區，但就現存之印刷品觀察，當宋、元之際也應有相對發達的出版業，如宋紹興十八年（1148）

---

39 參見小川貫弌《大藏經的成立與變遷》第十二章，收在藍吉富主編《世界佛學名著譯叢》第 25 冊（臺北：華宇出版社 1984 年，頁 75-81）；李富華、何梅同著《漢文佛教大藏經研究》第八章（北京：宗教文化出版社 2003 年），頁 316-323。

40 參見拙作〈現存歷代寺院僧眾刊書目錄初輯〉，收入《圖書文獻學考論》（臺北：里仁書局 2005 年），頁 309-318。

荊湖北路安撫使司刻《建康實錄》、宋淳熙五年（1178）王崧刻《竇氏連珠集》、宋淳熙十一年（1184）鄂州公文紙印本《花間集》、宋嘉定九年（1216）興國軍刻《春秋經傳集解》、宋寶祐三年（1255）江陵府李安刻《大方廣佛華嚴經》等。[41]

根據此「朱墨雙色印本金剛般若波羅蜜經」之最後，有「劉覺廣」者所撰之跋文，題曰：「至元六年歲在庚辰解制日寓中興路潛邑蚌湖市劉覺廣再拜謹跋」，考元代的地方行政區畫分，「中興路」屬「河南江北等處行中書省」管轄，相當於今湖北省江陵縣。下轄江陵、公安、石首、松滋、枝江、潛江、監利等七縣。[42]劉〈跋〉中的「潛邑」當即潛江，「蚌湖市」雖未見記載，但至今湖北省漢川市仍有蚌湖鎮之地名。

再據前文所述考察，元代湖北江陵地區似並未以雕板印刷知名，則此雙色印本《金剛經》亦不應憑空出現，其何以會在資福寺刻印出版？是否有其他因素？值得進一步推敲研究。本文〈前言〉所引沈津先生之文曾指出：

> 據乾隆《江陵縣志》，資福寺在江陵城東南之化港，始建於唐代，應是一座規模不大的寺廟。昔之著錄皆作：「元至元六年中興路資福寺刻朱墨套印本」，蓋以劉覺廣〈跋〉後之小字：「師在奉甲站資福寺丈室註經」，為資福寺所刻之據，

---

41 江凌〈試論兩湖地區的印刷業〉，《北京印刷學院學報》16 卷 6 期，2008 年 12 月，頁 21-22。

42 《元史·地理志二》卷 59（臺北：鼎文書局 1986 年影印標點本），頁 1417。

> 除此之外，再無確證。案：此僅云釋無聞在資福寺注經，並未云在資福寺刻經，「注」、「刻」為不同之概念，不容混淆。劉覺廣當是篤信佛教之居士，其「刊經所」，即在江陵。故此經之版本似應作「元至正元年劉覺廣江陵刻經所刻朱墨套印本」為妥。

沈津先生之質疑甚爲合理，江陵市資福寺之建築至今仍保存一部分，未見有刻書之遺跡。然則此經之刻印地點或來源，似尚可另尋證據。

從彩色印刷出現的年代來看，1974 年，文物工作者在整建山西省應縣佛宮寺釋迦塔時，在塔內的釋迦牟尼佛像腹中，發現了遼代所刻的《契丹藏》12 卷，同時還找到三幅彩色印刷的「南無釋迦牟尼佛像」，據專家考證，其印刷時代約在遼聖宗統和年間（983-1011），乃目前所知年代最早的彩色印刷單張畫頁。[43]山西應縣與平陽在同一區域，如前所述，平陽自元代初期即是印刷業發達的地區，而在此前二百餘年，應縣已經出現了彩色印刷技術，則平陽的出版商理應也會知道彩色套印的方法，而加以應用。據此，中興路雙色印本《金剛經》的雕印有兩種可能：一是北方的工匠或出版商將這個印刷方法傳到了湖北江陵；或是資福寺聘請平陽的刻字工匠，到當地刻印。著名印刷史學者張秀民先生（1908～2006）曾指出：宋代的雕板刻工，時常有遠離家鄉，到外地工作，且到處

---

43 《中國出版通史・宋遼西夏金元卷》（北京：中國書籍出版社 2008 年），頁 215。

流動的現象。例如發明膠泥活字印刷的北宋布衣畢昇，原籍是湖北省英山縣，後來外出到杭州工作，因擔任刻工，從而發明活字印刷。[44]同理可證，元代刻字工人亦應有同樣情況。另一可能是資福寺之僧眾居士將《金剛經》註本的原稿送到平陽雕印出版。據前引劉覺廣跋文有「夢感龍天聚會於刊經所」云云，則以第一種可能性較大，劉覺廣即是主持刻印此《金剛經》註本實際事務的人。又前引沈津先生之文，主張此經版本應作「劉覺廣江陵刻經所刻朱墨套印本」，筆者認爲「刊經所」是「刊經之處所」的簡稱，不是一個專門名詞。所以此套色印本《金剛經》之版本項應可寫爲：「元至正元年中興路資福寺劉覺廣刻朱墨雙色印本」。

或許只憑此一單文孤證，要做出判斷，證據力稍嫌薄弱，然而只可惜目前所發現這一類的印刷成品太少，相關資料也不足，要詳細明瞭彩色印刷之發展情況，實有相當困難。本文爲求謹慎，僅以此雙色印本《金剛經》註解本爲線索，嘗試做出合理推論，提供學界參考。

五、結　論

依據佛法「緣起」的觀點來看，任何事物都不會是孤立呈現的，其背後必然有其形成的種種條件，所謂「有因有緣世間集，有因有

---

44 張秀民〈略論宋代的刻工〉，收在《中國印刷史學術研討會論文集》（北京：印刷工業出版社 1996 年），頁 52；張培華、張子謙〈畢昇籍貫及其發明活字印刷地點初探〉（同上），頁 251-254。

緣集世間」，[45]元代中興路刊印的雙色印本《金剛經》，也同樣是在各種條件的依持聚合之下產生的。本文研究指出：首先是元代南方禪宗的綿延不絕，造就無聞思聰禪師其人，湖北更是禪宗根據地，形成雙色印本《金剛經》的「知識基礎」。其次是雕板印刷在唐、宋的基礎上向前推進，北宋末即在北方山西地區發明了彩色印刷技術，使雙色印本《金剛經》具備了「技術基礎」。結合這兩種因素，可知此經之出現於世絕非偶然。

從此雙色印本《金剛經》還可以再次印證中國佛教徒勇於運用新技術來傳播佛法、影響社會文化的努力。例如現存最早的雕版印刷品是唐代初期的佛像、咒語；[46]再如現存有明確刻印年代的書籍則是唐懿宗咸通九年（868）王玠出資刻印的《金剛經》，與雙色印本《金剛經》的存世恰恰成爲一對珍貴的雙璧，而佛教徒在推動佛法傳播時的無限活力與機敏，也躍然呈現於我人眼前！

2009 年，國家圖書館爲開拓國際交流，特將此海內孤本雙色套印《金剛經》再次照相影印 100 部，做爲與世界各大圖書館交換珍藏的禮物。前館長顧敏所撰〈跋〉語，指出此經具有四項價值：

1、鑒賞價值：融文字、圖像爲一體，翻閱捧讀之際，字體端莊秀麗，色彩朱墨分明。燦爛奪目，愉悅心靈，使人不忍釋卷。

2、版本價值：此經爲世界上現存最早的木刻套色印本，比歐洲第一部帶色印刷的德國《梅因茲聖經詩篇》早了一百一

---

45 《雜阿含經》卷第二、第 53 經（《大正新修大藏經》第二冊），頁 12 下。

46 宿白《唐宋時期的雕版印刷》（北京：文物出版社 1993 年），頁 191。

十六年。[47]

3、文化價值：《金剛經》不僅是進入六百卷大般若經的導覽，而且是千年來探討及注疏最多、影響深遠的經典之一。經中一句「應無所住而生其心」，更啓發了六祖慧能創立禪宗的契機，使《金剛經》爲中國禪宗開啓了歷久不衰的黃金時代。

4、修持價值：發菩提心、安住眞心、降伏妄心的道理均在此經中，以期破除「我執、法執」，而又不著「空執」的境界。其方法即爲透過《金剛經》的「文字般若」，運用「觀照般若」，去體證「實相般若」的妙用及境界。[48]

顧氏所舉，前兩項屬雙色印本《金剛經》在文獻學上的價值，後兩項則屬《金剛經》在佛教禪學修行上的價值。而經由本文的闡述，可以了解此雙色印本《金剛經》不但是存世最早的、也是唯一的一部彩色印刷佛經，也是元代禪宗唯一的一部《金剛經》註解，因此可以說本經除了上述四項價值外，還具有禪宗史研究、文獻傳播史研究的價值！

---

47 這是指西元 1450 年左右，古騰堡（Johannes G.Gutenberg）在德國美因茲（Mainz）以活字印刷出版的「四十二行聖經」，其中亦有採用紅、黑兩種墨水。此處是以古騰堡聖經出版之最後下限年代 1457 為計算基礎。參考約翰・曼（John Man）《古騰堡革命》The Gutenberg Revolution・樂為良譯（臺北：商周出版 2004 年），頁 110-121。

48 國家圖書館景印之《元刊朱墨印本金剛經》為非賣品，坊間並無銷售，此處所引為筆者至國圖善本室借閱其景印本時節錄者。

引用參考書目

甲、古籍

一、經部

《周易》，臺北：藝文印書館景印《十三經注疏》本，1979 年。
《尚書》，臺北：藝文印書館景印《十三經注疏》本，1979 年。
《詩經》，臺北：藝文印書館景印《十三經注疏》本，1979 年。
《禮記》，臺北：藝文印書館景印《十三經注疏》本，1979 年。
《春秋公羊傳》，臺北：藝文印書館景印《十三經注疏》本，1979 年。
《春秋左氏傳》，臺北：藝文印書館景印《十三經注疏》本，1979 年。
《四書章句集注》，宋・朱熹撰，臺北：漢京文化事業有限公司景印清・吳志忠覆宋刻本，1983 年。
《說文解字注》，漢・許慎撰，清・段玉裁注，臺北：藝文印書館景印經韻樓本，1982 年。
《六書故》，宋・戴侗，臺北：臺灣商務印書館景印《文淵閣四庫全書》本，1983 年。
《經籍纂詁》，清・阮元編，北京：中華書局，1982 年。
《經義述聞》，清・王引之，南京：江蘇古籍出版社，2000 年。
《廣雅疏證》，清・王念孫，南京：江蘇古籍出版社，2000 年。
《經義考》，清・朱彝尊撰，臺北：中華書局《四部備要》本，1975 年。又：

臺北：中央研究院中國文哲研究所點校本，1997 年。

二、史部

《舊五代史》，宋・薛居正等撰，臺北：鼎文書局，1983 年。
《新五代史》，宋・歐陽修等撰，臺北：鼎文書局，1985 年。
《五代史記注》，彭元瑞、劉鳳誥撰，上海：上海古籍出版社《續修四庫全書》本，1995 年。
《新校本宋史並附編三種》，臺北：鼎文書局，1983 年。
《元史》 臺北：鼎文書局 1986 年影印標點本。
《清史稿》，臺北：洪氏出版社，1982 年。
《五代會要》，宋・王溥編，上海：上海古籍出版社，1978 年。
《宋會要輯稿》，清・徐松輯，臺北：世界書局，1964 年。
《十國春秋》，清・吳任臣撰，北京：中華書局，1983 年點校本。
《南唐書》，宋・陸游撰，臺北：藝文印書館，1966 年影印《百部叢書集成》本。
《資治通鑑》，宋・司馬光撰，北京：中華書局，1976 年。
《宋朝事實類苑》，宋・江少虞，臺北：源流出版社，1982 年。
《讀史方輿紀要》，清・顧祖禹，臺北：洪氏出版社，1981 年。
《四庫全書總目提要》，臺北：藝文印書館，1979 年。
《文津閣四庫全書提要匯編》，北京：商務印書館，2006 年。
《文史通義》，章學誠，臺北：仰哲出版社，1990 年。
《日知錄》，清・顧炎武，臺北：明倫出版社，1974 年。
《宋元方志叢刊》，北京：中華書局，1999 年。

三、子部

《荀子》，唐・楊倞注，臺北：臺灣中華書局《四部備要》本，1970 年。

《說苑疏證》，漢・劉向，趙善詒撰，上海：華東師範大學出版社，1985 年。
《顏氏家訓集解》，魏・顏之推撰，王利器注，北京：中華書局，1993 年。
《高士傳》，唐・皇甫謐撰，北京：中華書局，1972 年。
《揮麈錄》，宋・王明清，臺北：新興出版社，1977 年。
《隱居通義》，宋・劉塤，北京：商務印書館景印《文津閣四庫全書》本，2006 年。
《夢粱錄》，宋・吳自牧，上海：上海古典文學社，1956 年。
《蒙求》，唐・李翰編，南寧：廣西教育出版社，1992 年。
《太平御覽》，宋・李昉等編，臺北：明倫出版社，1975 年。
《玉海》，宋・王應麟，揚州：廣陵書社影印清光緒九年（1883）浙江書局刊本，2003 年。
《讀書雜志》，清・王念孫，南京：江蘇古籍出版社，2000 年影印清嘉慶、道光間王氏家刻本。
《札迻》，清・孫詒讓，北京：中華書局，1989 年。
《雜阿含經》，《大正藏》第 2 冊，臺北：新文豐出版公司，1986 年。
《佛祖統紀》，宋・釋志磐，《大正新修大藏經》第 49 冊，臺北：新文豐出版公司，1994 年。
《釋氏稽古略》，元・釋覺岸，《大正新修大藏經》第 49 冊，臺北：新文豐出版公司，1994 年。
《歷代佛祖通載》，元・釋念常撰，《大正藏》第 49 冊，臺北：新文豐出版公司 1986 年。
《宋高僧傳》，宋・釋贊寧，北京：商務印書館景印《文津閣四庫全書》本，2006 年。
《補續高僧傳》二十六卷，明・釋明河編，《卍續藏經》第 134 冊，臺北：中國佛教會，1967 年。
《增集續傳燈錄》六卷，明・釋文琇纂集，《卍續藏經》第 142 冊，臺北：中國佛教會，1967 年。

《五燈全書》，清・釋超永編，《卍續藏經》第 141 冊，臺北：中國佛教會，1967 年。
《續指月錄》二十卷，清・聶先編集，《卍續藏經》第 143 冊，臺北：中國佛教會，1967 年。
《續燈正統》四十二卷，清・性統編，《卍續藏經》第 144 冊，臺北：中國佛教會，1967 年。
《續燈存稿》十二卷，清・沙門通問編，《卍續藏經》第 145 冊，臺北：中國佛教會，1967 年。
《景德傳燈錄》，宋・釋道原，《頻伽大藏經》第 81 冊，北京：九州圖書出版社，1998 年。
《五燈會元》，宋・釋普濟，臺北：廣文書局，1971 年。
《古尊宿語錄》，宋・頤藏主編，蕭萐父、呂有祥點校，北京：中華書局，1994 年。
《碧巖集定本》，宋・釋克勤撰集，日本・伊藤猷典校定，藍吉富主編「現代佛學大系」第 9 冊，臺北：彌勒出版社，1982 年。
《金剛經持驗記》，清・周克復編，《卍續藏經》第 149 冊，臺北：中國佛教會，1967 年。
《禪宗集成》，臺北：藝文印書館，1968 年。
《禪宗全書》，藍吉富主編，臺北：文殊文化有限公司，1990 年。

四、集部

《文心雕龍》，梁・劉勰，臺北：里仁書局周振甫《注釋》本，1984 年。
《詩品》，梁・鍾嶸，上海：上海古籍出版社曹旭《集注》本，1996 年。
《文苑英華》，宋・李昉等奉敕編，北京：中華書局影印明刊本，1966 年。
《樊川詩集》，唐・杜牧，臺北：漢京文化事業有限公司，1983 年。
《歐陽脩全集》，宋・歐陽修，北京：中國書店，1994 年。

《蘇東坡全集》，宋・蘇軾，臺北：河洛圖書出版社，1975 年。
《陸放翁全集》，宋・陸游，北京：中國書店，1995 年。
《朱熹集》，宋・朱熹，成都：四川教育出版社 1997 年。
《鶴山先生大全文集》，宋・魏了翁，臺北：臺灣商務印書館，1979。
《滄浪詩話》，宋・嚴羽，臺北：廣文書局，1977 年。
《牧齋初學集》，清・錢謙益，臺北：臺灣商務印書館《四部叢刊》本，1967 年。
《牧齋又學集》，清・錢謙益，臺北：臺灣商務印書館《四部叢刊》本，1967 年。
《全祖望集彙校集注》，清・全祖望，上海：上海古籍出版社，2000 年。
《嘉定錢大昕全集》，清・錢大昕，南京：江蘇古籍出版社，1997 年。
《戴震全書》，清・戴震，合肥：黃山書社，1995 年。
《甌北詩話》，清・趙翼，臺北：廣文書局景印《古今詩話叢編》本，1971 年。
《揅經室集》，清・阮元，臺北：臺灣商務印書館，1966 年。
《高郵王氏遺書》，清・王念孫、王引之，南京：江蘇古籍出版社，2000 年。
《瓶廬叢稿》，清・翁同龢，臺北：文海出版社《近代中國史料叢刊》第 9 集，1966 年。
《天眞閣集》，清・孫原湘，上海：上海古籍出版社《續修四庫全書》本，2002 年。
《漢學商兌》，清・方東樹，臺北：臺灣商務印書館影印《槐廬叢書》本，1971 年。
《北江詩話》，清・洪亮吉，《古今詩話叢編》影印《粵雅堂叢書》本，臺北：廣文書局，1971 年。
《趙氏家乘》，清・趙詒翼，臺北：新文豐出版公司，《叢書集成續編》第 4 冊，1991 年。
《藏書紀事詩》，清・葉昌熾，上海：上海古籍出版社，1999 年補正本。

《緣督廬日記鈔》，清．葉昌熾，臺北：臺灣學生書局，1964 年。
《吳興藏書錄》，清．鄭元慶撰，范聲山增訂，《書目三編》影印民國九年《吳興叢書》本，臺北：廣文書局，1969 年。
《武林藏書錄》，清．丁申撰，上海：上海古籍出版社，2005 年。
《脈望館鈔校古今雜劇》，《古本戲曲叢刊》第 4 集，上海：商務印書館，1958 年。
《絳雲樓題跋》，清．錢謙益，上海：上海古籍出版社，2005 年。
《古逸叢書》，清．楊守敬編，揚州：江蘇廣陵古籍刻印社，1999 年。

乙、今人論著

一、專書類

《二十世紀中國文學研究》，北京：北京出版社，2001 年。
《人間詞話》，王國維，唐圭璋主編《詞話叢編》本，北京：中華書局，1986 年。
《大藏經總目提要—文史藏》，陳士強，上海古籍出版社，2008 年。
《大藏經的成立與變遷》，小川貫弌，收在藍吉富主編《世界佛學名著譯叢》第 25 冊，臺北：華宇出版社，1984 年。
《上海近代藏書紀事詩》，周退密、宋路霞，上海：華東師範大學出版社，1993 年。
《六祖壇經箋註》，丁福保，臺北：天華出版事業有限公司，1989 年。
《文心雕龍札記》，黃侃，上海：上海古籍出版社，2000 年。
《文化社會學》，司馬雲傑，濟南：山東人民出版社，1990 年。
《文字禪與宋代詩學》，周裕楷，北京：高等教育出版社，1998 年。
《文學理論》，陳文忠主編，合肥：安徽大學出版社 2002 年。
《文獻學講義》，王欣夫，臺北：文史哲出版社，1987 年。

《文獻學》，洪湛侯，臺北：藝文印書館，1996 年。
《文獻學》，劉兆祐，臺北：三民書局，2007 年。
《文獻學概要》，杜澤遜，北京：中華書局，2001 年。
《中日漢籍交流史論》，李國慶，杭州：杭州大學出版社，1992 年。
《中日書籍之路研究》，王勇，北京：北京圖書館出版社，2003 年。
《中華佛教百科全書》，臺南縣妙心寺‧中華佛教百科文獻基金會，1994 年。
《中華印刷通史》，張樹棟等編，北京：印刷工業出版社，1999 年。
《中國古代史籍校讀法》，張舜徽，臺北：粹文堂影印本，1977 年。
《中國古代藏書與近代圖書館史料》，李希泌編，北京：中華書局，1982 年。
《中國文獻學概要》，鄭鶴聲、鄭鶴春合撰，上海：上海古籍出版社，2001 年。
《中國古典文獻學》，吳楓，臺北：木鐸出版社，1983 年。
《中國文獻學》，周彥文，臺北：五南圖書出版公司，1993 年。
《中國古文獻學》，孫欽善，北京：北京大學出版社，2007 年。
《中國古籍編撰史》，曹之，武昌：武漢大學出版社，2005 年。
《中國傳統文獻學概論》，董恩林主編，武漢：華中師範大學出版社，2008 年。
《中國古代史籍校讀法》，張舜徽，臺北：里仁書局，1998 年。
《中國古代藏書樓研究》，黃建國、高躍新，北京：中華書局，1999 年。
《中國古版畫史》，周心慧，北京：學苑出版社 2000 年。
《中國分體文學史-詩歌卷》，趙義山、李修生主編，上海：上海古籍出版社，2001 年。
《中國天臺宗通史》，潘桂明、吳忠偉著，南京：江蘇古籍出版社，2001 年。
《中國巫術史》，高國藩，上海：上海三聯書店，1999 年。
《中國近三百年學術史》，梁啓超，臺北：南嶽出版社，1978 年。
《中國的類書、政書與叢書》，戚志芬，臺北：臺灣商務印書館，1994 年。
《中國出版通史》，李致忠主編，北京：中國書籍出版社 2008 年。

《中國印刷史》，張秀民，上海：上海人民出版社，1989 年。
《中國印刷史學術研討會論文集》，北京：印刷工業出版社，1996 年。
《中國版刻圖錄》，北京圖書館編，北京：文物出版社，1961 年。
《中國私家藏書史》，范鳳書，鄭州：大象出版社，2001 年。
《中國藏書家考略》，楊立誠、金步瀛，上海：上海古籍出版社，1985 年。
《中國藏書通史》，傅璇琮主編，寧波：寧波出版社，2001 年。
《中國藏書樓》，任繼愈主編，瀋陽：遼寧人民出版社，2001 年。
《藏書與文化——古代私家藏書文化研究》，周少川，北京：北京師範大學出版社，1999 年。
《中國善本書提要》，王重民，上海：上海古籍出版社，1999 年。
《中國圖書文獻學論集》，王國良先生、王秋桂合編，臺北：明文書局，1986 年。
《中國圖書史資料集》，劉家璧編，香港：龍門書店，1974 年。
《中國歷代敘事詩歌》，路南孚，濟南：山東文藝出版社，1987 年。
《中國歷代地名要覽》，日・青山定雄編，臺北：洪氏出版社，1981 年。
《中國佛教史》，任繼愈主編，北京：中國社會科學出版社，2001 年。
《中國佛教史・元代》，任宜敏　北京：人民出版社 2005 年。
《中國佛學源流略講》，呂澂，《呂澂佛學論著選集》第五冊，濟南：齊魯書社，1991 年。
《中國禪宗史》，釋印順，臺北：正聞出版社，1987 年。
《中國禪宗通史》，杜繼文，魏道儒，南京：江蘇古籍出版社，1995 年。
《中國禪學思想史》，洪修平，臺北：文津出版社，1994 年。
《中國道教史》，卿希泰主編，成都：四川人民出版社，1996 年。
《中國詩學思想史》，蕭華榮，上海：華東師範大學出版社 1996 年。
《中國訓詁學》，周何，臺北：三民書局，1997 年。
《古文獻學新論》，王宏理，廣州：中山大學出版社，2008 年。
《古今典籍聚散考》，陳登原，臺北：盤庚出版社，1978 年。

《古典新義》，聞一多，臺北：育民出版社，1981 年。
《古書虛字廣義》，王叔岷先生，臺北：華正書局，1990 年。
《日本儒學序說》，張琴鶴，臺北：明文書局，1987 年。
《日本儒學史概論》，許政雄譯註，臺北：文津出版社，1993 年。
《半肖居筆記》，王水照，北京：東方出版中心，1998 年。
《宋人軼事彙編》，丁傳靖輯，臺北：源流出版社，1987 年。
《宋代館閣校勘研究》，李更，南京：鳳凰出版社，2006 年。
《宋代藏書家考》，潘美月先生，臺北：學海出版社，1980 年。
《宋代文獻學研究》，張富祥，上海：上海古籍出版社，2006 年。
《宋代文化史》，姚瀛艇主編，開封：河南大學出版社，1999 年。
《宋代類書之研究》，張圍東，臺北：花木蘭文化出版社，2005 年。
《宋代禪宗文化》，魏道儒，鄭州：中州古籍出版社，1993 年。
《宋代官方文化機構研究》，郭聲波，成都：天地出版社，2000 年。
《宋詩之新變與代雄》，張高評，臺北：洪葉文化事業有限公司，1995 年。
《宋詩論文選輯》，張高評主編，高雄：復文圖書公司，1988 年。
《宋詩綜論叢編》，張高評主編，高雄：麗文文化事業公司，1993 年。
《宋詩論集》，張福勛，呼和浩特：內蒙古人民出版社，1997 年。
《宋明理學史》，侯外廬主編，北京：人民出版社，1984 年。
《兩宋文化史》，楊渭生主編，杭州：浙江大學出版社，2008 年。
《北宋書籍刊刻與古文運動》，蘇勇強，杭州：浙江大學出版社，2010 年。
《史學方法論》，杜維運，臺北：三民書局 2005 年增訂新版。
《朱彝尊經義考研究》，楊果霖，臺北：花木蘭文化出版社，2005 年。
《也是園古今雜劇考》，孫楷第，上海：上雜出版社，1947 年。
《元明時代東傳日本的文獻》，鄭樑生，臺北：文史哲出版社，1984 年。
《江戶時代日本儒學研究》，王中田，北京：中國社會科學出版社，1994 年。
《杜集書錄》，周采泉編，上海：上海古籍出版社，1979 年。
《杜集書目提要》，鄭慶篤，濟南：齊魯書社，1986 年。

《江蘇藏書家史略》，吳晗，臺北：文史哲出版社，1982 年。
《浙江藏書家史略》，吳晗，臺北：文史哲出版社，1982 年。
《莊子校詮》，王叔岷先生，北京：中華書局，2007 年。
《校讎學》，王叔岷先生，臺北：中央研究院歷史語言研究所訂補本，1995 年。
《校讎別錄》，王叔岷先生，臺北：華正書局，1987 年。
《目錄學與學術史》，徐有富，北京：中華書局，2009 年。
《明清以來民間生活知識的建構與傳遞》，吳蕙芳，臺北：臺灣學生書局，2007 年。
《印度之佛教》，釋印順，臺北：正聞出版社，1985 年。
《傳統文學論衡》，王夢鷗，臺北：時報文化出版公司，1987 年。
《易學哲學史》，朱伯崑，北京：北京大學出版社，1988 年。
《圖書文獻學研究論集》，林慶彰先生，臺北：文津出版社，1990 年。
《圖書印刷發展史論文集》，喬衍琯編，臺北：文史哲出版社，1982 年。
《圖書版本學要略》，屈萬里先生初稿；昌彼得先生、潘美月先生增訂，臺北：中國文化大學出版部，1986 年。
《圖書文獻學考論》，趙飛鵬，臺北：里仁書局，2005 年。
《國家圖書館善本書志初稿》，臺北：國家圖書館，1998 年。
《增訂蟫庵群書題識》，昌彼得先生，臺北：臺灣商務印書館，1997 年。
《陳振孫之生平及其著述研究》，何廣棪，臺北：花木蘭文化出版社，2007 年。
《楊惺吾先生年譜》，吳天任，臺北：藝文印書館，1974 年。
《詩經今注》，高亨，臺北：漢京文化事業有限公司 1984 年。
《論語集釋》，程樹德，北京：中華書局，1997 年。
《劫中得書記》，鄭振鐸，臺北：木鐸出版社，1982 年。
《著硯樓書跋》，潘承弼，上海古典文學社排印本，收入《書目類編》第 77 冊，1978 年。

《書城風弦錄——沈津學術筆記》，沈津，桂林：廣西師範大學出版社 2006年。
《書城索記》，駱兆平，上海：上海古籍出版社，2000年。
《書文化大觀》，李廣宇編，北京：中國廣播電視出版社，1994年。
《涉園序跋集錄》，張元濟，臺北：臺灣商務印書館，1979年。
《雙行精舍書跋輯存》，王獻唐，濟南：齊魯書社，1986年。
《續補藏書紀事詩》，王謇，瀋陽：遼寧人民出版社，1988年。
《簡明中華印刷通史》，張樹棟等編，桂林：廣西師範大學出版社，2004年。
《類書流別》，張滌華，北京：商務印書館，1985年修訂本。
《繆荃孫研究》，楊洪升，上海：上海古籍出版社，2008年。
《唐人逸事彙編》，周勛初主編，上海：上海古籍出版社，1995年。
《唐宋時期的雕版印刷》，宿白，北京：文物出版社，1993年。
《唐代類書與文學》，唐光榮，成都：巴蜀書社，2008年。
《唐集敘錄》，萬曼，臺北：明文書局，1988年。
《歐陽脩資料彙編》，洪本健編，北京：中華書局，1995年。
《黃庭堅與江西詩派卷》，傅璇琮編，高雄：麗文文化事業公司，1993年。
《禪宗宗派源流》，吳立民主編，北京：中國社會科學出版社，1998年。
《禪宗語言》，周裕楷，杭州：浙江人民出版社，1999年。
《禪宗與宋代詩學理論》，林湘華，臺北：文津出版社，2002年。
《禪宗思想淵源》，吳言生，北京：中華書局，2001年。
《禪門修證》，釋聖嚴，臺北：圓神出版社，1992年。
《漢魏兩晉南北朝佛教史》，湯用彤，臺北：臺灣商務印書館，1998年。
《簡明中國佛教史》，鐮田茂雄，臺北：谷風出版社，1987年。
《聽雨僧廬佛學雜集》，藍吉富，臺北：現代禪出版社，2003年。
《清人詩集敘錄》，袁行雲，北京：文化藝術出版社，1994年。
《清代樸學大師列傳》，支偉成，臺北：藝文印書館，1970年。
《清代學術思想論叢》，周康燮主編，香港：大東圖書公司，1978年。

《清代學術概論》，梁啓超，臺北：南嶽出版社，1978 年。
《清代學術論集》，羅炳綿，臺北：食貨月刊社，1978 年。
《清代藏書樓發展史》，譚卓垣，瀋陽：遼寧人民出版社，1988 年。
《清儒學案新編》，楊向奎，濟南：齊魯書社，1994 年。
《清詩史》，嚴迪昌，臺北：五南圖書出版公司，1998 年。
《清詩流派史》，劉世南，臺北：文津出版社，1995 年。
《陳寅恪先生文集》，陳寅恪，上海：上海古籍出版社，1980 年。
《歷史與思想》，余英時，臺北：聯經出版事業公司，1977 年。
《理解與解釋——詮釋學經典文選》，洪漢鼎主編，北京：東方出版社，2001 年。
《詮釋學導論》，潘德榮，臺北：五南圖書出版公司，1999 年。
《從創造的詮釋學到大乘佛學》，傅偉勳，臺北：東大圖書公司，1990 年。
《論詩絕句》，周益忠，臺北：金楓出版有限公司，1987 年。
《讀易會通》，丁壽昌，臺北：河洛圖書出版社，1975 年。
《讀易提要》，潘雨廷，上海：上海古籍出版社，2006 年。
《易學哲學史》，朱伯崑，臺北：藍燈文化事業有限公司，1991 年。
《周易研究史》，廖名春主編，長沙：湖南出版社，1991 年。
《陸游南唐書本紀考釋及史事補遺》，鄭滋斌，臺北：文史哲出版社，1997 年。
《尚書釋義》，屈萬里先生，臺北：聯經出版事業公司，1985 年。
《詩經釋義》，屈萬里先生，臺北：聯經出版事業公司，1985 年。
《屈萬里先生文存》，屈萬里先生，臺北：聯經出版事業公司，1985 年。
《屈萬里先生百歲誕辰國際學術研討會論文集》，國立臺灣大學中文系主編，2006 年。
《劉兆祐教授春風化雨五十年紀念文集》，編輯委員會主編，臺北：臺灣學生書局，2010 年。
《治學方法》，劉兆祐先生，臺北：三民書局，1999 年。

《認識古籍版刻與藏書家》，劉兆祐先生，臺北：臺灣書店，1997 年。
《劉申叔先生遺書》，劉師培，臺北：華世出版社，1975 年。
《陸游年譜》，歐小牧，成都：天地出版社，1998 年。
《歐陽脩的生平與學術》，蔡世明，臺北：文史哲出版社，1986 年。
《胡適文存》，胡適，臺北：洛陽圖書公司，1978 年。
《蔭穉文存》，曹蔭穉，1983 年家印本。
《沈兼士學術論文集》，沈兼士，北京：中華書局，1986 年。
《訓詁學初稿》，周大璞，武昌：武漢大學出版社，1999 年。
《訓詁學》，楊端志，臺北：五南圖書公司，1997 年。
《訓詁原理》，孫雍長，北京：語文出版社，1997 年。
《訓詁學通論》，路廣正，天津：天津古籍出版社，1996 年。
《訓詁學基礎》，陳紱，北京：北京師範大學出版社，1990 年
《訓詁學說略》，富金璧，武漢：湖北人民出版社，2003 年。
《訓詁與訓詁學》，陸宗達、王寧，太原：山西教育出版社，1996 年。
《目錄學發微》，余嘉錫，臺北：盤庚出版社，1979 年。
《孟姜女故事研究集》，顧頡剛著，王煦華編，臺北：漢京文化事業有限公司，1985 年。
《漢文佛教大藏經研究》，李富華、何梅，北京：宗教文化出版社 2003 年。
《漢族成年禮及其相關問題研究》，葉國良、李隆獻、彭美玲合著，臺北：大安出版社，2004 年。
《臺灣大學圖書館藏珍本東亞文獻目錄——日本漢籍篇》，張寶三主編，臺北：臺灣大學出版中心，2008 年。
《南京大學百年學術精品—圖書館學卷》，南京：南京大學出版社，2002 年。
《國際宋代文化研討會論文集》，成都：四川大學出版社，1991 年。
《乾嘉學者的治經方法》，蔣秋華主編，臺北：中央研究院中國文哲研究所，2000 年。
《舊學輯存》，張舜徽，濟南：齊魯書社，1988 年。

《張舜徽學術論著選》，張舜徽，武漢：華中師範大學出版社，1997 年。
《張舜徽百年誕辰紀念國際學術研討會論文集》，周國林主編，武漢：華中師範大學出版社，2011 年 6 月。
《張舜徽先生之文獻學研究》，吳健誠，東吳大學中文系 95 年度碩士論文，2006 年 6 月。
《清代鄭玄著作輯佚之研究——以輯佚類叢書爲中心》，吳怡青，臺北大學古典文獻學研究所 97 年度碩士論文，2008 年 6 月。

二、論文類

〈中國古代藏書學述略〉，徐雁，《四川圖書館學報》1986 年第 1 期。
〈論訓詁學的性質與其他〉，許嘉璐，《湖南師範大學學報・哲社版》，1986 年古漢語專輯。
〈南唐三主與佛教信仰〉，陳葆眞，《佛教文學與藝術學研討會論文集》，臺北：法鼓文化，2001 年，頁 245-285。
〈略談日本古寫本群書治要的文獻學價値〉，吳金華，《文獻》2003 年第 3 期，頁 118-127。
〈張舜徽先生歷史文獻學成就述要〉，周國林，《安徽大學學報》（哲學社會科學版）2003 年第 1 期。
〈臺灣地區戒嚴時期翻印大陸禁書之探討（1949-1987）〉，蔡盛琦，《國家圖書館館刊》14 卷 10 期（總 166 期），2004 年 6 月。
〈學術論文被引用次數研究〉，石秋霞、黃鴻珠，《教育資料與圖書館學》第 44 卷 1 期，2006 年 9 月。
〈北宋出版文化考述〉，吳哲夫先生，《書目季刊》第 41 卷 1 期，2007 年 6 月，頁 11-29。
〈論易道主剛〉，鄭吉雄，《臺大中文學報》第 26 期，2007 年 6 月。
〈「因聲求義」理論的歷史演變〉，陳志峰，《中國文學研究》第 24 期，國立臺灣大學中國文學研究所，2007 年 6 月。
〈經典的文化詮釋——論聞一多《詩經》的婚嫁民俗闡釋〉，朱孟庭，《第四屆文學與資訊學術研討會論文集》，國立臺北大學中國語文學系，2008 年。
〈試論兩湖地區的印刷業〉，江凌，《北京印刷學院學報》16 卷 6 期，2008 年 12 月，頁 21-22。
〈收集與分類：明代彙編與類書〉，艾爾曼（Benjamin Elman），《學術月刊》2009 年 5 月，頁 126-138。
〈屈萬里先生版本目錄學成就〉，徐憶農，《山東圖書館學刊》第 113 期，2009 年 6 月。
〈近三十年屈萬里研究論著目錄〉，何淑蘋，《書目季刊》第 43 卷第 2 期，2009 年 9 月。
〈出土簡帛對文獻考據方法的啓示〉，劉笑敢，《第一屆文字文本文獻國際學術研討會》論文，國立臺灣大學中文系，2009 年 10 月。
〈譚卓垣生平與圖書館學成就考察〉，鄭錦懷，《中國圖書館學報》第 37 期，2011 年 6 月。

三、譯著類

《文化研究導論》（“***Introducing Cultural Studies***”），阿雷恩·鮑德溫（Elaine Baldwin）等著，陶東風等譯，北京：高等教育出版社，2007 年。
《古騰堡革命》（“***The Gutenberg Revolution***”），約翰·曼（John Man）著，樂爲良譯，臺北：商周出版社，2004 年。
《金枝——巫術與宗教之研究》（“***The Golden Bough***”），弗雷澤（J.G.Frazer）著，汪培基譯，臺北：桂冠圖書公司，1994 年。
《世界文明史》，威爾·杜蘭（Will Durant）著，臺北：幼獅文化事業公司，1988 年。

《知識社會史——從古騰堡到狄德羅》，Peter Burke 著，賈士蘅譯，臺北：麥田出版社，2003 年。

《伽達默爾集》，高達美（H.Gadamer）著，嚴平編選，鄧安慶等譯，上海：遠東出版社，1997 年。

《詮釋學》，帕瑪（Richard E. Palmer）著，嚴平譯，臺北：桂冠圖書公司，1997 年。

《中國佛教發展史》，中村元著，余萬居譯，臺北：天華出版社，1984 年。

《五代宗教年表》，牧田諦亮撰，《世界佛學名著譯叢》第 45 冊，臺北：華宇出版社，1988 年。

《宋代佛教史研究》，高雄義堅著，陳季菁譯，《世界佛學名著譯叢》第 47 冊，臺北：華宇出版社，1988 年。

《佛教思想二：在中國的展開》，西義雄著，臺北：幼獅文化事業公司，1991 年。

《モンゴル時代の出版文化》，宮紀子，名古屋：名古屋大學出版會，2006 年。

國家圖書館出版品預行編目資料

文獻學之傳承與探新

趙飛鵬著. – 初版. – 臺北市：臺灣學生，2014.09
面；公分

ISBN 978-957-15-1583-0 (平裝)

1. 文獻學

011　　102002339

文獻學之傳承與探新

著作者：趙飛鵬
出版者：臺灣學生書局有限公司
發行人：楊雲龍
發行所：臺灣學生書局有限公司
臺北市和平東路一段七十五巷十一號
郵政劃撥帳號：00024668
電話：(02)23928185
傳真：(02)23928105
E-mail：student.book@msa.hinet.net
http：//www.studentbook.com.tw
本書局登記證字號：行政院新聞局局版北市業字第玖捌壹號
印刷所：長欣印刷企業社
新北市中和區永和路三六三巷四二號
電話：(02)22268853

定價：新臺幣五六〇元

二〇一四年九月初版

01120

ISBN 978-957-15-1583-0 (平裝)